ARSÈNE LUPIN

MAURICE LEBLANC

ARSÈNE LUPIN

E OS DENTES DO TIGRE

Tradução
Andréia Manfrin Alves

Principis

Esta é uma publicação Principis, selo exclusivo da Ciranda Cultural

Traduzido do original em francês
Les dents du tigre

Texto
Maurice Leblanc

Tradução
Andréia Manfrin Alves

Revisão
Cleusa S. Quadros

Diagramação
Linea Editora

Produção editorial
Ciranda Cultural

Design de capa
Ciranda Cultural

Imagens
alex74/shutterstock.com;
YurkaImmortal/shutterstock.com;
Irina Solatges/shutterstock.com;
Feliks Kogan/shutterstock.com;
Ola-ola/shutterstock.com;
NadzeyaShanchuk/shutterstock.com

Dados Internacionais de Catalogação na Publicação (CIP) de acordo com ISBD

L445a Leblanc, Maurice

Arsène Lupin e os dentes do tigre / Maurice Leblanc ; traduzido por Andréia Manfrin Alves. – Jandira, SP : Principis, 2021.
416 p. ; 15,5cm x 22,6cm. - (Arsène Lupin)

Tradução de: Les dents du tigre
ISBN: 978-65-5552-524-3

1. Literatura francesa. 2. Ficção. I. Alves, Andréia Manfrin. II. Título. III. Série.

2021-1967 CDD 843
CDU 821.133.1-3

Elaborado por Vagner Rodolfo da Silva - CRB-8/9410

Índice para catálogo sistemático:
1. Literatura francesa : Ficção 843
2. Literatura francesa : Ficção 821.133.1-3

1ª edição em 2021
www.cirandacultural.com.br

SUMÁRIO

D'ARTAGNAN, PORTHOS E MONTE CRISTO

Às quatro e meia, o senhor Desmalions, comandante-geral, ainda não tinha voltado. Seu secretário particular colocou sobre a mesa um pacote de cartas e relatórios que tinha listado, tocou a campainha e disse ao escrivão que entrava pela porta principal:

– O comandante-geral convocou para as cinco horas várias pessoas cujos nomes estão listados aqui. Faça-os aguardar separadamente, para que não possam se comunicar uns com os outros, e entregue-me seus cartões.

O escrivão se retirou. O secretário seguia para a pequena porta que dava acesso ao seu gabinete quando a porta principal foi reaberta e deu passagem a um homem que parou e se apoiou, trêmulo, no encosto de uma poltrona.

– Ah, senhor Vérot? – disse o secretário. – O que aconteceu? O que o senhor tem?

O inspetor Vérot era um homem corpulento, ombros fortes, espalhafatoso. Alguma emoção violenta devia perturbá-lo, pois seu rosto, normalmente corado, estava bastante pálido.

– Não é nada, senhor secretário.

– Mas o senhor não parece estar nada bem, está pálido e molhado de suor…

O inspetor Vérot limpou a testa e se recompôs:

– Estou cansado. Tenho trabalhado demais ultimamente. Queria resolver a todo custo um caso que o comandante-geral me confiou. Mas de fato é estranho o que estou sentindo.

– Quer um cordial?

– Não, obrigado, não estou com sede.

– Um copo d'água?

– Não… não…

– Alguma outra coisa?

– Eu gostaria… gostaria de… – a voz estava embargada. Ele olhou ansiosamente, como se de repente não conseguisse pronunciar outras palavras. Mas, recuperando o controle da situação:

– O senhor comandante-geral não está?

– Não, ele só chegará às cinco horas para uma reunião importante.

– Sim, eu sei, muito importante. Também fui convocado. Mas eu gostaria de falar com ele antes. Eu precisava tanto falar com ele!

O secretário examinou Vérot e disse:

– Como o senhor está agitado! Essa conversa é tão importante assim?

– É bem importante. Trata-se de um crime que ocorreu há exatamente um mês. E trata-se, sobretudo, de evitar dois assassinatos que são consequência desse crime e que devem acontecer esta noite. Sim, esta noite, fatalmente, se não tomarmos as devidas providências.

– Vejamos. Sente-se, senhor Vérot.

– Ah! Tudo isso foi combinado de uma maneira tão diabólica! Não, ninguém é capaz de imaginar…

– Mas se o senhor foi avisado, senhor Vérot, o senhor comandante-geral lhe dará carta branca…

– É óbvio que sim, mas é assustador pensar que eu poderia não encontrá-lo. Então tive a ideia de escrever esta carta na qual conto tudo o que sei sobre o caso. É mais prudente.

Ele entregou um grande envelope amarelo ao secretário e acrescentou:

– Também vou deixar esta pequena caixa sobre a mesa. Ela contém algo que serve de complemento e de explicação ao conteúdo da carta.

– Mas por que o senhor não fica com tudo isso?

– Tenho medo. Estou sendo vigiado. Estão tentando se livrar de mim... Não vou ficar tranquilo até não ser mais o único a saber do segredo.

– Não tenha medo, senhor Vérot. O comandante-geral chegará em breve. Até lá, aconselho o senhor a ir à enfermaria e pedir um cordial.

O inspetor parecia indeciso. Mais uma vez, secou a testa molhada de suor. Depois se recompôs e saiu.

Uma vez sozinho, o secretário colocou a carta em uma pasta volumosa aberta sobre a mesa do comandante-geral e saiu pela porta que comunicava com seu gabinete privado.

Ele mal tinha fechado a porta da antecâmara e ela logo foi reaberta pelo inspetor, que voltou gaguejando:

– Senhor secretário, é melhor eu lhe mostrar...

O infeliz estava pálido. Seus dentes tiritavam. Quando ele percebeu que a sala estava vazia, quis caminhar até o gabinete do secretário, mas foi tomado por uma fraqueza e desabou sobre uma cadeira onde permaneceu sentado por alguns minutos, destruído, com a voz trêmula.

– O que é que eu tenho? Será que também fui envenenado? Oh! Estou com medo. Estou com medo...

A mesa do escritório estava ao seu alcance. Ele pegou um lápis, puxou um bloco de anotações e começou a rabiscar algumas palavras, mas balbuciou:

– Não, não adianta, pois o comandante-geral vai ler minha carta... O que será que eu tenho? Oh! Estou com medo...

De repente ele se levantou e articulou:

– Senhor secretário, é preciso... é preciso que... Ainda esta noite... Nada no mundo poderá impedir...

Caminhando devagar, como um autômato, fazendo um esforço descomunal, ele avançou em direção à porta do gabinete. Mas, no meio do caminho, ele vacilou e precisou se sentar novamente.

Um pavor tomou conta dele, mas ele soltou gritos tão fracos que ninguém conseguiu ouvi-lo. Ele percebeu que ninguém o ouvia e procurou com os olhos por uma campainha, uma sineta, mas sua visão também estava comprometida. Um véu de sombra parecia pesar sobre seus olhos.

Ele caiu de joelhos, se arrastou até a parede tateando tudo com as mãos, como um cego, e conseguiu encontrar um revestimento de madeira. Era a parede que dividia os dois escritórios. Ele continuou se rastejando. Infelizmente, seu cérebro confuso só lhe apresentava uma imagem enganosa da sala e, em vez de virar à esquerda, como deveria ter feito, ele seguiu para a direita, para trás de um biombo que escondia uma pequena porta.

Sua mão encontrou a maçaneta dessa porta e ele conseguiu abrir. Ele balbuciou: "Socorro, socorro" e desabou em uma espécie de cubículo que servia de banheiro para o comandante-geral.

– Esta noite! – ele gemia, acreditando que alguém o ouvia e que estava no gabinete do secretário. – Esta noite, o crime acontecerá esta noite. Os senhores verão... a marca dos dentes... o horror! Como estou sofrendo! Socorro! Fui envenenado... Alguém me ajude!

A voz se extinguiu. Ele repetiu diversas vezes, como em um pesadelo:

– Os dentes... os dentes brancos... eles estão se fechando!

Depois a voz enfraqueceu novamente e sons indistinguíveis saíram de seus lábios trêmulos. Sua boca parecia mastigar no vazio, como fazem os velhos que ruminam incessantemente. A cabeça se inclinou lentamente sobre o peito. Ele suspirou duas ou três vezes, foi sacudido por um grande arrepio e não se mexeu mais.

E o estertor da morte começou, muito baixo, em um ritmo uniforme, com interrupções em que um supremo esforço do instinto parecia reanimar o sopro vacilante da mente e faiscar os olhos apagados como rápidos lampejos de consciência.

Às dez para as cinco, o comandante-geral entrou em seu escritório.

O senhor Desmalions, que mantinha seu cargo há alguns anos com uma autoridade à qual todos se curvavam, era um homem de cinquenta anos, de aparência bruta, mas inteligente e bela figura. Seus trajes – casaco e calças cinzas, grevas brancas, gravata – não tinham nada de uma vestimenta de funcionário público. Seus modos eram desenvoltos, cheios de simplicidade e de naturalidade.

A um sinal, ele logo se viu na companhia de seu secretário, a quem perguntou:

– As pessoas que convoquei já chegaram?

– Sim, senhor comandante, e já dei ordem para que todas aguardem em salas separadas.

– Oh! Não haveria nenhum inconveniente se elas quisessem conversar entre si. No entanto... é melhor assim. Espero que o embaixador dos Estados Unidos não tenha se incomodado...

– Não, senhor comandante.

– O senhor tem os cartões deles?

– Aqui estão.

O comandante-geral pegou os cinco cartões e leu:

AR CHIBALD BRIGHT, *primeiro-secretário da embaixada dos Estados Unidos.*

SENHOR LEPERTUIS, *notário.*

JUAN CACÉRÈS, *adido da embaixada do Peru.*

COMANDANTE CONDE D'ASTRIGNAC, *aposentado.*

O quinto cartão trazia simplesmente um nome, sem endereço ou qualquer outra designação:

DOM LUÍS PERENNA.

– Esse eu gostaria muito de ver – disse o senhor Desmalions. – Ele me interessa imensamente! O senhor leu o relatório da Legião Estrangeira?

– Sim, senhor comandante, e confesso que esse senhor também me intriga muito...

– Não é mesmo? Que coragem! Uma espécie de herói louco e realmente prodigioso. E também esse apelido de Arsène Lupin, que seus amigos lhe deram de tanto que ele os dominava e surpreendia! Já faz quanto tempo que Arsène Lupin morreu?

– Dois anos antes da guerra, senhor comandante. Seu cadáver foi encontrado junto com o da senhora Kesselbach sob os escombros de um pequeno chalé incendiado, perto da fronteira com Luxemburgo. As investigações provaram que ele havia estrangulado a monstruosa senhora Kesselbach, cujos crimes foram descobertos na sequência, e que logo em seguida ele colocou fogo no chalé e se enforcou.

– Esse maldito personagem teve o fim que mereceu – disse o senhor Desmalions –, e admito que, de minha parte, prefiro não ter que combatê-lo. Vejamos, onde paramos? O dossiê de herança de Mornington está pronto?

– Está em cima da sua mesa, senhor comandante.

– Muito bem. Eu já estava esquecendo, o inspetor Vérot já chegou?

– Sim, senhor comandante, ele deve estar na enfermaria se recuperando.

– O que ele tem?

– Ele estava estranho, parecia bem doente.

– Como? Explique melhor...

O secretário contou sobre a conversa que teve com o inspetor Vérot.

– E o senhor está dizendo que ele me deixou uma carta? – questionou o senhor Desmalions com um ar desconfiado. – Onde ela está?

– Está na pasta, senhor comandante.

– Estranho, tudo isso é muito estranho. Vérot é um inspetor de primeira linha, muito ponderado, e se ele está preocupado, não é à toa. Então, por favor, traga-o até mim. Enquanto isso, vou verificar a correspondência.

O secretário se retirou rapidamente. Quando voltou, cinco minutos depois, anunciou, com um ar de surpresa, que não havia encontrado o inspetor Vérot.

– E o mais curioso, senhor comandante, é que o escrivão o viu sair daqui e retornar logo em seguida, mas não o viu sair uma segunda vez.

– Talvez ele só tenha atravessado esta sala para chegar ao seu gabinete.

– No meu gabinete, senhor comandante? Mas eu não saí de lá.

– Então é incompreensível...

– Incompreensível... a não ser que o escrivão tenha tido um momento de distração, uma vez que o senhor Vérot não está nem aqui nem na sala ao lado.

– Evidentemente. Decerto ele saiu para tomar um pouco de ar e logo estará de volta. Além disso, não preciso que ele esteja presente no início da reunião.

O comandante-geral consultou o relógio.

– Cinco e dez. Peça para o escrivão convidar aqueles senhores a entrar... Ah! Não obstante...

O senhor Desmalions hesitou. Mexendo na pasta, ele havia encontrado a carta do senhor Vérot. Era um grande envelope comercial amarelo. No canto estava escrito: "Café do Pont-Neuf".

O secretário sugeriu:

– Considerando a ausência do senhor Vérot e o que ele me disse, acredito, senhor comandante, que seja urgente tomar conhecimento do conteúdo dessa carta.

O senhor Desmalions ficou pensativo.

– Sim, talvez o senhor tenha razão.

Então, tomando uma decisão, ele cortou a parte de cima do envelope com um estilete. Um grito lhe escapou:

– Ah! Essa é boa.

– O que aconteceu, senhor comandante?

– O que aconteceu? Veja... uma folha de papel em branco... Isso é tudo o que este envelope contém.

– Impossível!

– Olhe você mesmo... uma simples folha dobrada em quatro... Nenhuma palavra escrita.

– Entretanto, Vérot me disse claramente que colocou dentro do envelope tudo o que sabia sobre o caso...

– Ele pode ter dito isso, mas o senhor está vendo bem que não tem nada aqui. Realmente, se eu não conhecesse o inspetor Vérot, acreditaria que ele tentou me pregar uma peça...

– Acredito, no máximo, em uma distração da parte dele, senhor comandante.

– Certamente uma distração, mas que me surpreende muito. Não há distração quando se trata da vida de duas pessoas. Pois imagino que ele o tenha avisado de que um duplo homicídio está sendo planejado para esta noite?

– Sim, senhor comandante, para esta noite, e em condições particularmente assustadoras... diabólicas, ele me disse.

O senhor Desmalions caminhou pela sala com as mãos nas costas e parou diante de uma pequena mesa.

– Que pacote é este endereçado a mim?

Senhor comandante-geral. Abrir em caso de acidente.

– De fato – disse o secretário –, eu não me lembrava disso... Também é do inspetor Vérot, uma coisa importante segundo ele, e que serve de complemento e explicação ao conteúdo da carta.

– Bem – disse o senhor Desmalions, que não pôde deixar de sorrir –, a carta precisa de uma explicação e, embora não se trate de um acidente, não hesitarei.

Enquanto falava, ele tinha cortado um barbante e descoberto, sob o papel que a embrulhava, uma caixa, uma pequena caixa de papelão como as que os farmacêuticos usam, mas aquela estava suja, danificada pelo uso que tinham feito dela.

Ele levantou a tampa.

Dentro da caixa havia chumaços de algodão igualmente sujos, e no meio deles, metade de uma barra de chocolate.

– Que diabos isso quer dizer? – resmungou o comandante-geral, espantado.

Ele pegou o chocolate, analisou, e seu exame imediatamente mostrou que o tablete, de uma matéria um pouco mole, tinha algo de especial, e certamente era aquela a razão pela qual o inspetor Vérot o havia conservado. Em cima e embaixo, havia marcas de dentes muito claramente desenhadas, afundadas dois ou três milímetros dentro da barra de chocolate, cada uma com forma e largura diferentes e separadas umas das outras por distâncias também diferentes. O maxilar que tinha começado a mastigar o tablete tinha incrustado quatro dos seus dentes superiores e cinco dos seus dentes inferiores.

O senhor Desmalions permaneceu pensativo e, com a cabeça baixa, retomou por alguns minutos sua caminhada de um lado para o outro, murmurando:

– Estranho! Há um enigma aqui que eu gostaria muito de desvendar... Esta folha de papel, estas marcas de dentes, o que tudo isso significa?

Mas, uma vez que ele não era um homem de se deter por muito tempo em um enigma cuja solução lhe seria revelada de um momento a outro, uma vez que o inspetor Vérot se encontrava na chefatura de polícia, ou nas proximidades, ele disse a seu secretário:

– Não posso deixar aqueles senhores esperando por muito mais tempo. Por favor, peça para eles entrarem. Se o inspetor Vérot chegar durante a reunião, o que parece ser inevitável, avise-me imediatamente. Mal posso esperar para vê-lo. Exceto por isso, que eu não seja incomodado sob nenhum pretexto, entendido?

Dois minutos depois, o escrivão fez entrar o senhor Lepertuis, um homem grande e rubicundo, de óculos e suíças, e também o secretário da embaixada, Archibald Bright, e o adido peruano Cacérès. O senhor

Desmalions, que conhecia os três, conversou com eles e só os deixou para ir ter com o comandante conde d'Astrignac, herói da Chouia, cujas gloriosas feridas o forçaram a uma aposentadoria prematura, e a quem ele dirigiu algumas palavras calorosas sobre sua bela conduta no Marrocos.

A porta foi aberta novamente.

– Dom Luís Perenna, certo? – disse o comandante-geral, estendendo a mão a um homem de média estatura, um tanto magro, condecorado com uma medalha militar da Legião de Honra, e cuja fisionomia, o olhar, a postura e a aparência muito jovens tornavam possível imaginar que ele era um homem de quarenta anos, apesar de algumas rugas no canto dos olhos e na testa indicarem alguns anos a mais.

Ele acenou.

– Sim, senhor comandante.

O comandante d'Astrignac exclamou:

– Então o senhor é Perenna! Mas então ainda é deste mundo?

– Ah, meu comandante! Que prazer voltar a vê-lo!

– Perenna está vivo! Quando deixei o Marrocos, não tínhamos mais notícias do senhor. Pensávamos que estivesse morto.

– Eu era apenas um prisioneiro.

– Prisioneiro das tribos, é a mesma coisa.

– Não necessariamente, meu comandante, é possível evadir por todos os lados... Eis a prova...

Durante alguns segundos, o comandante-geral examinou, com uma simpatia que não conseguia evitar, esse rosto energético, de expressão sorridente, olhos francos e resolutos e uma pele bronzeada, como se tivesse sido tostado pelo fogo do sol.

Então, fazendo um sinal para os presentes se sentarem em torno de sua mesa, ele também se sentou e se explicou da seguinte forma, em um preâmbulo articulado de maneira clara e lenta:

– A convocação que dirigi a cada um dos senhores, cavalheiros, deve ter parecido um pouco estranha e misteriosa, e a forma como começarei nossa conversa não diminuirá o espanto dos senhores. Mas se me acordarem algum crédito, será fácil perceberem que não há nada em tudo isso que não seja muito simples e muito natural. A propósito, serei o mais breve possível.

Ele abriu o dossiê preparado por seu secretário, e, enquanto consultava as notas, retomou:

– Alguns anos antes da guerra de 1870, três irmãs, três órfãs de vinte e dois, vinte e dezoito anos, Ermeline, Élisabeth e Armande Roussel, viviam em Saint-Étienne com um primo de primeiro grau chamado Victor, que era alguns anos mais novo.

A mais velha, Ermeline, foi a primeira a deixar Saint-Étienne para ir para Londres com um inglês chamado Mornington, com quem ela se casaria e teria um filho que recebeu o nome de Cosmo. A família era pobre e passou por muitas dificuldades. Ermeline escreveu diversas vezes para suas irmãs pedindo ajuda. Não recebendo uma resposta, ela cessou qualquer tipo de comunicação. Por volta de 1875, o senhor e a senhora Mornington foram para a América. Cinco anos depois, ficaram ricos. O senhor Mornington morreu em 1883, mas sua esposa continuou a gerir a fortuna que lhe foi legada, e como ela tinha o gênio da especulação e dos negócios, aumentou a fortuna a uma soma colossal. Quando faleceu, em 1905, deixou ao seu filho a soma de quatrocentos milhões.

O número pareceu impressionar os presentes. O comandante-geral, tendo surpreendido um olhar entre o conde e dom Luís Perenna, disse-lhes:

– Os senhores conheceram Cosmo Mornington, não é mesmo?

– Sim, senhor comandante – respondeu o conde d'Astrignac. – Ele estava no Marrocos quando Perenna e eu combatíamos por lá.

– De fato – disse o senhor Desmalions –, Cosmo Mornington tinha começado a viajar. Disseram-me que ele lidava com a medicina e que oferecia seus cuidados quando necessário, com grande habilidade e, claro, gratuitamente. Ele viveu no Egito, depois na Argélia e no Marrocos, e no final de 1914, partiu para a América para apoiar a causa dos Aliados. No ano passado, depois do armistício, mudou-se para Paris. Ele morreu lá há quatro semanas, como resultado de um acidente muito estúpido.

– Uma injeção mal aplicada, não é, senhor comandante? – disse o secretário da Embaixada dos Estados Unidos. – Os jornais falaram sobre isso, e nós da embaixada também fomos informados.

– Sim – disse Desmalions. – A fim de se recuperar de uma longa gripe que o tinha deixado de cama durante todo o inverno, o senhor Mornington tomou injeções de glicerofosfato de sódio, sob prescrição médica. Como uma das injeções não estava cercada por todas as precauções necessárias, a ferida que ela provocou se agravou com uma velocidade assustadora. Em poucas horas, o senhor Mornington estava perdido.

O comandante-geral se virou para o notário e disse:

– Meu resumo é condizente com a realidade, senhor Lepertuis?

– Exatamente conforme, comandante.

O senhor Desmalions retomou:

– Na manhã seguinte, o senhor Lepertuis apresentou-se aqui e, por razões que a leitura deste documento lhes explicará, mostrou-me o testamento que Cosmo Mornington lhe entregou em mãos.

Enquanto o comandante-geral manuseava os documentos, o senhor Lepertuis acrescentou:

– Senhor comandante, permita-me precisar que vi meu cliente apenas uma vez antes que ele estivesse em seu leito de morte: no dia em que ele me chamou em seu quarto de hotel para me entregar o testamento que ele havia acabado de escrever. Foi no início de sua gripe. Durante nossa conversa, ele me informou que tinha feito algumas pesquisas para encontrar a família de sua mãe e que planejava prosseguir com elas após sua recuperação. As circunstâncias o impediram de fazer.

Nesse ínterim, o comandante-geral tinha tirado do dossiê um envelope aberto que continha duas folhas de papel. Ele desdobrou a maior e disse:

– Aqui está o testamento. Peço que ouçam atentamente a leitura dele, bem como a do anexo que o acompanha.

Eu, Cosmo Mornington, abaixo assinado, filho legítimo de Hubert Mornington e Ermeline Roussel, naturalizado cidadão dos Estados Unidos, doo ao meu país de adoção a metade da minha fortuna, para ser usada para fins de caridade, em conformidade com as instruções escritas por mim de próprio punho, e que o senhor Lepertuis transmitirá à embaixada dos Estados Unidos.

Os aproximadamente duzentos milhões que compõem meus depósitos em diversos bancos de Paris e de Londres, e cuja lista está nos documentos do senhor Lepertuis, eu repasso, em memória de minha amada mãe, primeiro a sua irmã favorita, Élisabeth Roussel, ou aos herdeiros na linha direta de Élisabeth Roussel – ou para a sua segunda irmã, Armande Roussel, ou para os herdeiros diretos de Armande –, ou, na falta deles, ao seu primo Victor ou seus herdeiros imediatos.

No caso de eu desaparecer sem ter encontrado os membros sobreviventes da família Roussel ou o primo das três irmãs, peço ao meu amigo dom Luís Perenna que faça todas as pesquisas necessárias. Para esse efeito, eu o nomeio meu testamenteiro para a parte europeia da minha fortuna e peço que se encarregue da condução dos eventos que poderão ocorrer após a minha morte, ou como resultado de minha morte, que se considere meu representante e faça o que for necessário pelo bem da minha memória e pelo cumprimento das minhas vontades. Em reconhecimento a esse serviço e em memória das duas vezes que ele salvou a minha vida, ele deve aceitar a soma de um milhão.

O comandante-geral parou por alguns instantes. Dom Luís murmurou:

– Pobre Cosmo. Eu não precisava disso para cumprir seus últimos desejos.

– Além disso – prosseguiu o senhor Desmalions, retomando a leitura –, além disso, se, três meses depois da minha morte as pesquisas feitas por dom Luís Perenna e pelo senhor Lepertuis não tiverem sido bem-sucedidas, se nenhum herdeiro ou sobrevivente da família Roussel se apresentar para receber a herança, a totalidade dos duzentos milhões serão definitivamente, e qualquer que sejam as reclamações posteriores, do meu amigo dom Luís Perenna. Conheço-o o suficiente para saber que ele usará essa fortuna de acordo com a nobreza de seus desígnios e a grandeza dos projetos que ele me confiava, com tanto entusiasmo, sob a tenda marroquina.

O senhor Desmalions parou outra vez e olhou para dom Luís, que permanecia impassivo, silencioso. No entanto, uma lágrima brilhou na ponta de seus cílios. O conde d'Astrignac disse:

– Parabéns, Perenna.

– Meu comandante – ele respondeu –, preciso ressaltar que essa herança está sujeita a uma condição. E juro que, se depender de mim, os sobreviventes da família Roussel serão encontrados.

– Tenho certeza disso – disse o oficial –, eu o conheço bem.

– Seja como for – perguntou o comandante-geral a dom Luís –, essa herança... com determinada condição, o senhor não a recusa?

– Por Deus, não – disse Perenna, rindo. – Há coisas que não se recusam.

– Minha pergunta – disse o comandante-geral – é motivada por este último parágrafo do testamento:

Se, por alguma razão, meu amigo Perenna recusar a herança, ou se ele morrer antes da data fixada para recebê-la, peço ao senhor Embaixador dos Estados Unidos e ao senhor comandante-geral que entrem em um acordo sobre as formas de construir e manter, em Paris, uma universidade reservada a estudantes e artistas de nacionalidade americana. O senhor comandante-geral receberá, em todo caso, uma soma de trezentos mil francos, que serão depositados nos fundos de seus agentes.

O senhor Desmalions dobrou a folha de papel e pegou outra.

– A esse testamento está anexado um codicilo composto de uma carta que o senhor Mornington escreveu algum tempo depois ao senhor Lepertuis, onde ele se explica sobre certos aspectos de uma forma mais precisa:

Peço ao senhor Lepertuis para abrir meu testamento no dia seguinte à minha morte, na presença do senhor comandante-geral, que manterá tudo em completo segredo por um mês. Exatamente um mês depois, ele terá o obséquio de reunir em seu gabinete um membro importante da embaixada dos Estados Unidos, o senhor Lepertuis e dom Luís Perenna. Após a leitura, um cheque de um milhão deverá ser entregue a meu legatário e amigo dom Luís Perenna, sob o simples exame de seus documentos e a simples constatação de sua identidade. Gostaria que fosse feita também a seguinte constatação: do ponto de vista pessoal, pelo comandante conde d'Astrignac, que foi seu chefe no Marrocos e que, infelizmente, teve que se aposentar prematuramente; do ponto de vista da origem, por um membro da legação peruana, uma vez que dom Luís Perenna, ainda que tenha conservado sua nacionalidade espanhola, nasceu no Peru.

Além disso, exijo que meu testamento só seja comunicado aos herdeiros Roussel dois dias depois, e no escritório do senhor Lepertuis.

Finalmente – e esta é a última expressão dos meus desejos com relação à distribuição da minha fortuna e o modo de prosseguir com sua atribuição –, o senhor comandante-geral deverá convocar uma segunda vez as mesmas pessoas em seu gabinete, em uma data que poderá ser escolhida por ele, entre o sexagésimo e o nonagésimo dia após a primeira reunião. Então, e só então, o herdeiro definitivo será designado de acordo com os seus direitos e proclamado; e ninguém poderá assumir esse papel se não assistir a essa reunião, no fim da qual dom Luís Perenna, que também deve estar presente, tornar-se-á o herdeiro definitivo, se, como eu disse, nenhum sobrevivente da família Roussel e do primo Victor tiver se apresentado para receber a herança.

– Esse é o testamento do senhor Cosmo Mornington – concluiu o comandante-geral – e essas são as razões pelas quais os senhores estão aqui. Uma sexta pessoa deve chegar em breve. É um de meus agentes, que eu encarreguei de fazer uma primeira investigação sobre a família Roussel, e que nos dará informações sobre o resultado de suas buscas. Mas, por enquanto, temos de proceder de acordo com as prescrições do testador. Os documentos que, sob meu pedido, dom Luís Perenna mandou me entregar há duas semanas, e que eu mesmo examinei, estão em perfeita ordem. Do ponto de vista da origem, solicitei ao senhor Ministro do Peru que reunisse as informações mais precisas.

– Foi a mim, senhor comandante – disse o senhor Cacérès, adido peruano –, que o senhor Ministro do Peru confiou essa missão. E foi fácil realizá-la. Dom Luís Perenna faz parte de uma antiga família espanhola que emigrou há trinta anos, mas que conservou suas terras e propriedades da Europa. Durante sua vida, o pai de dom Luís, que conheci na América, falou fervorosamente sobre seu único filho. Foi a nossa legação que informou o filho, há cinco anos, sobre a morte do pai. Aqui está a cópia da carta escrita no Marrocos.

– E aqui está a carta original, comunicada por dom Luís Perenna – disse o comandante-geral. – E o senhor, meu comandante, reconhece o legionário Perenna que lutou sob seu comando?

– Reconheço – respondeu o conde d'Astrignac.

– Nenhum erro possível?

– Sem erro possível e sem o menor sentimento de hesitação.

O comandante-geral começou a rir e insinuou:

– Reconhece o legionário Perenna, a quem os seus camaradas, por uma espécie de admiração estupefata por suas façanhas, chamam de Arsène Lupin?

– Sim, senhor – respondeu o comandante –, aquele a quem os seus camaradas chamavam de Arsène Lupin, mas a quem seus líderes chamavam simplesmente de *o herói*, aquele que dizíamos que era corajoso como d'Artagnan, forte como Porthos...

– E misterioso como Monte Cristo – disse o comandante-geral, rindo. – Tudo isso pode ser encontrado no relatório que recebi do 4º regimento da Legião Estrangeira, um relatório que é inútil ser lido em sua totalidade, mas no qual constatei este fato espantoso: o legionário Perenna, no espaço de dois anos, foi condecorado com a medalha militar, condecorado com a Legião de Honra por serviços excepcionais e citado sete vezes na ordem do dia. Destaco ao acaso...

– Senhor comandante, eu suplico – protestou dom Luís –, essas são coisas banais, e eu não vejo o interesse...

– Interesse considerável – afirmou o senhor Desmalions. – Estes senhores estão aqui não só para ouvir a leitura de um testamento, mas também para autorizar sua execução na única das cláusulas que é imediatamente executória: a liberação de uma herança no valor de um milhão. É, pois, necessário que a boa-fé desses senhores seja esclarecida sobre o beneficiário dessa herança. Portanto, eu continuo...

– Então, senhor comandante – disse Perenna, levantando-se e indo em direção à porta –, o senhor me permite...

– Meia-volta! Alto! Parado! – ordenou o comandante d'Astrignac num tom de brincadeira.

Ele trouxe dom Luís de volta para o meio da sala e pediu que se sentasse.

– Senhor comandante, peço misericórdia por meu ex-companheiro de armas, cuja modéstia seria, de fato, posta a uma prova demasiado rude se lêssemos diante dele o relato de suas proezas. Além disso, o relatório está aqui e todos podem consultá-lo. Desde já, e sem conhecê-lo, concordo com os elogios que ele contém e declaro que, durante toda minha extensa carreira militar, nunca conheci um soldado que pudesse ser comparado ao legionário Perenna.

No entanto, eu vi alguns grandalhões por lá, espécies de demônios como encontramos apenas na Legião, que cortam a própria pele por prazer, por diversão, como eles dizem, só para surpreender o vizinho. Mas nenhum chegou aos pés de Perenna. Aquele a quem chamávamos d'Artagnan, Porthos, de Bussy, merecia ser classificado em pé de igualdade com os heróis mais incríveis das lendas e da realidade. Eu o vi fazer coisas que prefiro não contar para não ser chamado de impostor, coisas tão inverossímeis que hoje, de sangue-frio, pergunto-me se tenho certeza de tê-las visto. Um dia, em Settat, enquanto estávamos sendo perseguidos...

– Mais uma palavra, meu comandante – exclamou alegremente dom Luís –, e eu me retiro. Desta vez é para valer. Sinceramente, o senhor tem uma maneira de poupar minha modéstia...

– Meu caro Perenna – prosseguiu o conde d'Astrignac –, eu sempre lhe disse que o senhor tem todas as qualidades e um só defeito, que é não ser francês.

– E eu sempre lhe respondi, meu comandante, que sou francês pela minha mãe, e que também sou francês de coração e temperamento. Há coisas que só podemos fazer se formos franceses.

Os dois homens cerraram as mãos de novo, carinhosamente.

– Vamos – disse o comandante-geral –, que não se fale mais de suas proezas, senhor, nem desse relatório. No entanto, gostaria de salientar que, no verão de 1915, o senhor caiu em uma emboscada de quarenta berberes, que foi capturado e que só no mês passado reapareceu na Legião.

– Sim, senhor comandante, para entregar minhas armas, pois meus cinco anos de serviço já haviam amplamente esgotado.

– Mas como é que o senhor Cosmo Mornington pôde nomeá-lo como legatário, já que, no momento em que ele redigia o testamento o senhor já estava desaparecido há quatro anos?

– Cosmo e eu continuamos a nos corresponder.

– Hein?

– Sim, e eu tinha contado para ele sobre minha próxima fuga e sobre meu regresso a Paris.

– Mas por qual meio? Onde o senhor estava? E como foi possível para o senhor...

Dom Luís sorriu sem responder.

– Monte Cristo, desta vez – observou o senhor Desmalions –, o misterioso Monte Cristo...

– Monte Cristo, como queira, senhor comandante. O mistério do meu cativeiro, de minha fuga, em suma, de toda a minha vida durante a guerra, é de fato muito estranho. Talvez um dia seja interessante esclarecê-lo. Peço que me dê algum crédito.

Houve um silêncio. O senhor Desmalions voltou a examinar o singular personagem e não pôde deixar de dizer, como se estivesse obedecendo a uma associação de ideias de que ele mesmo não tinha se dado conta:

– Mais uma palavra... a última. Por que razão os seus camaradas lhe davam essa estranha alcunha de Arsène Lupin? Era somente uma alusão à sua ousadia, à sua força física?

– Havia outra coisa, senhor comandante, a descoberta de um roubo muito curioso cujos detalhes aparentemente inexplicáveis me permitiram desvendar o autor.

– Então o senhor tem um bom faro para esse tipo de negócio?

– Sim, senhor comandante, uma certa habilidade que tive a oportunidade de exercer várias vezes na África. Daí meu apelido de Arsène Lupin, de quem se falava muito naquela época, após sua morte.

– Foi um roubo relevante?

– Muito. E cometido precisamente em detrimento de Cosmo Mornington, que então vivia na província de Oran. Nossas relações datam dessa época.

Houve um novo silêncio e dom Luís acrescentou:

– Pobre Cosmo! Essa aventura deu a ele uma confiança inabalável em meus pequenos talentos policiais. Ele sempre me dizia: "Perenna, se eu morrer assassinado (ele tinha essa ideia fixa de que morreria de uma morte violenta), se eu morrer assassinado, jure que encontrará o culpado".

– Os pressentimentos dele não eram justificáveis – disse o comandante--geral. – Cosmo Mornington não foi assassinado.

– O senhor está enganado, senhor comandante – declarou dom Luís.

O senhor Desmalions sobressaltou.

– O quê! O que o senhor está dizendo? Cosmo Mornington...

– Eu digo que Cosmo Mornington não morreu, como se acredita, em consequência de uma injeção mal aplicada. Ele morreu, como temia, de morte violenta.

– Mas, senhor, sua afirmação não se baseia em nada.

– Ela é baseada na realidade, senhor comandante.

– O senhor estava lá? Sabe de alguma coisa?

– Eu não estive lá no último mês. Admito inclusive que, quando cheguei a Paris, não tendo lido os jornais regularmente, eu ignorava a morte de Cosmo. Foi o senhor quem me informou a esse respeito há pouco, senhor comandante.

– Nesse caso, o senhor só pode saber o que eu sei e tem de confiar no laudo médico.

– Lamento, mas, para mim, essas conclusões são insuficientes.

– Mas enfim, senhor, que direito o senhor tem de fazer essa acusação? O senhor tem alguma prova?

– Sim.

– Qual?

– As suas próprias palavras, senhor comandante.

– As minhas palavras?

– Estas, senhor comandante. O senhor disse, em primeiro lugar, que Cosmo Mornington trabalhava com medicina e a praticava com muita competência, e, em segundo lugar, que ele tinha se autoaplicado uma injeção que, administrada incorretamente, tinha causado uma inflamação fatal que o aniquilou em poucas horas.

– Sim.

– Bem, senhor comandante, eu afirmo que um cavalheiro que lida com medicina com grande habilidade e que trata pacientes como Cosmo Mornington fazia, é incapaz de aplicar em si mesmo uma injeção sem tomar todas as precauções antissépticas necessárias. Eu vi Cosmo trabalhando e sei como ele procedia.

– E então?

– Então, o médico escreveu um atestado como todos os médicos fazem quando não há qualquer pista que levante suspeita.

– De modo que, na sua opinião...?

– Senhor Lepertuis – perguntou Perenna se voltando para o notário –, quando o senhor foi convocado ao leito de morte do senhor Mornington, notou alguma coisa de anormal?

– Não, nada. O senhor Mornington estava em coma.

– Já é estranho – disse dom Luís – que uma injeção, não importa quão mal aplicada, produza resultados tão rápidos. Ele não parecia sofrer?

– Não, ou melhor, sim, sim, eu me lembro, seu rosto tinha manchas marrons que eu não tinha visto da primeira vez.

– Manchas marrons? Isso confirma minha hipótese! Cosmo Mornington foi envenenado.

– Mas como? – questionou o comandante-geral.

– Por qualquer substância que tenha sido introduzida em uma das ampolas de glicerofosfato, ou na seringa utilizada pelo enfermo.

– Mas será que foi o médico? – acrescentou o senhor Desmalions.

– Senhor Lepertuis – disse Perenna –, o senhor falou ao médico sobre a presença dessas manchas marrons?

– Sim, mas ele não deu nenhuma importância.

– Era o médico habitual dele?

– Não. O seu médico familiar, o doutor Pujol, um amigo meu que, aliás, foi quem me indicou a ele como notário, estava doente. O que encontrei no seu leito de morte devia ser um médico da região.

– Aqui estão o nome e o endereço dele – disse o comandante-geral, procurando o atestado entre os documentos. – Doutor Bellavoine, rua d'Astorg, nº 14.

– O senhor tem um anuário de médicos, senhor comandante?

O senhor Desmalions abriu um anuário e o folheou. Um instante depois, ele constatou:

– Não há nenhum doutor Bellavoine, e nenhum médico mora na rua d'Astorg, nº 14.

Houve um longo silêncio. O secretário da embaixada e o adido peruano acompanhavam a conversa com grande interesse. O comandante d'Astrignac acenou afirmativamente com a cabeça: para ele, Perenna não poderia estar enganado.

O comandante-geral admitiu:

– Claro... É claro... há um conjunto de circunstâncias... bastante ambíguas... Essas manchas marrons... o médico... É um caso a ser investigado.

Interrogando dom Luís Perenna contra sua vontade, ele disse:

– Provavelmente, na sua opinião, haveria uma correlação entre o crime... provável... e o testamento do senhor Mornington?

– Isso eu não posso afirmar, senhor comandante. Ou teria de supor que alguém sabia do testamento. O senhor acha que é esse o caso, senhor Lepertuis?

– Acredito que não, porque o senhor Mornington parecia agir com muita cautela.

– E é inadmissível que uma indiscrição tenha sido cometida durante sua investigação, não é mesmo?

– Por quem? Só eu tratei desse testamento e só eu tenho a chave do cofre onde guardo todas as noites os documentos dessa importância.

– Esse cofre não foi arrombado? Não houve nenhum roubo no seu escritório?

– Não.

– O senhor viu Cosmo Mornington pela manhã?

– Era uma sexta-feira de manhã.

– O que fez com o testamento até à noite, até o momento em que o guardou em seu cofre?

– Devo tê-lo posto na gaveta da minha mesa.

– E essa gaveta não foi forçada?

O senhor Lepertuis pareceu atordoado e não respondeu.

– O que há? – insistiu Perenna.

– Bem, sim, lembro-me de que houve algo naquele dia, naquela mesma sexta-feira.

– O senhor tem certeza?

– Sim. Quando voltei depois do almoço, percebi que a gaveta não estava trancada. Entretanto, tenho certeza absoluta de tê-la fechado. Mas, naquele momento, não dei grande importância a esse incidente. Hoje eu compreendo… eu entendo…

Assim se confirmavam, gradualmente, todas as hipóteses imaginadas por dom Luís Perenna, hipóteses apoiadas, é verdade, em algumas pistas, mas onde havia, acima de tudo, um quê de intuição e de adivinhação realmente surpreendentes em um homem que não participara de nenhum dos eventos que ele associava uns aos outros com tanta habilidade.

– Senhor, não vamos demorar – disse o comandante-geral – para confrontar suas afirmações, um pouco arriscadas, admita, com o testemunho mais rigoroso de um dos meus agentes a quem confiei este caso… e que deveria estar aqui.

– O testemunho dele fala sobre os herdeiros do Cosmo Mornington? – perguntou o notário.

– Primeiro sobre os herdeiros, uma vez que anteontem ele me telefonou para dizer que tinha recolhido todas as informações, e também sobre os pontos que... Ah, vejam só... lembro-me de que ele falou ao meu secretário sobre um crime cometido há exatamente um mês. Ora, hoje faz exatamente um mês que o senhor Cosmo Mornington...

Com um movimento repentino, o senhor Desmalions apertou uma campainha. Seu secretário particular veio correndo.

– E o inspetor Vérot? – perguntou energicamente o comandante-geral.

– Ele ainda não voltou.

– Procure-o! Traga-o aqui! Ele precisa ser encontrado a todo custo e sem demora.

E, dirigindo-se a dom Luís Perenna:

– Faz uma hora que o inspetor Vérot esteve aqui, bastante indisposto, muito agitado, ao que parece, dizendo que estava sendo vigiado, perseguido. Ele queria me comunicar as declarações mais importantes sobre o caso Mornington e avisar à polícia sobre dois assassinatos que devem acontecer esta noite e que seriam consequência do assassinato de Cosmo Mornington.

– E ele estava doente?

– Sim, desconfortável e muito esquisito mesmo, com as ideias confusas. Como precaução, ele me deixou um relatório detalhado sobre o caso. No entanto, esse relatório é apenas uma folha de papel em branco. Aqui está a folha e o respectivo envelope. E aqui está uma caixa de papelão que ele também deixou e que continha uma barra de chocolate com marcas de dentes.

– Posso ver esses dois objetos, senhor comandante?

– Sim, mas eles não informarão nada de concreto.

– Talvez...

Dom Luís examinou detalhadamente a caixa de cartão e o envelope amarelo com a inscrição "Café do Pont-Neuf". Todos aguardavam suas palavras como se elas fossem capazes de trazer uma luz inesperada. Ele disse simplesmente:

– A caligrafia não é a mesma no envelope e na pequena caixa. A escrita do envelope é menos nítida, um pouco trêmula, visivelmente copiada de outra.

– Isso prova que...?

– Isso prova, senhor comandante, que este envelope amarelo não veio do seu agente. Presumo que, depois de escrever o seu relatório sobre uma mesa no café do Pont-Neuf e de o lacrar, ele teve um momento de distração durante o qual seu envelope foi substituído por outro com o mesmo endereço, mas contendo apenas uma folha em branco.

– Mera suposição! – disse o comandante-geral.

– Talvez, mas o que é certo, senhor comandante, é que os pressentimentos do seu inspetor fazem sentido. Ele está sob severa vigilância, as descobertas que ele pode ter feito sobre a herança de Mornington contrariam manobras criminosas, e ele corre um enorme perigo.

– Oh! Oh!

– Precisamos salvá-lo, senhor comandante. Desde o início desta reunião, estou convencido de que estamos lidando com um caso que já está em andamento. Espero que não seja tarde demais e que seu inspetor não seja a primeira vítima.

– Ora, senhor! – exclamou o comandante-geral. – O senhor afirma tudo isso com uma convicção que eu admiro, mas que não é suficiente para atestar que seus receios são justificados. O regresso do inspetor Vérot será a melhor demonstração disso.

– O inspetor Vérot não vai voltar.

– Ora, mas por quê?

Porque ele já voltou. O escrivão o viu retornar.

– O escrivão estava delirando. Se o senhor não tem outra prova além do testemunho desse homem...

– Tenho outra, senhor comandante, a que o inspetor Vérot deixou aqui pessoalmente... Essas poucas palavras quase indecifráveis que ele rabiscou no bloco de notas, que o seu secretário não o viu escrever e que acabaram de surgir diante dos meus olhos. Aqui estão elas. Isso não prova que ele voltou? E se trata de uma prova formal!

O comandante-geral não escondeu seu transtorno. Todos pareceram muito intrigados. O regresso do secretário só aumentou as apreensões. Ninguém tinha visto o inspetor Vérot.

– Senhor comandante – disse dom Luís –, eu insisto para que o escrivão seja interrogado.

E assim que o escrivão surgiu, ele lhe perguntou, antes mesmo da intervenção do senhor Desmalions:

– O senhor tem certeza de que o inspetor Vérot entrou nesta sala uma segunda vez?

– Certeza absoluta.

– E que ele não saiu depois?

– Certeza absoluta.

– O senhor não teve nenhum minuto de desatenção?

– Absolutamente nenhum.

O comandante exclamou:

– O senhor tem uma boa percepção! Se o inspetor Vérot estivesse aqui, saberíamos.

– Ele está aqui, senhor comandante.

– O quê?

– Desculpe minha obstinação, senhor comandante, mas eu digo que quando uma pessoa entra numa sala e não sai, é porque ela ainda está lá.

– Escondida? – disse o senhor Desmalions, que estava cada vez mais irritado.

– Não, mas desmaiada, doente... morta talvez.

– Mas onde? Que diabo!

– Atrás daquele biombo.

– Não há nada atrás do biombo, só uma porta.

– E a porta?

– Dá acesso a um banheiro.

– Bem, senhor comandante, o inspetor Vérot, atordoado, cambaleante, acreditando passar do seu escritório para o do seu secretário, caiu dentro desse banheiro.

O senhor Desmalions se precipitou, mas assim que abriu a porta, recuou. Seria por apreensão? Desejo de escapar da influência desse homem assombroso que dava ordens com tal autoridade e parecia dominar os acontecimentos? Dom Luís permaneceu inabalável, numa atitude cheia de deferência.

– Não posso acreditar... – disse o senhor Desmalions.

– Senhor comandante, devo lembrá-lo de que as revelações do inspetor Vérot podem salvar a vida de duas pessoas que podem morrer esta noite. Cada minuto perdido é irreparável.

O senhor Desmalions encolheu os ombros. Mas esse homem o dominava com toda sua convicção. Ele abriu a porta, mas não fez nenhum movimento, não gritou. Ele simplesmente murmurou:

– Oh! Não é possível!

Sob a pálida luz do dia que penetrava através de uma janela com vidros foscos, era possível ver o corpo de um homem deitado no chão.

– O inspetor... o inspetor Vérot... – balbuciou o escrivão, que tinha aparecido.

Com a ajuda do secretário, ele conseguiu levantar o corpo e colocá-lo sentado em uma poltrona do gabinete.

O inspetor Vérot ainda estava vivo, mas tão fraco que mal se conseguia ouvir seus batimentos cardíacos. Um pouco de saliva fluía pelo canto de sua boca. Os olhos não tinham nenhuma expressão. No entanto, alguns músculos do rosto se agitavam, talvez sob o esforço de uma vontade que persistia para além da vida.

Dom Luís murmurou:

– Veja, senhor comandante... as manchas marrons... – o mesmo horror perturbou todos os presentes, que começaram a gritar e abrir as portas pedindo ajuda.

– Médico! – ordenava o senhor Desmalions. – Tragam um médico... o primeiro que encontrarem, e um padre. Mas não podemos deixar este homem...

Dom Luís levantou o braço para exigir silêncio.

– Não há mais nada a fazer – disse ele. – Tentemos aproveitar estes últimos minutos. O senhor me permite, senhor comandante?

Ele se inclinou sobre o moribundo, deitou sua cabeça vacilante contra o encosto da poltrona, e, com a voz muito suave, sussurrou:

– Vérot, é o comandante-geral quem fala. Gostaríamos de ter alguma informação sobre o que vai acontecer esta noite. Você me ouve bem, Vérot? Se consegue me ouvir, feche as pálpebras.

As pálpebras foram cerradas. Mas não teria sido coincidência? Dom Luís continuou:

– O senhor encontrou os herdeiros das irmãs Roussel, nós sabemos disso, e são dois desses herdeiros que estão ameaçados de morte... O duplo crime deve acontecer esta noite. Mas não sabemos os nomes desses herdeiros, que provavelmente já não se chamam Roussel, e precisamos saber. Ouça-me: o senhor escreveu em um bloco de notas três letras que parecem formar a sílaba FAU... Estou enganado? São as primeiras letras de um nome? Qual é a letra que vem depois dessas três? É um B? Um C?

Mas nada mais se mexia no rosto pálido do inspetor. Sua cabeça caiu pesadamente sobre o peito. Ele soltou dois ou três suspiros, foi sacudido por um grande arrepio e não se mexeu mais.

Ele estava morto.

O HOMEM QUE DEVE MORRER

A cena trágica se desenrolou tão rapidamente que aqueles que a presenciaram estremeceram por um momento. O notário fez o sinal da cruz e se ajoelhou. O comandante murmurou:

– Pobre Vérot. Um bravo homem que só pensava no trabalho, no dever, em vez de ir se tratar. Talvez ele tivesse conseguido se salvar, mas voltou aqui na esperança de revelar seu segredo. Pobre Vérot...

– Esposa? Filhos? – dom Luís perguntou ansiosamente.

– Uma esposa e três filhos – respondeu o comandante.

– Eu cuido deles – limitou-se a dizer dom Luís.

Em seguida, um médico foi trazido e o senhor Desmalions deu ordens para que o corpo fosse transportado para uma sala vizinha. Então ele chamou o médico de lado e lhe disse:

– Não há dúvida de que o inspetor Vérot foi envenenado. Olhe para o pulso dele e o senhor verá a marca de uma picada, rodeada por um círculo de inflamação.

– Então ele teria sido picado ali?

– Sim, com a ajuda de um alfinete ou de um bico de caneta, e não de maneira tão violenta como se desejava, uma vez que a morte só ocorreu algumas horas depois.

Os escrivães levaram o cadáver e permaneceram no gabinete do comandante-geral apenas as cinco figuras que ele havia convocado.

O secretário da embaixada americana e o adido peruano, considerando sua presença desnecessária, partiram depois de felicitar calorosamente dom Luís Perenna por sua perspicácia. Então foi a vez do comandante d'Astrignac, que apertou a mão de seu antigo subordinado com um visível afeto. O senhor Lepertuis e Perenna, tendo marcado uma data para a entrega da herança, estavam prestes a se retirar quando o senhor Desmalions entrou apressado:

– Ah, o senhor ainda está aqui, dom Luís Perenna. Tanto melhor! Uma ideia me consome... Essas três letras que o senhor acredita ter decifrado no bloco de notas... Tem certeza de que formam mesmo a sílaba Fau?

– É o que me parece, senhor comandante. Veja, não são as três letras F, A e U? E note que a letra F está escrita em maiúscula. O que me faz presumir que esta sílaba é o início de um substantivo próprio.

– De fato, de fato – concordou o senhor Desmalions. – Bem, o que é curioso é que essa sílaba é justamente... Enfim, nós iremos verificar...

Com uma mão apressada, o senhor Desmalions folheava a correspondência que seu secretário lhe entregou no momento de sua chegada e que estava em um canto da mesa.

– Ah, aqui está! – exclamou ele, pegando uma carta e procurando imediatamente a assinatura. – Aqui está... Foi o que pensei... Fauville... a primeira sílaba é a mesma... Veja, apenas Fauville, sem sobrenome. A carta deve ter sido escrita num momento de excitação... Não há data nem endereço... A escrita está tremida...

E o senhor Desmalions leu em voz alta:

Senhor comandante,

Um grande perigo paira sobre minha cabeça e sobre a cabeça do meu filho. A morte se aproxima a passos largos. Terei esta noite, ou no máximo amanhã de manhã, a prova do abominável complô que nos ameaça. Peço permissão para que possa trazê-la ao senhor amanhã durante o dia. Preciso de proteção e peço ao senhor que venha em meu socorro.

Queira receber, etc.

FAUVILLE

– Nenhuma outra designação? – perguntou Perenna. – Nenhum cabeçalho?

– Nada, mas não há erros. As declarações do inspetor Vérot coincidem de forma demasiadamente óbvia com este apelo desesperado. Certamente é o senhor Fauville e seu filho que serão assassinados esta noite. E o mais terrível é que o nome Fauville é tão comum que é impossível que nossa busca encontre a possível vítima a tempo.

– Como! Senhor comandante, mas a todo custo...

– A todo custo, é claro, e vou organizar tudo imediatamente. Mas note que não temos a menor pista.

– Ah – exclamou dom Luís –, seria assustador! Esses dois seres devem morrer e não conseguiremos salvá-los. Senhor comandante, eu suplico para que o senhor assuma pessoalmente esse caso. Pela vontade de Cosmo Mornington, o senhor está envolvido nisso desde o início, e por sua autoridade e experiência, o senhor vai dar a esse caso um impulso mais vigoroso.

– Isto diz respeito à Sûreté... à Procuradoria – contestou o senhor Desmalions.

– De fato, senhor comandante. Mas o senhor não acredita que há momentos em que somente o chefe tem legitimidade para agir? Desculpe a minha insistência...

Ele não chegou a terminar sua fala. O secretário particular do comandante-geral entrou com um cartão na mão.

– Senhor comandante, essa pessoa insiste tanto... Eu hesitei...

O senhor Desmalions pegou no cartão e soltou uma exclamação de surpresa e alegria.

– Veja, senhor – ele disse a Perenna, que leu estas palavras:

HIPPOLYTE FAUVILLE,
Engenheiro,
Boulevard Suchet, nº 14 bis.

– Ora – disse o senhor Desmalions –, vejo que o acaso quer que todos os fios deste caso venham para as minhas mãos e que eu seja obrigado a lidar com isso, como é o seu desejo, senhor. Além disso, parece que os acontecimentos estão virando a nosso favor. Se esse senhor Fauville for um dos herdeiros de Roussel, a tarefa será mais simples.

– Em todo caso, senhor comandante – objetou o notário –, devo lembrá-lo de que uma das cláusulas do testamento estipula que ele deve ser lido apenas em 48 horas. Logo, o senhor Fauville ainda não deve ser informado...

A porta do escritório estava semiaberta e um homem empurrou o escrivão e entrou abruptamente.

Ele gaguejava:

– O inspetor... o inspetor Vérot? Ele está morto, não está? Diga-me a verdade, por favor. Disseram-me...

– Sim, senhor, ele está morto.

– Tarde demais! Cheguei tarde demais – ele balbuciou.

E desabou, com as mãos juntas, soluçando:

– Ah! Os miseráveis! Os miseráveis!

Sua cabeça careca sobrepunha uma testa listrada por rugas profundas. Um tique nervoso o fazia agitar o queixo e puxar os lóbulos das orelhas.

Ele era um homem de cerca de cinquenta anos, muito pálido, as bochechas fundas, com aspecto de doente. Lágrimas rolaram de seus olhos.

O comandante-geral lhe disse:

– De quem o senhor está falando? Daqueles que mataram o inspetor Vérot? O senhor é capaz de designá-los, de guiar nossa investigação?

Hippolyte Fauville balançou a cabeça.

– Não, não. Por ora, isso não serviria de nada. As minhas provas não seriam suficientes. Não, na verdade, não.

Ele havia se levantado e pedia desculpas:

– Senhor comandante, eu o perturbei desnecessariamente, mas eu queria saber... Eu tinha a esperança de que o inspetor Vérot tivesse escapado... O testemunho dele, combinado com o meu, teria sido valioso. Mas talvez ele tenha conseguido avisá-lo?

– Não. Ele falou sobre esta noite... esta noite! – Hippolyte Fauville sobressaltou.

– Esta noite! Então, já está na hora... Mas não, mas não, é impossível, eles ainda não podem fazer nada contra mim... Eles não estão prontos.

– No entanto, o inspetor Vérot afirma que o duplo crime deve acontecer esta noite.

– Não, senhor comandante... Ele está enganado quanto a isso. Eu sei bem... Amanhã à noite, no mínimo... E nós iremos encurralá-los. Ah, os miseráveis...

Dom Luís se aproximou dele e disse:

Sua mãe se chamava Ermeline Roussel, certo?

– Sim, Ermeline Roussel. Ela já está morta.

– E ela era de Saint-Étienne?

– Sim, mas por que essas perguntas?

– O comandante explicará amanhã. Só mais uma coisa.

Ele abriu a caixa de papelão deixada pelo inspetor Vérot.

– Esta barra de chocolate tem algum significado para o senhor? Ou estas impressões?

– Oh! – fez o engenheiro com a voz abafada. – Que infâmia! Onde é que o inspetor encontrou isso?

Ele vacilou de novo, mas muito brevemente, e, recompondo-se, correu para a porta com passos firmes.

– Vou embora, senhor comandante, vou embora. Amanhã de manhã eu lhe contarei... Terei todas as provas... e a justiça irá me proteger. Estou doente, é verdade, mas quero viver! Tenho o direito de viver... e meu filho também. E nós viveremos, ah, sim! Aqueles miseráveis...

E ele saiu correndo como um homem bêbado.

O senhor Desmalions se levantou de súbito.

– Vou mandar investigarem o entorno desse homem... e que vigiem sua residência. Já telefonei para a Sûreté. Estou à espera de alguém em quem confio.

Dom Luís declarou:

– Senhor comandante, peço permissão para prosseguir com esse caso sob as suas ordens. O testamento de Cosmo Mornington faz disso um dever e, se me permite dizer, também me dá esse direito. Os inimigos do senhor Fauville são de uma habilidade e uma audácia extraordinárias. Quero ter a honra de estar no comando esta noite, em sua casa e junto dele.

O comandante hesitou. Como ele poderia ignorar o interesse considerável que dom Luís Perenna tinha no fato de que nenhum dos herdeiros de Mornington fosse encontrado, ou pelo menos que não ficasse entre ele e os milhões da herança? Seria possível atribuir um nobre sentimento de gratidão, uma concepção superior de amizade e de dever a esse estranho desejo de proteger Hippolyte Fauville da morte que o ameaçava?

Durante alguns segundos, o senhor Desmalions observou aquele rosto resoluto, aqueles olhos inteligentes, ao mesmo tempo irônicos e ingênuos, sérios e sorridentes, através dos quais certamente não se poderia penetrar no enigma secreto do indivíduo, mas que olham para você com tamanha expressão de sinceridade e franqueza. Depois ele chamou o secretário.

– Veio alguém da Sûreté?

– Sim, senhor comandante, o brigadeiro Mazeroux está aqui.

– Que ele entre, por gentileza.

E, virando-se para Perenna:

– O brigadeiro Mazeroux é um dos nossos melhores agentes. Eu recorria a ele juntamente com o pobre Vérot quando precisava de alguém engenhoso e ativo. Ele será muito útil para o senhor.

O brigadeiro Mazeroux entrou. Ele era um homem pequeno, seco e robusto, cujo vasto bigode caído, as pálpebras pesadas, os olhos lacrimejantes e o cabelo comprido e liso faziam parecer mais melancólico. O comandante-geral lhe disse:

– Mazeroux, o senhor já deve saber da morte do seu camarada Vérot e das circunstâncias atrozes dessa morte. Trata-se, portanto, de vingá-lo e de evitar outros crimes. Este senhor, que conhece bem o assunto, poderá lhe dar todas as explicações necessárias. O senhor o acompanhará e amanhã de manhã virá me relatar o que aconteceu.

Isso deixava o terreno livre para dom Luís Perenna e o obrigava a confiar em sua iniciativa e clarividência.

Dom Luís se curvou:

– Muito obrigado, senhor comandante. Espero que o senhor não se arrependa do crédito que está me dando.

E, despedindo-se do senhor Desmalions e do senhor Lepertuis, ele saiu com o brigadeiro Mazeroux.

Do lado de fora, ele disse o que sabia a Mazeroux, que parecia muito impressionado com as qualidades profissionais de seu companheiro e disposto a se deixar liderar por ele.

Eles decidiram passar primeiro no café do Pont-Neuf.

Lá eles souberam que o inspetor Vérot, frequentador do estabelecimento, tinha realmente escrito uma longa carta pela manhã. E o garçom se lembrava bem que o vizinho de mesa do inspetor entrou quase ao mesmo tempo que ele e também pediu um papel e por duas vezes exigiu envelopes amarelos.

– Então foi isso mesmo – disse Mazeroux a dom Luís. – Houve, como o senhor imaginou, a substituição das cartas.

A descrição física fornecida pelo garçom foi suficientemente explícita: um indivíduo alto, um pouco curvado, que tinha barba castanha e pontuda, um lornhão estampado mantido por um cordão de seda preta e uma bengala de ébano cujo punho de prata formava uma cabeça de cisne.

– Com isso a polícia pode avançar – disse Mazeroux.

Eles estavam prestes a sair do café quando dom Luís parou seu companheiro.

– Um instante.

– O que está acontecendo?

– Fomos seguidos...

– Seguidos! Essa é boa. E por quem?

– Não importa. Eu sei o que é e vou resolver isso num piscar de olhos. Espere por mim. Eu volto logo e o senhor não irá se aborrecer, prometo. Quanto ao senhor, procure alguém que esteja a par do caso.

Um minuto depois, ele de fato voltou com um cavalheiro alto e magro, com a cara emoldurada por suíças.

Fez as apresentações:

– Senhor Mazeroux, um amigo. Senhor Cacérès, adido da legação peruana. Ele estava presente na conversa de hoje com o comandante. O senhor Cacérès foi incumbido pelo ministro do Peru de reunir os documentos relativos à minha identidade.

E acrescentou alegremente:

– Então, caro senhor Cacérès, estava à minha procura? Eu bem que desconfiei quando saímos da Chefatura...

O adido peruano acenou e apontou para o brigadeiro Mazeroux. Perenna retomou:

– Por favor... Que o senhor Mazeroux não o incomode! Pode falar diante dele tranquilamente... ele é muito discreto e está bem inteirado do assunto.

O adido permaneceu em silêncio. Perenna pediu para ele se sentar.

– Fale sem rodeios, caro senhor Cacérès. Esse assunto deve ser tratado com toda a clareza e, sobretudo, não temo uma certa crueza de palavras. Dessa forma pouparemos tempo! Vamos. O senhor precisa de dinheiro, não é verdade? Ou, pelo menos, de dinheiro extra. Quanto?

O peruano teve uma última hesitação, contemplou o companheiro de dom Luís e, decidindo-se de repente, pronunciou em voz baixa:

– Cinquenta mil francos!

– Minha nossa! – exclamou dom Luís. – O senhor é ganancioso! O que me diz, senhor Mazeroux? Cinquenta mil francos é uma quantia e tanto. Ainda mais... Vejamos, meu caro Cacérès, recapitulemos. Há alguns anos, quando tive a honra de conhecê-lo na Argélia, por onde estava de passagem, e tendo compreendido, por outro lado, com quem eu estava lidando, eu lhe perguntei se era possível estabelecer-me, em três anos, com meu nome de Perenna, uma personalidade hispano-peruana, munida de documentos confiáveis e de antepassados respeitáveis. O senhor me respondeu: "Sim". O preço foi estabelecido: vinte mil francos. Na semana passada, quando o comandante-geral solicitou que eu lhe apresentasse meus documentos, fui procurá-lo e soube que o senhor estava encarregado de uma investigação sobre as minhas origens. A propósito, a investigação já tinha sido concluída. Com os documentos de Perenna convenientemente queimados, nobre hispano-peruano, o senhor criou para mim um estado civil da primeira ordem. Depois de um acordo sobre o que deveria ser dito diante do comandante-geral, eu paguei os vinte mil francos. Ficamos quites. O que mais o senhor quer?

O adido peruano não demonstrou mais nenhum embaraço. Ele apoiou os dois cotovelos na mesa e articulou calmamente:

– Senhor, ao tratar com o senhor no passado, pensei que estava lidando com um cavalheiro que, escondido sob o uniforme de legionário por razões pessoais, desejava mais tarde recuperar os meios para viver honradamente. Hoje ele é o herdeiro universal de Cosmo Mornington, que receberá amanhã, sob um nome falso, a soma de um milhão, e em poucos meses talvez a soma de duzentos milhões. É uma coisa completamente diferente.

O argumento pareceu ferir dom Luís e ele objetou:

– E se eu recusar?

O adido peruano apoiou os cotovelos na mesa.

– Se o senhor recusar, digo ao notário e ao comandante-geral que me enganei em minha investigação e que há um problema com a pessoa de dom Luís Perenna. Consequentemente, o senhor não tocará em nada e provavelmente será preso.

– Assim como o senhor, meu caro.

– Eu?

– Claro! Por falsificação e ocultação de estado civil. Ou o senhor acha que eu vou assumir tudo sozinho.

O adido não respondeu. Seu nariz, que era enorme, parecia se esticar entre suas duas compridas suíças.

Dom Luís começou a rir.

– Ora, senhor Cacérès, não faça essa cara. Não vamos lhe fazer mal. Só não se intrometa mais nisso. Outros, mais astutos que o senhor, tentaram e quebraram a cara. E, de verdade, o senhor não parece ser muito bom quando se trata de enganar o próximo. Um pouco ingênuo até, senhor Cacérès, um pouco ingênuo. Estamos entendidos, não estamos? Vamos nos desarmar? Fim das más intenções em relação a esse excelente Perenna? Perfeito, senhor Cacérès, perfeito, serei generoso e provarei que o mais honesto dos dois é exatamente quem imaginamos.

Ele tirou do bolso um talão de cheques com a logo do banco Crédit Lyonnais.

– Aqui estão os vinte mil francos que lhe foram dados pelo herdeiro de Cosmo Mornington, meu caro. Guarde-os com satisfação e agradeça ao gentil cavalheiro. E leve suas tralhas sem virar a cabeça mais do que as filhas do senhor Loth. Vamos, fora daqui!

Tudo isso foi dito de tal forma que o adido obedeceu, uma a uma, às prescrições de dom Luís Perenna. Ele sorriu ao embolsar o dinheiro, agradeceu duas vezes e foi embora sem olhar para trás.

– Canalha – balbuciou dom Luís. – O que o senhor diz, brigadeiro?

O brigadeiro Mazeroux olhou para ele com espanto. Tinha os olhos arregalados.

– Ah, essa! Mas, senhor...

– O que foi, brigadeiro?

– Ah, essa! Quem é o senhor?

– Quem sou eu?

– Sim.

– Mas não lhe disseram? Um nobre peruano ou um nobre espanhol. Já não sei mais... Enfim, dom Luís Perenna.

– Bobagem! O que acabei de assistir...

– Dom Luís Perenna, antigo legionário...

– Já chega, senhor...

– Condecorado com todas as honras.

– Basta, eu já disse. E peço que me acompanhe até o senhor comandante.

– Ora, deixe-me continuar, mas que diabos! Continuando... antigo legionário... antigo herói... antigo prisioneiro da prisão da Santé... antigo príncipe russo... ex-chefe da Sûreté... antigo...

– Mas o senhor é louco! – protestou o brigadeiro. – Que história é essa?

– Uma história de verdade, autêntica. O senhor me perguntou quem sou eu. Estou enumerando. Devo ir mais adiante? Ainda tenho alguns títulos a lhe oferecer... marquês, barão, duque, arquiduque, grão-duque, contra-duque... todo o Almanaque Gotha! Se me dissessem que fui rei, por Deus que eu não me atreveria a jurar o contrário.

O brigadeiro Mazeroux, habituado a difíceis tarefas, agarrou com as duas mãos os punhos aparentemente frágeis de seu interlocutor e lhe disse:

– Nada de tumulto, está bem? Não sei com quem estou lidando, mas não vou deixá-lo escapar. O senhor vai se explicar na Chefatura.

– Não fale tão alto, Alexandre.

Os frágeis pulsos se libertaram com espantosa facilidade. Então as duas mãos robustas do brigadeiro foram apanhadas e imobilizadas, e dom Luís escarneceu:

– Então não me reconhece, imbecil?

O brigadeiro Mazeroux não disse uma só palavra. Os olhos dele se arregalaram ainda mais. Ele tentava entender e permanecia absolutamente perplexo. O som dessa voz, essa maneira de brincar, a gaiatice aliada à audácia, a expressão debochada daqueles olhos e também o nome de Alexandre, que não era dele e que apenas uma pessoa lhe havia dado uma vez. Seria possível?

Ele gaguejou:

– O chefe… o chefe…

– Por que não?

– Mas não… não… já que…

– Já que o quê?

– *O senhor está morto.*

– E daí? Acha que me incomoda viver, por estar morto?

E como o outro parecia cada vez mais confuso, ele pôs a mão em seu ombro e disse:

– Quem o fez entrar na Chefatura de polícia?

– O chefe da Sûreté, senhor Lenormand.

– E quem era esse senhor Lenormand?

– Era o chefe.

– Ou seja, Arsène Lupin, certo?

– Sim.

– Bem, Alexandre, não sabe que era muito mais difícil para Arsène Lupin ser chefe da Sûreté, e ele o fez magistralmente, do que ser dom Luís Perenna, do que ser condecorado, do que ser legionário, do que ser um herói, e até do que estar vivo estando morto?

O brigadeiro Mazeroux examinou silenciosamente seu companheiro. Depois, os seus olhos tristes ganharam vida, seu semblante terno se inflamou e, dando um murro na mesa, ele mastigou com a sua voz irritada:

– Bem, que seja, mas já aviso para não contar comigo! Ah, isso não! Estou a serviço da sociedade e assim vou permanecer. Não há nada a fazer. Eu senti o gosto da honestidade e não quero comer nenhum outro pão. Ah, não, isso não! Não, não, não, chega de tolices!

Perenna encolheu os ombros.

– Você é estúpido, Alexandre. É verdade, o pão da honestidade não engorda sua inteligência. Quem está falando de recomeçar?

– Entretanto...

– Entretanto o quê?

– Todas essa manigância, chefe...

– Minha manigância! O senhor acha que eu tenho alguma participação nesse caso?

– Ora, chefe...

– Absolutamente nenhuma, meu rapaz. Há duas horas eu não sabia nada mais do que você. Foi o bom Deus quem me transformou em herdeiro de repente, e é só para não o desobedecer que...

– E então?

– Então tenho a missão de vingar Cosmo Mornington, encontrar seus herdeiros naturais, protegê-los e distribuir entre eles os duzentos milhões que lhes pertencem. E ponto-final. Essa não é a missão de um homem honesto?

– Sim, mas...

– Sim, mas e se eu não o fizer como um homem honesto, é isso que quer dizer, certo?

– Chefe...

– Bem, meu rapaz, se você distinguir com precisão qualquer coisa que lhe desagrada em minha conduta, se descobrir uma mancha na consciência de dom Luís Perenna, não hesite, ponha suas mãos em cima de mim. Eu autorizo. Eu ordeno. É suficiente para você?

– Não basta que seja suficiente para mim, chefe.

– O que você está dizendo?

– Ainda há os outros.

– Explique.

– E se o senhor for pego?

– Como?

– O senhor pode ser traído.

– Por quem?

– Por nossos antigos camaradas...

– Que já se foram. Mandei-os para fora da França.

– Para onde?

– Isso é meu segredo. Você eu deixei na Chefatura, caso precisasse dos seus serviços. E como pode ver, eu tinha razão.

– E se descobrirem sua verdadeira identidade?

– O que é que tem?

– O senhor será preso.

– Impossível.

– Por quê?

– Não posso ser preso.

– Por que razão?

– Você mesmo disse, grandão, por uma razão superior, extraordinária, irresistível.

– Qual?

– *Estou morto.*

Mazeroux parecia sufocado. O argumento o acertou em cheio. De repente, ele se dava conta de todo seu vigor e de toda sua comicidade. Subitamente, ele explodiu numa gargalhada que fazia se contorcer e convulsionar da maneira mais engraçada sua expressão melancólica...

– Ah, chefe, o senhor continua o mesmo! Deus, como isso é engraçado! Se eu caí nessa? Acho que caí direitinho! E duas vezes! O senhor está morto. Enterrado! Liquidado! Ah! Que piada! Que piada!

Hippolyte Fauville, engenheiro, vivia no boulevard Suchet, próximo das fortificações, em um grande palácio flanqueado à esquerda por um jardim onde ele mandou construir uma grande sala que lhe servia como escritório. O jardim se reduzia a algumas árvores e uma faixa de grama que bordeava um portão coberto de hera, com uma abertura cuja porta o separava do boulevard Suchet.

Dom Luís Perenna foi com Mazeroux até o comissariado de Passy, onde Mazeroux, seguindo suas instruções, apresentou-se e pediu que o palácio do engenheiro Fauville fosse vigiado, durante a noite, por dois policiais orientados a prender qualquer pessoa suspeita que tentasse entrar.

O comissário prometeu ajuda.

Depois disso, dom Luís e Mazeroux jantaram no bairro. Às nove horas, chegaram à frente da porta principal do palácio.

– Alexandre – disse Perenna.

– Sim, chefe?

– Não está com medo?

– Não, chefe. Por quê?

– Por quê? Porque, ao defender o engenheiro Fauville e o seu filho, estamos enfrentando pessoas que têm muito interesse em fazê-los desaparecer, e essas pessoas não parecem ter medo. A sua vida, a minha... são só um sopro, um nada. Você não tem medo?

– Chefe – respondeu Mazeroux –, eu não sei se alguma vez vou experimentar o medo. Mas há um caso em que eu jamais o sentirei.

– Qual é, meu caro?

– Sempre que eu estiver ao seu lado. – E ele tocou resolutamente a campainha.

A porta se abriu e apareceu um criado a quem Mazeroux apresentou seu cartão.

Hippolyte Fauville recebeu ambos em seu gabinete. A mesa estava cheia de brochuras, livros e papéis. Sobre duas prateleiras sustentadas por dois altos cavaletes, havia esboços e desenhos, e em duas vitrines, reduções de marfim e de aço de dispositivos construídos ou inventados pelo engenheiro. Havia um sofá comprido alinhado à parede. Do lado oposto estava uma escadaria em espiral que levava a uma galeria circular. No teto, um lustre. Na parede, um telefone.

Imediatamente, depois de recusar seu título e apresentar seu amigo Perenna como sendo também enviado pelo comandante-geral, Mazeroux expôs o motivo daquela abordagem.

O senhor Desmalions estava preocupado com os graves indícios de que tinha acabado de tomar conhecimento. Sem esperar pela conversa do dia seguinte, ele pediu ao senhor Fauville para tomar todas as precauções que seus agentes sugeriram.

De início, Fauville demonstrou um certo senso humor.

– Minhas precauções já foram tomadas, cavalheiros, e muito bem tomadas. E eu recearia, por outro lado, que sua intervenção fosse perniciosa.

– Em quê?

– Despertando a atenção dos meus inimigos e me impedindo de reunir as provas de que preciso para os confundir.

– O senhor pode me explicar?

– Não, não posso. Só amanhã de manhã, antes não.

– E se for tarde demais? – interrompeu dom Luís Perenna.

– Tarde demais amanhã?

– O inspetor Vérot disse ao secretário do senhor Desmalions: “O duplo crime deve acontecer esta noite. Isso é fatal, é irrevogável”.

– Esta noite? – Fauville exclamou, furiosamente. – Pois eu lhes digo que não. Esta noite não, disso tenho certeza. Há coisas que eu sei, certo? E que os senhores não sabem…

– Sim – contestou dom Luís –, mas talvez haja também coisas que o inspetor Vérot sabia e que o senhor ignora. Talvez ele tivesse penetrado mais profundamente no segredo dos seus inimigos. Prova disso é que suspeitavam dele e que um indivíduo, com uma bengala de ébano o espionava. A prova, enfim, é que ele foi morto.

A confiança de Hippolyte Fauville diminuía. Perenna aproveitou a oportunidade para insistir, e de tal forma que Fauville, sem sair da defensiva, acabou se rendendo a essa vontade, mais forte do que a sua.

– Bem, mas então o quê? Os senhores não têm a intenção de passar a noite aqui, não é mesmo?

– Precisamente.

– Mas isso é um absurdo! É uma perda de tempo! Porque, afinal, ainda que pensemos no pior... Além disso, o que os senhores desejam?

– Quem vive neste palácio?

– Quem? Bem, minha esposa. Ela ocupa o primeiro andar.

– A senhora Fauville não está sendo ameaçada.

– Não, de modo algum. Somos eu e meu filho Edmond que estamos sendo ameaçados. Por isso, há oito dias, em vez de dormir no meu quarto, como de costume, tranquei-me nesta sala. Usei como pretexto meu trabalho e os escritos que me obrigam a ficar acordado até muito tarde e para os quais preciso da ajuda do meu filho.

– Então ele também dorme aqui?

– Acima de nós, em um pequeno quarto que mandei construir para ele. Só se pode chegar até lá por esta escada interna.

– Ele está lá agora?

– Sim. Dormindo.

– Quantos anos ele tem?

– Dezesseis.

– Mas se o senhor mudou de quarto assim, foi porque temia que alguém o atacasse? Quem? Um inimigo que vive no palácio? Um dos seus criados? Ou pessoas de fora? Nesse caso, como alguém poderia entrar? Toda a questão está posta.

– Amanhã, amanhã. – respondeu Fauville, obstinado. – Amanhã eu explicarei tudo...

– Por que não esta noite? – insistiu Perenna.

– Porque preciso de provas, repito... porque o simples fato de falar pode ter consequências terríveis... e porque tenho medo... sim, tenho medo...

De fato, ele estava tremendo e parecia tão miserável, tão aterrorizado, que dom Luís não insistiu mais.

– Está bem – ele disse. – Só lhe pedirei, para meu companheiro e para mim, permissão para passar a noite ao alcance de seu chamado.

– Como queira, senhor. Afinal, talvez seja até melhor.

Neste momento, um dos criados bateu à porta e veio anunciar que a senhora queria ver o cavalheiro antes de sair. A senhora Fauville logo surgiu.

Ela cumprimentou Perenna e Mazeroux com um aceno gracioso. Era uma mulher de trinta e cinco anos, de grande beleza, olhos azuis, cabelos ondulados, um rosto gracioso e um pouco frívolo, mas, ao mesmo tempo, amável e charmoso. Ela usava, sob um grande casaco de seda brocada, um traje de baile que deixava seus lindos ombros descobertos.

Seu marido lhe perguntou, surpreso:

– Vai sair esta noite?

– Não se lembra? – questionou ela. – Os Auverard me ofereceram um lugar em seu camarote na Ópera, e foi você quem me pediu para dar uma passada na festa da senhora Ersinger.

– De fato, de fato... – ele disse. – Eu não me lembrava mais... Tenho trabalhado tanto!

Ela acabou de abotoar as luvas e retomou:

– Você não virá me encontrar na casa da senhora Ersinger?

– Para quê?

– Seria um prazer para eles.

– Mas não para mim. Além disso, minha saúde me impede de fazê-lo.

– Eu darei uma desculpa em seu nome.

– Sim, peça desculpas por mim.

Ela fechou o casaco com um belo gesto e ficou imóvel por alguns segundos, como se procurasse uma palavra de despedida. Então ela disse:

– Então o Edmond não está aqui? Pensei que ele estivesse trabalhando com você.

– Ele estava cansado.

– Ele está dormindo?

– Sim.

– Gostaria de dar um beijo nele.

– É melhor não, você vai acabar por acordá-lo. A propósito, seu carro chegou. Vá, minha querida. Divirta-se.

– Oh, me divertir! – disse ela. – Como se fosse possível se divertir em uma noite na Ópera.

– É sempre melhor do que ficar no quarto.

Houve um pequeno desconforto. Havia no ar o clima de uma dessas famílias pouco unidas nas quais o homem, de saúde debilitada, hostil aos prazeres mundanos, se tranca em sua casa enquanto sua esposa busca distrações a que sua idade e hábitos lhe dão direito.

Como ele já não lhe dirigia mais a palavra, ela se inclinou e o beijou na testa.

Então, saudando novamente os dois visitantes, ela saiu.

Um instante depois, ouviram o barulho do motor de um carro que se distanciava. Hippolyte Fauville logo se levantou e, depois de tocar o sino, disse:

– Ninguém aqui duvida do perigo que estou correndo. Não confio em ninguém, nem mesmo em Silvestre, meu criado particular, que me serve há anos e que é a probidade em pessoa.

O criado entrou.

– Vou me deitar, Silvestre, prepare tudo – disse o senhor Fauville.

Silvestre abriu a parte de cima do grande sofá, que formou então uma cama confortável, e organizou os lençóis e cobertores. Em seguida, por ordem do seu patrão, trouxe uma garrafa de água, um copo, um prato de doces secos e uma compoteira de frutas.

O senhor Fauville comeu os doces e depois cortou uma maçã camoesa. Ela não estava madura. Ele pegou outras duas, experimentou, mas, não as julgando suficientemente maduras, descartou. Depois, descascou uma pera e a comeu.

– Deixe a compoteira – disse ele ao criado. – Se tiver fome esta noite, ficarei satisfeito. Ah, já estava esquecendo, estes senhores ficam aqui. Não diga a ninguém. E amanhã de manhã, só venha quando eu tocar o sino.

Antes de se retirar, o criado colocou a compoteira sobre a mesa. Perenna, que observava tudo e que, posteriormente, teria que evocar os menores detalhes daquela noite que sua memória registrava com uma fidelidade quase maquinal, contou na compoteira três peras e quatro maçãs camoesa.

Nesse meio tempo, Fauville subiu a escada em espiral e, seguindo pela galeria, chegou ao quarto onde seu filho dormia.

– Ele dorme com os punhos fechados – disse ele a Perenna, que o acompanhara.

O quarto era pequeno. O ar entrava através de um sistema de ventilação especial, porque uma persiana de madeira pregada fechava hermeticamente a janela do dormitório.

– Tomei essa precaução no ano passado – explicou Hippolyte Fauville. – Como eu fazia as minhas experiências elétricas nesta sala, temia que alguém me espiasse. Então fechei a saída que dava para o telhado.

E ele acrescentou em voz baixa:

– Já tem tempo que estão me vigiando.

Eles desceram. Fauville consultou seu relógio.

– Dez e quinze... Está na hora de descansar. Estou muito cansado, os senhores me deem licença.

Combinaram que Perenna e Mazeroux se instalariam em duas poltronas que foram levadas para o corredor que ligava o escritório ao vestíbulo do palácio.

Mas, antes de deixá-los, Hippolyte Fauville, que até então, embora muito agitado, parecia estar se controlando, teve uma súbita fraqueza. Ele deixou escapar um grito fraco. Dom Luís se voltou e viu o suor que escorria como água pelo rosto e pescoço. Ele tremia de febre e angústia.

– O que o senhor tem?

– Tenho medo, tenho medo – ele repetiu.

– Mas isso é loucura – exclamou dom Luís –, já que estamos os dois aqui! Podemos até passar a noite ao seu lado, na sua cabeceira.

O engenheiro sacudiu violentamente Perenna pelo ombro, e, com a figura convulsiva, gaguejou:

– Se os senhores fossem dez... vinte perto de mim, acham que eles se importariam? Eles podem fazer qualquer coisa, os senhores compreendem? Qualquer coisa! Eles já mataram o inspetor Vérot e vão me matar e vão matar meu filho. Ah, os miseráveis! Meu Deus, tenha piedade de mim! Ah, que pavor! Como estou sofrendo!

Ele tinha caído de joelhos e batia no peito enquanto repetia:

– Meu Deus, tenha piedade de mim... Não quero morrer... Não quero que meu filho morra... tenha piedade de mim, eu lhe imploro...

Ele se levantou de súbito, levou Perenna para a frente de uma vitrine que ele empurrou e que rolou facilmente sobre seus cilindros de cobre, e, descobrindo um pequeno cofre selado na própria parede, disse:

– Toda a minha história está aqui, escrita diariamente durante três anos. Se me acontecesse um infortúnio, a vingança seria fácil.

Ele girou apressadamente as letras do segredo da fechadura e, com a ajuda de uma chave que tirou de seu bolso, ele o abriu.

O cofre estava mais da metade vazio. Em somente uma das prateleiras, entre pilhas de papéis, havia um caderno de capa cinza amarrado com elástico vermelho.

Ele pegou o caderno e apontou:

– Vejam... está tudo aqui. Com isso podemos reconstituir a coisa abominável... há primeiro minhas suspeitas e depois minhas certezas... e tudo... tudo o que é necessário para pegá-los em uma armadilha... e tudo para destruí-los... Os senhores se recordarão, não é mesmo? Um caderno de capa cinza. Vou guardá-lo de volta no cofre...

Aos poucos ele voltou a se acalmar. Ele empurrou a porta da vitrine, guardou alguns papéis, acendeu a luz que ficava sobre sua cama, desligou o candelabro localizado no meio do escritório e pediu que dom Luís e Mazeroux o deixassem sozinho.

Dom Luís, que caminhava em volta da sala, examinando as persianas de ferro das duas janelas, notou uma porta na frente da entrada e questionou o engenheiro...

– Eu a uso com meus clientes habituais – disse Fauville. – E às vezes também saio por ali.

– Ela dá acesso ao jardim?

– Sim.

– Está bem fechada?

– Pode conferir. Fechada com chave e com o trinco de segurança. As duas chaves estão no meu chaveiro, juntamente com a do jardim.

Ele colocou o chaveiro sobre a mesa, juntamente com a carteira. Colocou também o relógio depois de dar corda nele.

Sem qualquer constrangimento, dom Luís pegou o chaveiro e abriu a fechadura e o cadeado. Três degraus o conduziram ao jardim. Ele fez a volta pela estreita platibanda. Através das heras ele viu e ouviu os dois policiais que perambulavam pelo boulevard. Ele verificou a fechadura do portão. Estava trancada.

– Vamos – disse ele, subindo –, está tudo bem e o senhor pode ficar tranquilo. Até amanhã.

– Até amanhã – respondeu o engenheiro, acompanhando Perenna e Mazeroux até seu aposento.

Havia uma porta dupla entre o escritório e o corredor, e uma dessas portas era acolchoada e revestida de tecido *moleskine*. Do outro lado, o corredor estava separado do vestíbulo por uma pesada tapeçaria.

– Você pode dormir – disse Perenna para seu companheiro. – Eu fico de vigia.

– Mas enfim, chefe, o senhor não está supondo que alguma coisa possa acontecer!

– Não estou supondo nada, uma vez que tomamos todas as precauções necessárias. Mas você, que conhece o inspetor Vérot, acha que ele era um tipo que inventava histórias?

– Não, chefe.

– Bem, então sabe o que ele previu. E se o fez, é porque tinha razões para isso. Então, vou ficar de olhos bem abertos.

– Façamos um revezamento, chefe. Acorde-me quando for meu turno.

Imóveis um perto do outro, eles ainda trocaram mais algumas poucas palavras. Pouco depois, Mazeroux adormeceu. Dom Luís permaneceu em sua poltrona, sem se mexer, com os ouvidos à espreita. Tudo estava calmo no palácio. Do lado de fora, de vez em quando se ouvia passar um automóvel ou um fiacre, e também se ouviam os últimos trens da linha de Auteuil.

Dom Luís se levantou várias vezes e se aproximou da porta.

Nenhum barulho. Sem dúvida, Hippolyte Fauville dormia.

– Perfeito – pensava Perenna. – O boulevard está protegido. Não se pode entrar nesta sala por nenhuma outra passagem que não esta. Logo, não há nada a temer.

Às duas horas da manhã, um carro parou na frente do palácio e um dos criados, que devia estar esperando do lado da copa e da cozinha, correu na direção da porta principal. Perenna apagou a luz do corredor e, levantando ligeiramente a tapeçaria, viu a senhora Fauville que voltava para casa acompanhada por Silvestre.

Ela subiu. O vão da escada voltou a ficar escuro. Por mais meia hora, murmúrios de vozes e barulhos de cadeiras se movendo foram ouvidos nos andares superiores. E então tudo ficou em silêncio.

Perenna sentiu brotar nesse silêncio uma angústia inexprimível. Por quê? Ele não sabia dizer. Mas era tão intenso, e a sensação ficou tão aguda que ele murmurou:

– Vou ver se ele dorme. As portas não devem estar fechadas com o trinco.

Na verdade, ele só precisou empurrar os batentes para abrir. Com uma lanterna na mão, ele se aproximou da cama.

Hippolyte Fauville dormia virado para a parede.

Perenna suspirou de alívio, voltou para o corredor e sacudiu Mazeroux:

– É a sua vez, Alexandre.

– Nada de novo, chefe?

– Não, nada, ele está dormindo.

– Como é que o senhor sabe?

– Fui vê-lo.

– Engraçado, não ouvi nada. É verdade que dormi feito uma pedra.

Ele seguiu Perenna pela sala, que lhe disse:

– Sente-se e não o acorde. Vou dormir um pouco.

Mais tarde ele assumiu mais um turno. Mas, mesmo quando adormecido, ele se mantinha consciente de tudo o que acontecia à sua volta.

Um pêndulo soava as horas em voz baixa, e, a cada vez, Perenna contava. Depois foi a vida lá fora que acordou. Os carros dos leiteiros que passavam, os primeiros trens de subúrbio que assobiavam.

No palácio a agitação também começou.

O dia era filtrado pelos interstícios das persianas e a sala aos poucos se preenchia de luz.

– Vamos – disse o brigadeiro Mazeroux. – É melhor que ele não nos encontre aqui.

– Cale-se – ordenou dom Luís, acompanhando sua injunção com um gesto imperioso.

– Mas por quê?

– Você vai acordá-lo.

– Mas o senhor está vendo que ele não acorda – disse Mazeroux sem baixar o tom.

– É verdade... é verdade... – sussurrou dom Luís, espantado pelo fato de o som dessa voz não ter acordado o dorminhoco.

E ele se sentiu tomado pela mesma angústia que o tinha perturbado no meio da noite. Angústia mais precisa, embora não quisesse nem ousasse desvendar o motivo que a despertava.

– O que o senhor tem, chefe? O senhor parece estranho. O que está acontecendo?

– Nada... nada... estou com medo.

Mazeroux estremeceu.

– Medo de quê? O senhor está falando do jeito que ele falou ontem à noite.

– Sim... sim... e pela mesma razão.

– Mas enfim?

– Então você não entende? Não entende o que estou me perguntando...

– O quê?

– Se ele não está morto!

– Mas o senhor enlouqueceu, chefe!

– Não... não sei... é que... é que... estou com um pressentimento de morte.

Com a lanterna na mão, ele permaneceu paralisado na frente da cama. Ele, que não temia nada no mundo, não tinha coragem de iluminar o rosto de Hippolyte Fauville. Um terrível silêncio tomava conta daquele cômodo.

– Oh! Chefe, ele não se mexe...

– Eu sei... eu sei... e agora percebo que ele não se mexeu uma única vez durante toda a noite. E é isso que me assusta.

Ele teve que fazer um enorme esforço para seguir em frente e quase tocou na cama.

O engenheiro não parecia respirar. Resolutamente, ele pegou sua mão. Ela estava congelada.

De repente, Perenna recuperou seu sangue-frio.

– A janela! Abra a janela! – ele gritou.

Quando a luz penetrou no quarto, ele viu a figura de Hippolyte Fauville inchada e coberta de manchas marrons.

– Oh! – ele reagiu em voz baixa. – Ele está morto.

– Com mil raios! Com mil raios! – o brigadeiro gaguejou.

Durante dois ou três minutos, eles permaneceram petrificados, estupefatos, aniquilados pela constatação do mais prodigioso e misterioso dos fenômenos. Depois, uma ideia repentina fez Perenna sobressaltar. Ele subiu a escadaria interna a passos largos, correu pela galeria e se precipitou na mansarda.

Edmond, o filho de Hippolyte Fauville, estava deitado em sua cama, rígido, o rosto lívido, morto também.

– Com mil raios! Com mil raios! – repetiu Mazeroux.

Talvez nunca, durante sua vida aventureira, Perenna tivesse experimentado tamanha comoção. Ele sentiu uma espécie de cãibra e uma impotência ao tentar fazer o menor gesto ou pronunciar uma única palavra. Pai e filho estavam mortos! Alguém os havia matado durante a noite! Algumas horas antes, embora a casa estivesse protegida e todas as saídas hermeticamente fechadas, alguém havia, com a ajuda de uma injeção letal, envenenado ambos, como envenenaram o americano Cosmo Mornington.

– Com mil raios! – repetiu Mazeroux mais uma vez. – De nada serviu cuidar deles, pobres diabos, nem fazer todo esse alarido para salvá-los!

Havia uma crítica nessa explicação. Perenna compreendeu e admitiu:

– Você tem razão, Mazeroux, eu não estava à altura dessa missão.

– Nem eu, chefe.

– Você... você... você só está neste caso desde ontem à noite.

– Ora, o senhor também, chefe.

– Sim, eu sei, desde ontem à noite, enquanto eles estão combinando tudo há semanas e semanas. Mas, mesmo assim, eles estão mortos e eu estava aqui! Eu estava aqui, eu, Lupin... A coisa aconteceu diante dos meus olhos e eu não vi nada... Não vi nada... isso é possível?

Ele descobriu os ombros do pobre rapaz e, mostrando o sinal de uma picada no braço:

– A mesma marca... a mesma, obviamente, encontrada no pai. A criança também não parece ter sofrido. Pobre garoto! Ele não tinha a aparência vigorosa. Mas não importa, era uma bela fisionomia. Ah, como a mãe vai sofrer!

O brigadeiro chorou de raiva e piedade enquanto repetia entre os dentes:

– Com mil raios! Com mil raios!

– Vamos vingá-los, não vamos, Mazeroux?

– A quem o senhor está perguntando, chefe? Até duas vezes em vez de uma!

– Uma vez será suficiente, Mazeroux. Mas será a certa.

– Ah! Eu juro que sim.

– Você tem razão, vamos jurar. Juremos que estes dois mortos serão vingados. Juremos que não nos desarmaremos até que os assassinos de Hippolyte Fauville e do seu filho sejam punidos de acordo com seus crimes.

– Juro pela minha salvação eterna, chefe.

– Muito bem – disse Perenna. – Agora, ao trabalho. Telefone imediatamente para a Chefatura de polícia. Tenho certeza de que o senhor Desmalions aprovará a ideia de ser advertido sem demora. Ele está muito interessado neste caso.

– E se os criados aparecerem? Se a senhora Fauville...

– Ninguém virá antes de abrirmos as portas e só o faremos para o comandante-geral. É ele quem se encarregará de anunciar à senhora Fauville que ela está viúva e que não tem mais filho. Vá, depressa.

– Espere um minuto, chefe, estamos esquecendo de algo que vai nos ajudar singularmente.

– O quê?

– O pequeno caderno de capa cinza guardado no cofre, onde o senhor Fauville contava a história da conspiração contra ele.

– Ora! É verdade! – disse Perenna. – Você tem razão... especialmente porque ele se esqueceu de embaralhar os números do segredo e, além disso, a chave está no chaveiro deixado sobre a mesa.

Eles desceram rapidamente.

– Deixe-me fazer – disse Mazeroux. – É mais seguro o senhor não tocar nesse cofre.

Ele pegou o chaveiro, abriu a vitrine e encaixou a chave com uma emoção febril que dom Luís compartilhava ainda mais intensamente. Eles finalmente iam conhecer a história misteriosa! O morto ia lhes entregar o segredo dos seus carrascos!

– Meu Deus, como você é lento! – resmungou dom Luís.

Mazeroux mergulhou ambas as mãos na pilha de papéis que obstruíam a prateleira de ferro.

– Bem, Mazeroux, me dê ele.

– O quê?

– O caderno de capa cinza.

– Impossível, chefe.

– Hein?

– Ele desapareceu.

Dom Luís abafou um xingamento. O caderno de capa cinza que o engenheiro tinha guardado no cofre, na frente deles, tinha desaparecido!

Mazeroux balançou a cabeça.

– Com mil raios! Então eles sabiam da existência desse caderno?

– Por Deus! E de muitas outras coisas. Estamos bem arranjados com esses sujeitos. Não há tempo a perder. Telefone.

Mazeroux obedeceu. Quase imediatamente, o senhor Desmalions avisou que logo o atenderia.

Ele esperou.

Depois de alguns minutos, Perenna, que havia caminhado à direita e à esquerda, examinando vários objetos, veio se sentar ao lado dele. Ele parecia preocupado e refletiu por um longo tempo. Mas, com o olhar fixo na compoteira, murmurou:

– Só restam três maçãs em vez de quatro.

Então ele comeu a quarta?

– De fato – disse Mazeroux –, ele deve ter comido.

– É estranho – considerou Perenna –, porque ele não as achava suficientemente maduras.

Ele ficou em silêncio novamente, apoiado na mesa, visivelmente preocupado, e então, levantando a cabeça, disse estas palavras:

– O crime foi cometido antes de entrarmos na sala, exatamente à meia-noite e meia.

– Como o senhor sabe, chefe?

– O assassino, ou os assassinos, do senhor Fauville, ao tocar nos objetos sobre esta mesa, deixou cair o relógio que o senhor Fauville tinha deixado aqui e o colocou de volta no lugar. Mas a queda o fez parar de funcionar. Ele ainda está marcando meia-noite e meia.

– Então, chefe, quando nos instalamos aqui, por volta das duas da manhã, era um cadáver que estava deitado ao nosso lado, e outro acima de nós?

– Sim.

– Mas por onde é que esses demônios entraram?

– Por esta porta, que tem vista para o jardim, e pelo portão que tem vista para o boulevard Suchet.

– Então eles tinham as chaves das fechaduras e dos cadeados?

– As cópias dessas chaves, sim.

– Mas e os polícias que vigiam a casa lá de fora?

– Eles ainda a vigiam, mas andando de um ponto para outro, e sem pensar que se pode entrar em um jardim enquanto lhe dão as costas. Foi isso que aconteceu, tanto na chegada como na partida.

O brigadeiro Mazeroux parecia atordoado. A audácia dos criminosos, a habilidade, a precisão das ações, tudo isso o deixava confuso.

– Eles são diabolicamente fortes – disse ele.

– Diabolicamente, Mazeroux, como você diz, e prevejo que a batalha será terrível. Por Deus! Que vigor para atacar!

O telefone tocou. Dom Luís deixou Mazeroux continuar sua comunicação e, pegando o chaveiro, abriu facilmente a fechadura e o cadeado da porta e seguiu para o jardim com a esperança de encontrar algum vestígio que facilitasse sua busca.

Como no dia anterior, ele viu, através dos ramos de hera, dois policiais vagando de um poste de luz a outro. Mas eles não o viram. Além disso, o que poderia acontecer no palácio parecia ser completamente indiferente para eles.

– Aí está meu grande erro – pensou Perenna. – Não se confia uma missão a pessoas que não têm ideia de sua importância.

Suas investigações levaram à descoberta de pegadas no cascalho, muito confusas para reconstruir a forma dos sapatos que as haviam feito, mas precisas o suficiente para confirmar a hipótese de Perenna: os bandidos tinham passado por ali.

De repente ele teve um lapso de alegria. Contra o muro da alameda, entre as folhas de um pequeno maciço de rododendros, ele viu algo vermelho que chamou sua atenção.

Ele se abaixou.

Era uma maçã, a quarta maçã, aquela cuja ausência ele notou apenas na compoteira.

"Perfeito", ele pensou, "Hippolyte Fauville não a comeu. Foi um deles que a pegou... Uma extravagância... um desejo repentino... e ela deve ter caído da mão dele sem que ele tivesse tempo para procurar."

Ele pegou a fruta e a examinou.

– Ah! – ele reagiu, contorcendo-se. – Será que é possível?

Ele continuava perturbado, tomado por uma verdadeira emoção, não admitindo, por assim dizer, a coisa inadmissível que, no entanto, se oferecia aos seus olhos com a própria evidência da realidade. Haviam mordido a maçã, a maçã demasiado ácida para ser comida. *E os dentes tinham deixado suas marcas!*

– Isso é possível? – repetia dom Luís. – É possível que um deles tenha cometido tal imprudência? A maçã deve ter caído sem o seu conhecimento... ou a pessoa não a encontrou no meio da escuridão.

Ele não conseguia acreditar e procurava explicações. Mas o fato estava lá. Duas filas de dentes, perfurando em semicírculo a fina película vermelha, tinham deixado na polpa uma mordida bastante afiada e regular. Havia seis na parte de cima, enquanto embaixo eles haviam se fundido em uma única linha curva.

– Os dentes do tigre! – sussurrou Perenna, que não conseguia tirar os olhos da marca dupla. – Os dentes do tigre! Os mesmos registrados no pedaço de chocolate do inspetor Vérot! Que coincidência! Pode-se supor que ela seja fortuita? Não deveríamos admitir como certo que foi a mesma pessoa que mordeu esta fruta e que marcou a barra que o inspetor Vérot trazia consigo na Chefatura como a mais irrefutável prova?

Ele hesitou por um segundo: guardaria essa prova para si, para a investigação pessoal que queria conduzir? Ou a entregaria para as investigações da justiça? Mas, em contato com esse objeto, ele sentia tamanha repugnância, tamanho desconforto físico que rejeitou a maçã e a fez rolar sob a folhagem.

E repetiu a si mesmo:

– Os dentes do tigre! Os dentes da fera!

Dom Luís fechou a porta do jardim, trancou o cadeado, colocou o chaveiro de volta na mesa e disse a Mazeroux:

– Falou com o comandante-geral?

– Sim.

– Ele vem?

– Sim.

– Ele não ordenou que telefone ao comissário de polícia?

– Não.

– Então ele quer ver tudo com seus próprios olhos. Melhor assim! Mas e a Sûreté? A Procuradoria?

– Ele os avisou.

– O que você tem, Alexandre? Preciso arrancar as respostas a força. E agora? Por que está me olhando dessa maneira tão estranha? O que está acontecendo?

– Nada.

– Já não era sem tempo. Deve ser essa história que está mexendo com a sua cabeça. De fato, há motivos para isso. E o comandante-geral não vai achar a menor graça, especialmente porque ele confiou muito facilmente em mim e lhe pedirão explicações sobre minha presença aqui. Ah! A esse respeito, é muito melhor que você assuma a responsabilidade por tudo o que fizemos. Certo? Vai ser melhor para você. A propósito, fique à frente de tudo. Apague-me tanto quanto possível, e acima de tudo – você não verá, suponho, qualquer inconveniente nesse pequeno detalhe –, não cometa a estupidez de dizer que você adormeceu por um único segundo esta noite, no corredor. Primeiro, o peso cairia nas suas costas. E depois… depois… é isso… Estamos de acordo, certo? Então tudo o que temos de fazer é nos separarmos. Se o comandante-geral precisar de mim, como espero que aconteça, é só telefonar para minha casa na praça do Palais-Bourbon. Estarei lá. Adeus. É inútil que eu esteja presente na investigação, a presença seria inconveniente. Adeus, camarada.

Ele foi até a porta do corredor.

– Um momento – exclamou Mazeroux.

– Um momento? Mas…

O brigadeiro ficou entre a porta e ele, bloqueando a passagem.

– Sim, um momento. Não concordo com o senhor. É muito melhor que o senhor espere até a chegada do comandante.

– Mas a sua opinião não me interessa.

– Que seja, mas daqui o senhor não sai.

– O quê? Ora essa! Alexandre, você ficou louco?

– Ora, chefe – suplicou Mazeroux, quase se deixando convencer –, que mal isso pode fazer? É natural que o comandante-geral queira falar com o senhor.

– Ah! É o comandante quem quer? Bem, você dirá a ele, meu rapaz, que não estou às suas ordens, que não estou às ordens de ninguém, e que se o presidente da República, que se Napoleão I em pessoa bloqueasse meu caminho... E além do mais, chega, já falamos demais. Desapareça.

– O senhor não vai passar! – Mazeroux disse em um tom resoluto, abrindo os braços.

– Essa é boa.

– O senhor não vai passar.

– Alexandre, conte até dez.

– Até cem, se o senhor quiser, mas o senhor não...

– Ah! Você já está me irritando com esse seu refrão. Vamos, fora!

Ele agarrou Mazeroux pelos dois ombros, fez o homem girar e, com um empurrão, derrubou-o no sofá.

Então ele abriu a porta.

– Parado! Ou eu disparo!

Era Mazeroux, já de pé, com o revólver em punho e no rosto uma expressão implacável.

Dom Luís parou, perplexo. A ameaça lhe era absolutamente indiferente e o cano do revólver apontado para ele o deixava completamente tranquilo. Mas por que prodígio Mazeroux, seu cúmplice de outrora, seu fervoroso discípulo, seu dedicado servo, por que prodígio Mazeroux ousava executar tal gesto?

Perenna se aproximou dele e, apoiando sutilmente sobre o braço estendido:

– Ordem do comandante, não é?

– Sim – murmurou o brigadeiro, bastante confuso.

– Ordem de não me deixar partir até sua chegada?

– Sim.

– E se eu manifestar a intenção de sair, a ordem é me impedir de fazê-lo?

– Sim.

– Por todos os meios?

– Sim.

– Inclusive metendo uma bala em mim?

– Sim.

Perenna refletiu. Então, com um tom austero:

– Você teria disparado, Mazeroux?

O brigadeiro baixou a cabeça e articulou de modo fraco:

– Sim, chefe.

Perenna olhou para ele sem raiva, com um olhar de simpatia afetuosa, e ver seu ex-companheiro dominado por tal senso de dever e disciplina foi um espetáculo apaixonante. Nada prevalecia contra esse sentimento, nada, nem mesmo a ferrenha admiração, o apego de certo modo animalesco que Mazeroux tinha por seu mestre.

– Não o culpo, Mazeroux. Na verdade, até aprovo você. Só que você vai me explicar por que razão o comandante-geral...

O brigadeiro não respondeu, mas seus olhos tinham uma expressão tão dolorosa que dom Luís sobressaltou, compreendendo tudo de repente.

– Não... não – ele exclamou –, é absurdo! Ele não pode ter pensado nisso... E você, Mazeroux, acha que sou culpado?

– Oh! Eu, chefe, confio no senhor tanto quanto em mim. O senhor não mata! Mas, mesmo assim, há certas coisas, coincidências...

– Coisas... coincidências... – repetiu dom Luís, lentamente.

Ele permaneceu pensativo, depois disse bem baixinho:

– Sim, há um fundo de verdade no que você diz. Sim, tudo isso coincide. Como é que eu não pensei nisso? Minha relação com Cosmo Mornington, minha chegada em Paris para a leitura do testamento, minha insistência para passar a noite aqui, o fato de que a morte dos dois Fauville me beneficia com todos esses milhões. Além disso... além disso... Mas o seu comandante-geral tem mesmo mil vezes razão! Ainda mais porque... enfim... enfim... é isso! Estou arruinado.

– Deixa disso, chefe.

– Arruinado, meu camarada, põe isso na sua cabeça. Arruinado, não como Arsène Lupin, ex-assaltante, ex-presidiário, ex qualquer coisa. Nesse campo, sou inatacável. Mas arruinado como dom Luís Perenna, homem honesto, herdeiro universal, etc. E isso é muito estúpido! Porque, afinal de contas, quem vai encontrar o assassino de Cosmo, Vérot e dos dois Fauville, se eu for atirado na prisão?

– Ora, chefe...

– Cale-se, ouça...

Um carro parou no boulevard, acompanhado por outro. Eram, obviamente, o comandante-geral e os magistrados da Procuradoria.

Dom Luís agarrou o braço de Mazeroux:

– Um único pedido, Alexandre, não diga que dormiu.

– Impossível, chefe.

– Triplo idiota! – resmungou dom Luís. – É possível alguém ser imbecil a esse ponto! Dá desgosto ser tão honesto. Então o quê?

– Então, chefe, descubra quem é o culpado...

– Hein! O que você está dizendo?

Mazeroux então pegou seu braço e, agarrando-se a ele com uma espécie de desespero e com a voz emocionada:

– Descubra o culpado, chefe. Sem isso, o senhor está liquidado. Isso é certo... o comandante me disse. A justiça precisa de um culpado. E esta noite. É preciso um... cabe ao senhor descobri-lo.

– Você tem umas ótimas observações, Alexandre!

– É um jogo para o senhor, chefe. Só cabe ao senhor querer jogar.

– Mas não há a menor pista, idiota!

– O senhor vai encontrar. É preciso. Eu imploro, entregue alguém. Eu seria muito infeliz se o senhor fosse preso. Além disso, logo o senhor, o chefe, acusado de homicídio! Não, não, eu suplico, descubra o culpado e entregue-o... O senhor tem o dia todo para isso... e Lupin já fez muito mais!

Ele gaguejava, chorava, torcia as mãos, fazia caretas cômicas. E era comovente essa dor, esse medo pela aproximação do perigo que ameaçava seu mestre.

A voz do senhor Desmalions foi ouvida no vestíbulo, através da tapeçaria que fechava o corredor. Um terceiro carro parou no boulevard e depois um quarto, provavelmente cheios de agentes.

O palácio estava cercado, sitiado. Perenna estava em silêncio.

Perto dele, com a figura ansiosa, Mazeroux parecia implorar.

Passaram alguns segundos. Depois Perenna declarou pausadamente:

– Pensando bem, Alexandre, admito que você viu claramente a situação e que os seus medos são totalmente justificados. Se eu não conseguir, dentro de algumas horas, entregar à justiça o assassino, ou assassinos, de Hippolyte Fauville e do seu filho, esta noite, quinta-feira, primeiro dia do mês de abril, serei eu, dom Luís Perenna, quem se deitará sobre a palha úmida.

A TURQUESA MORTA

Eram por volta de nove horas da manhã quando o comandante-geral entrou no escritório onde se desenrolou o drama incompreensível desse duplo e misterioso assassinato.

Ele sequer cumprimentou dom Luís, e os magistrados que o acompanhavam poderiam acreditar que dom Luís era apenas um auxiliar do brigadeiro Mazeroux se o chefe da Sûreté não tivesse tido o cuidado de especificar em poucas palavras o papel desse intruso.

O senhor Desmalions examinou brevemente os dois cadáveres e recebeu explicações rápidas de Mazeroux. Em seguida, voltando ao vestíbulo, ele subiu para o salão do primeiro andar, onde a senhora Fauville, avisada de sua visita, foi vê-lo quase imediatamente.

Perenna, que não tinha saído do corredor, também passou para o vestíbulo, que os criados do palácio, já cientes do crime, atravessavam em todas as direções, e ele desceu alguns degraus que o levaram ao primeiro patamar, que dava para a porta principal.

Ali havia dois homens e um deles lhe disse:

– Ninguém sai.

– Mas...

– Ninguém sai. Essa é a ordem.

– A ordem? E quem a deu?

– O próprio comandante.

– Que falta de sorte – disse Perenna, rindo. – Passei a noite acordado e estou esfomeado. Não há nenhuma forma de colocar alguma coisa no estômago?

Os dois agentes se entreolharam, e então um deles acenou para Silvestre, o criado, que se aproximou e conversou com ele. Silvestre se retirou em direção à sala de jantar e à copa e voltou com um croissant.

"Bem", pensou dom Luís, depois de agradecer, "aí está a prova. Estou preso. Era isso que eu queria saber. Mas falta lógica ao senhor Desmalions. Porque se é Arsène Lupin quem ele pretende reter aqui, todos esses corajosos agentes são um tanto insuficientes. E se é dom Luís Perenna, eles são inúteis, uma vez que a fuga do senhor Perenna tiraria dele qualquer chance de meter a mão na fortuna do bondoso Cosmo. Isto posto, vou me sentar."

Ele tomou o seu lugar no corredor e esperou pelos acontecimentos.

Através da porta aberta do escritório, ele viu os magistrados prosseguirem com a investigação. O médico legista fez um exame inicial dos dois corpos e imediatamente reconheceu os mesmos indícios de envenenamento que havia encontrado na noite anterior no cadáver do inspetor Vérot. Em seguida, os oficiais retiraram os corpos e os transportaram para os dois quartos adjacentes que pai e filho ocupavam antigamente no segundo andar do palácio.

O comandante-geral então desceu e dom Luís o ouviu dirigir estas palavras aos magistrados:

– Pobre mulher! Ela não queria acreditar, mas quando entendeu o ocorrido, caiu no chão desmaiada. Imaginem só! Marido e filho de uma só vez. Coitada!

A partir desse momento, ele não viu nem ouviu mais nada. A porta foi fechada. O comandante então teve que dar as ordens do lado de fora, através da comunicação que o jardim oferecia com a entrada principal, porque os dois agentes se instalaram no vestíbulo, no final do corredor, à direita e à esquerda da tapeçaria.

"Definitivamente", pensou Perenna, "minhas ações não estão em alta. Alexandre deve estar muito preocupado! Desesperado!"

Ao meio-dia, Silvestre lhe trouxe comida em uma bandeja. E a espera recomeçou, muito longa e dolorosa.

No escritório e no palácio, a investigação, interrompida pelo almoço, tinha sido retomada. Ele observava idas e vindas de todos os lados, além de ruídos de vozes. Depois de um bom tempo, cansado, entediado, ele se ajeitou na cadeira e adormeceu.

Eram quatro horas quando o brigadeiro Mazeroux o acordou. E, enquanto o acompanhava, Mazeroux sussurrou:

– Então, o senhor o encontrou?

– Quem?

– O culpado?

– Por Deus! – disse Perenna. – É tão simples como um bom-dia.

– Ah! Felizmente! – disse Mazeroux, todo alegre, sem entender a piada. – Sem esse culpado, como o senhor mesmo disse, o senhor estaria arruinado.

Dom Luís entrou. Na sala estavam reunidos o procurador da República, o juiz de instrução, o chefe da Sûreté, o comissário distrital, dois inspetores e três oficiais uniformizados.

Do lado de fora, no boulevard Suchet, ouviam-se clamores, e quando o comissário e os três agentes, obedecendo ao comandante-geral, saíram para dispersar a multidão, a voz rouca de um vendedor ambulante disse:

– *O duplo homicídio do boulevard Suchet! Detalhes curiosos sobre a morte do inspetor Vérot! A confusão da polícia!*

A porta foi então fechada e tudo ficou em silêncio.

"Mazeroux não estava enganado", pensou dom Luís, "eu ou o *outro*, está bem claro. Se eu não conseguir extrair, das palavras que serão ditas e dos fatos que ocorrerão durante o interrogatório, alguma luz que me permita designar a eles esse misterioso X, sou eu quem eles entregarão, esta noite, como alimento para o público. Cuidado, meu bom Lupin!"

Ele teve aquele arrepio de alegria que o fazia tremer à medida que as grandes batalhas se aproximavam. A atual, na verdade, era uma das mais terríveis que ele ainda teria que enfrentar. Ele conhecia a reputação do comandante-geral, sua experiência, sua tenacidade, o grande prazer que ele sentia em cuidar de casos importantes e investigá-los a fundo, pessoalmente, antes de entregá-los nas mãos do juiz, e Perenna também conhecia todas as qualidades profissionais do chefe da Sûreté, toda a fineza, toda a lógica penetrante do juiz de instrução.

Foi o comandante-geral quem direcionou a acusação. Ele fez isso claramente, sem desvios, com a voz ligeiramente seca, sem as mesmas entonações de simpatia direcionadas a dom Luís. Sua postura também estava mais rígida e já não havia mais aquela bonomia que, no dia anterior, havia surpreendido dom Luís.

– Senhor – disse ele –, as circunstâncias demandaram que, como herdeiro universal e como representante do senhor Cosmo Mornington, o senhor passasse a noite neste local enquanto um duplo homicídio acontecia. Portanto, gostaríamos de recolher o seu depoimento detalhado sobre os diversos incidentes desta noite.

– Em outras palavras, senhor comandante – disse Perenna, que respondeu diretamente ao ataque –, dadas as circunstâncias que o fizeram me autorizar a passar a noite aqui, o senhor está interessado em saber se o meu testemunho corresponde exatamente ao do brigadeiro Mazeroux.

– Sim – disse o comandante-geral.

– Isso significa que meu papel lhe parece suspeito?

O senhor Desmalions hesitou. Seus olhos fixaram os de dom Luís. Ele estava visivelmente impressionado com aquele olhar tão sincero. No entanto, ele respondeu e sua resposta foi clara e seu tom de voz brusco:

– Não cabe ao senhor me fazer as perguntas.

Dom Luís se curvou.

– Estou às suas ordens, senhor comandante.

– Por favor, diga-nos o que sabe.

Dom Luís fez uma cuidadosa relação dos acontecimentos. O senhor Desmalions refletiu por alguns momentos e disse:

– Há um ponto sobre o qual precisamos de alguns esclarecimentos. Quando o senhor entrou nesta sala às duas e meia da manhã e se sentou ao lado do senhor Fauville, não havia nenhum indício de que ele estava morto?

– Nenhum, senhor comandante... Caso contrário, o brigadeiro Mazeroux e eu teríamos disparado o alarme.

– A porta do jardim estava fechada?

– Certamente, já que tivemos que abri-la às sete da manhã.

– Com o quê?

– Com a chave do chaveiro.

– Mas como é que assassinos, vindos de fora, teriam conseguido abri-la?

– Com cópias falsas das chaves.

– O senhor tem alguma prova que lhe permita supor que ela foi aberta com chaves falsas?

– Não, senhor comandante.

– Então, até que se prove o contrário, temos de pensar que ela não poderia ser aberta do lado de fora e que o culpado estava do lado de dentro.

– Mas enfim, senhor comandante, só estávamos o brigadeiro Mazeroux e eu!

Houve um silêncio, um silêncio cujo significado era inquestionável e ao qual as palavras do senhor Desmalions dariam um valor ainda mais preciso.

– O senhor não dormiu durante toda a noite?

– Dormi sim, perto do fim da noite.

– Não dormiu antes, enquanto estava no corredor?

– Não.

– E o brigadeiro Mazeroux?

Dom Luís permaneceu indeciso por um segundo, mas poderia esperar que o honesto e escrupuloso Mazeroux desobedecesse às ordens de sua consciência?

Ele respondeu:

– O brigadeiro Mazeroux dormiu em sua poltrona e só acordou quando a senhora Fauville retornou, duas horas mais tarde.

Houve um novo silêncio que, evidentemente, significava isto:

– Então, durante as duas horas em que o brigadeiro Mazeroux dormiu, o senhor teve a real possibilidade de abrir a porta e assassinar os dois Fauville – concluiu o comandante-geral.

O interrogatório seguia o curso previsto por Perenna e o cerco começou a se estreitar em torno dele. Seu adversário conduzia o combate com uma lógica e um vigor que ele admirava muito.

"Minha nossa", ele pensou, "como é difícil se defender quando se é inocente! Minha asa direita e minha asa esquerda já estão destruídas. Será que o centro resistirá ao ataque?"

O senhor Desmalions, após chegar em um acordo com o juiz de instrução, voltou a falar nestes termos:

– Ontem à noite, quando o senhor Fauville abriu seu cofre diante do senhor e do brigadeiro, o que havia lá dentro?

– Uma pilha de papéis em uma das prateleiras, e entre os papéis, o caderno de capa cinza que desapareceu.

– O senhor não encostou nesses papéis?

– Não mais do que nos cofres, senhor comandante. O brigadeiro Mazeroux deve ter-lhe dito que esta manhã, em prol da regularidade da investigação, manteve-me fora do caminho.

– Então não houve o menor contato entre o senhor e esse cofre?

– Nenhum.

O senhor Desmalions olhou para o juiz de instrução e acenou com a cabeça. Se Perenna tivesse alguma dúvida de que uma armadilha estava montada para ele, bastaria dar uma espiada em Mazeroux: Mazeroux estava lívido.

Mas o senhor Desmalions continuou:

– O senhor esteve envolvido em investigações policiais. Então, é para o corajoso detetive que vou fazer uma pergunta.

– Responderei da melhor forma que puder, senhor comandante.

– Vejamos. No caso de ainda haver no cofre algum objeto, uma joia... suponhamos, um brilhante retirado de um alfinete de gravata, e que esse brilhante tenha sido retirado de um alfinete de gravata pertencente, sem nenhuma dúvida, a uma pessoa conhecida por nós, uma pessoa que tenha passado a noite neste palácio, o que o senhor pensaria dessa coincidência?

"Pronto", pensou Perenna, "aí está a armadilha. É claro que encontraram algo no cofre e que acreditam que isso me pertence. Bom. Mas, para isso seria preciso supor, uma vez que eu não toquei no cofre, que esse algo tenha sido roubado de mim e que alguém o tenha colocado no cofre para me comprometer. E isso é impossível, uma vez que só estou envolvido neste caso desde ontem à noite e não houve tempo, durante esta noite em que não vi ninguém, para que uma conspiração tão árdua fosse preparada contra mim. Então..."

O comandante-geral interrompeu esse monólogo e repetiu:

– Qual seria sua opinião?

– Haveria, senhor comandante, uma correlação inegável entre a presença desse indivíduo no palácio e os dois crimes cometidos.

– Teríamos, consequentemente, o direito de suspeitar desse indivíduo?

– Sim.

– É essa a sua opinião?

– Absolutamente.

O senhor Desmalions tirou um papel de seda do bolso, desdobrou e prendeu entre dois dedos uma pequena pedra azul:

– Aqui está uma turquesa que encontramos no cofre. Esta turquesa, sem dúvida nenhuma, pertence ao anel que o senhor usa no dedo indicador.

Um acesso de raiva abalou dom Luís. Ele rangeu os dentes:

– Ah, os patifes! Eles são muito espertos! Mas não, não posso acreditar...

Ele examinou seu anel. O gatinho era formado por uma grande turquesa extinta, morta, que contornava um círculo de pequenas turquesas irregulares, de um azul igualmente pálido.

Uma das pedras estava faltando. Exatamente aquela que o senhor Desmalions tinha na mão.

O senhor Desmalions perguntou:

– O que o senhor diz?

– Digo que essa turquesa faz parte do meu anel, que me foi dado por Cosmo Mornington da primeira vez que lhe salvei a vida.

– Então, estamos de acordo?

– Sim, comandante, estamos de acordo.

Dom Luís Perenna começou a andar pela sala, refletindo. Com a movimentação dos oficiais da Sûreté, que se aproximavam de cada uma das portas, ele percebeu que sua prisão tinha sido planejada. Uma palavra do senhor Desmalions e o brigadeiro Mazeroux seria obrigado a pegar seu chefe pelo colarinho.

Mais uma vez, dom Luís lançou um olhar para seu antigo cúmplice. Mazeroux esboçou um gesto de súplica, como se tivesse a intenção de dizer: "E então, o que o senhor está esperando para entregar o culpado a eles? Rápido, o tempo está se esgotando."

Dom Luís sorriu.

– O que está acontecendo? – perguntou o comandante num tom em que nada se percebia daquela cortesia involuntária que, apesar de tudo, ele havia demonstrado desde o início da instrução.

– É que... É que...

Perenna pegou uma cadeira pelo encosto, girou-a e se sentou dizendo esta única palavra:

– Conversemos.

E a palavra foi dita de tal maneira, e o movimento executado de modo tão decidido, que o comandante murmurou, perturbado:

– Não entendo bem...

– O senhor compreenderá, senhor comandante.

E, com a voz lenta, soletrando cada uma das sílabas de seu discurso, ele começou:

– Comandante, a situação é clara. Ontem à noite o senhor me concedeu uma autorização que compromete a sua responsabilidade da forma mais séria possível. Então o senhor precisa, a todo custo, e imediatamente, de um culpado. E esse culpado serei eu. Como acusação, o senhor tem a minha presença aqui, o fato de a porta estar trancada por dentro, o fato de o brigadeiro Mazeroux ter dormido durante a noite do crime e a descoberta dessa turquesa no cofre. É esmagador, admito. Soma-se a isso essa terrível presunção de que eu tenho todo o interesse no desaparecimento do senhor Fauville e do seu filho, pois se não houver herdeiro de Cosmo Mornington, recebo duzentos milhões. Perfeito. Então não me resta mais nada a não ser seguir à prisão... ou então...

– Ou então?

– Ou eu então entrego em suas mãos o culpado, o verdadeiro culpado.

O comandante-geral sorriu ironicamente e pegou seu relógio.

– Estou esperando.

– Será questão de uma horinha, senhor comandante – disse Perenna –, nem um minuto a mais, se o senhor me der carta branca. E a procura pela verdade merece, como me parece, um pouco de paciência.

– Assim espero – repetiu o senhor Desmalions.

– Brigadeiro Mazeroux, por favor, diga ao senhor Silvestre, o criado, que o comandante deseja vê-lo.

A um sinal do senhor Desmalions, Mazeroux saiu. Dom Luís explicou:

– Senhor comandante, se a descoberta da turquesa é, aos seus olhos, uma prova extremamente séria, ela é para mim uma revelação da maior importância. Eis o porquê. Aquela turquesa deve ter se desprendido do meu anel ontem à noite e rolado no tapete. Mas apenas quatro pessoas poderiam perceber essa queda enquanto ela acontecia, pegar a turquesa e, para comprometer o novo inimigo que eu era, colocá-la no cofre. A primeira dessas pessoas é um dos seus agentes, o brigadeiro Mazeroux. Não falemos nisso. A segunda está morta, o senhor Fauville. Não falemos disso. A terceira é o criado Silvestre. Gostaria de falar com ele. Serei breve.

A audiência com Silvestre foi, de fato, rápida. O criado foi capaz de provar que, antes da senhora Fauville chegar, para quem ele tinha que abrir a porta, ele não tinha saído da cozinha, onde jogava cartas com a empregada e outro criado.

– Está bem – disse Perenna. – Só mais uma coisa. O senhor deve ter lido nos jornais desta manhã sobre a morte do inspetor Vérot e visto o seu retrato, correto?

– Sim.

– O senhor conhece o inspetor Vérot?

– Não.

– No entanto, é provável que ele tenha vindo aqui durante o dia.

– Ignoro – respondeu o criado. – O senhor Fauville recebia muitas pessoas no jardim, e ele mesmo abria a porta.

– Não tem mais declarações a fazer?

– Nenhuma.

– Por favor, diga à senhora Fauville que o comandante-geral gostaria de falar com ela.

Silvestre se retirou.

O juiz de instrução e o procurador da República se aproximaram, surpresos.

O comandante exclamou:

– O quê! O senhor não está imaginando que a senhora Fauville estaria envolvida...

– Senhor comandante, a senhora Fauville é a quarta pessoa que pode ter visto cair minha turquesa.

– E daí? Tem-se o direito, sem provas reais, de supor que uma mulher possa ter matado o marido, que uma mãe possa ter envenenado o filho?

– Não estou supondo nada, senhor comandante.

– E então?

Dom Luís não respondeu. O senhor Desmalions não escondia sua irritação. No entanto, ele disse:

– Que seja, mas ordeno que permaneça em absoluto silêncio. Que perguntas devo fazer à senhora Fauville?

– Apenas uma, comandante. Além de seu marido, a senhora Fauville conhece algum descendente das irmãs Roussel?

– Por que essa pergunta?

– Porque, se esse descendente existe, não sou eu quem herda os milhões, mas ele, e é ele, e não eu, quem teria interesse no desaparecimento do senhor Fauville e de seu filho.

– Evidente... evidente... – murmurou o senhor Desmalions. – Mas ainda seria necessário que essa nova pista...

A senhora Fauville fez sua entrada enquanto ele dizia essas palavras. Seu rosto permanecia gracioso e charmoso, apesar do choro que tinha avermelhado suas pálpebras e alterado o frescor de suas bochechas. Mas seus olhos expressavam o medo do alarmismo, e o pensamento assombroso do drama dava à sua bela figura, ao seu caminhar e aos seus movimentos, algo de febril e brusco que davam pena de ver.

– Sente-se, minha senhora – disse o comandante com extrema deferência –, e perdoe-me por lhe impor a fadiga de uma nova emoção. Mas o tempo é precioso e temos que fazer tudo para garantir que as duas vítimas que a senhora lamenta sejam vingadas sem demora.

Lágrimas ainda escapavam dos lindos olhos e, com um soluço, ela gaguejou:

– Se a justiça precisa de mim, comandante…

– Sim, trata-se de uma informação. A mãe do seu marido está morta, não está?

– Sim, senhor comandante.

– E ela era de Saint-Étienne e seu sobrenome de solteira era Roussel?

– Sim.

– Élisabeth Roussel?

– Sim.

– Seu marido tinha algum irmão ou irmã?

– Não.

– Então, não há outros descendentes de Élisabeth Roussel?

– Nenhum.

– Muito bem. Mas Élisabeth Roussel tinha duas irmãs, não é?

– Sim.

– Ermeline Roussel, a mais velha, foi para o exílio e ninguém ouviu mais falar dela. A outra, a mais jovem…

– A outra se chamava Armande Roussel. Ela era minha mãe.

– Hein? Como?

– Eu disse que o nome de solteira da minha mãe era Armande Roussel, e eu me casei com meu primo, o filho de Élisabeth Roussel.

Foi uma verdadeira reviravolta.

Então, com a morte de Hippolyte Fauville e de seu filho Edmond, descendentes diretos da irmã mais velha, a herança de Cosmo Mornington passava a outro ramo genealógico, o de Armande Roussel, e esse ramo mais novo era representado atualmente pela senhora Fauville.

O comandante-geral e o juiz de instrução trocaram um olhar e ambos se voltaram instintivamente na direção de dom Luís Perenna. Ele não vacilou.

O comandante perguntou:

– A senhora não tem um irmão ou irmã?

– Não, senhor comandante, sou filha única.

Filha única! Ou seja, rigorosamente, sem qualquer contestação, agora que seu marido e filho estavam mortos, os milhões de Cosmo Mornington seriam dela, e somente dela.

Uma ideia terrível, um pesadelo pesava sobre os magistrados, e eles não conseguiam se desvencilhar dela: a mulher que tinham diante deles era a mãe de Edmond Fauville.

O senhor Desmalions observou dom Luís Perenna. Este escreveu algumas palavras num cartão e o entregou ao senhor Desmalions.

O comandante, que aos poucos retomava a atitude cortês do dia anterior em relação a dom Luís, leu esse cartão, refletiu por um momento e fez esta pergunta à senhora Fauville:

– Que idade tinha seu filho Edmond?

– Dezessete anos.

– A senhora parece tão jovem...

– Edmond não era meu filho, mas meu enteado, filho de uma primeira esposa com quem meu marido se casou, e que morreu.

– Ah! Desse modo, Edmond Fauville... – murmurou o comandante-geral, que não terminou sua frase...

Em dois minutos, a situação tinha mudado completamente. Aos olhos dos magistrados, a senhora Fauville já não era mais a viúva e a mãe irrepreensível. De repente, ela se tornava uma mulher cujas circunstâncias exigiam que fosse interrogada. Apesar de tudo o que estava a seu favor, por mais encantados que todos estivessem pela sedução de sua beleza, era impossível não se perguntar se, por alguma razão, por ser a única, por exemplo, a gozar da enorme fortuna, ela não teria cometido a loucura de matar o marido e o garoto que era filho somente de seu marido. Em todo o caso, a questão estava posta. Era necessário respondê-la.

O comandante-geral retomou:

– A senhora conhece esta turquesa?

Ela pegou a pedra que lhe foi apresentada e a examinou sem demonstrar nenhuma inquietação.

– Não – ela disse. – Tenho um colar de turquesa que nunca uso. Mas as pedras são maiores e nenhuma delas tem essa forma irregular.

– Encontramos esta no cofre – disse o senhor Desmalions. – Ela faz parte de um anel que pertence a uma pessoa que conhecemos.

– Bem – ela disse vividamente –, temos que encontrar essa pessoa.

– Ela está aqui – disse o comandante-geral, apontando para dom Luís, que, deixado de lado, não tinha sido notado pela senhora Fauville.

Ela tremeu ao ver Perenna e exclamou, muito agitada:

– Mas este senhor estava aqui ontem à noite! Ele conversava com meu marido e... vejam, com este outro cavalheiro – disse ela, apontando para o brigadeiro Mazeroux. – É preciso interrogá-los, saber por que razão eles vieram. O senhor entende que se essa turquesa pertence a um dos dois...

A insinuação era clara, mas tão desastrada! E como ela deu peso ao argumento de Perenna:

– Essa turquesa foi apanhada por alguém que me viu ontem à noite e que quer me comprometer. Ora, além do senhor Fauville e do brigadeiro, só duas pessoas me viram, o criado Silvestre e a senhora Fauville. Portanto, uma vez que o senhor Silvestre está descartado, eu acuso a senhora Fauville de ter colocado a turquesa nesse cofre.

O senhor Desmalions retomou:

– A senhora pode me mostrar seu colar?

– Certamente. Ele está com minhas outras joias no meu armário espelhado. Vou buscá-lo.

– Não se incomode, minha senhora. Sua empregada o conhece?

– Muito bem.

– Nesse caso, o brigadeiro Mazeroux vai pedir a ela.

Durante os poucos minutos da ausência de Mazeroux, nenhuma palavra foi trocada. A senhora Fauville parecia absorvida por sua dor. O senhor Desmalions manteve os olhos nela.

O brigadeiro voltou e trouxe uma caixa grande que continha uma coleção de joias.

O senhor Desmalions encontrou o colar, examinou-o e constatou que, de fato, as pedras eram diferentes da turquesa e que não faltava nenhuma no colar...

Mas, ao separar duas joias para desemaranhar uma tiara onde também havia pedras azuis, ele fez um gesto de surpresa.

– O que são essas duas chaves? – ele perguntou, mostrando duas chaves idênticas às que abrem a fechadura e o cadeado da porta do jardim.

A senhora Fauville se manteve muito calma. Nem um músculo de seu rosto se mexeu. Não havia qualquer indício de que essa descoberta a tivesse perturbado. Ela disse apenas:

– Não sei. Há muito tempo elas estão aqui...

– Mazeroux – disse o senhor Desmalions –, tente usá-las nessa porta.

Mazeroux executou a ordem. A porta foi aberta!

– De fato – disse a senhora Fauville –, agora me lembro que meu marido as tinha confiado a mim. Eu tinha uma cópia de cada...

Estas palavras foram pronunciadas no tom mais natural possível, e como se a jovem mulher não tivesse sequer vislumbrado a terrível carga que se levantava contra ela.

E não havia nada mais angustiante do que essa tranquilidade. Seria a marca de uma inocência absoluta? Ou a astúcia infernal de uma criminosa a quem nada comovia? Ela não entendia nada sobre o drama que se desenrolava e do qual ela era a heroína inconsciente? Ou adivinhava a terrível acusação que, pouco a pouco, a cercava de todos os lados e a ameaçava com o mais assustador dos perigos? Mas, nesse caso, como é que ela poderia ter cometido a inaudita imperícia de guardar as duas chaves?

Havia uma série de perguntas pululando na mente de todos. O comandante-geral se expressou assim:

– Enquanto o crime acontecia, a senhora estava fora de casa, não estava?

– Sim.

– Foi à Ópera?

– Sim, e depois à festa de uma das minhas amigas, a senhora Ersinger.

– Seu motorista estava com a senhora?

– Para ir à Ópera, sim. Mas eu ordenei que ele retornasse à garagem e ele voltou mais tarde para me buscar na festa.

– Ah! – fez o senhor Desmalions. – Mas como a senhora se deslocou da Ópera até a casa da senhora Ersinger?

Pela primeira vez, a senhora Fauville parecia compreender que era objeto de um verdadeiro interrogatório, e o seu olhar e a atitude deixaram transparecer uma espécie de mal-estar. Ela respondeu:

– Peguei um táxi.

– Na rua?

– Na praça da Ópera.

– À meia-noite.

– Não, às onze e meia. Saí antes do espetáculo acabar.

– A senhora tinha pressa de chegar à casa de sua amiga?

– Sim... ou melhor...

Ela parou, as bochechas estavam coradas, um tremor lhe remexia os lábios e o queixo, e ela disse:

– Por que tantas perguntas?

– Elas são necessárias, senhora. Eles podem desvendar alguma coisa. Por isso, peço que responda. A que horas chegou à casa da sua amiga?

– Não sei... não prestei atenção.

– A senhora foi direto para lá?

– Quase.

– Como quase?

– Sim, tive uma pequena dor de cabeça e pedi que o motorista entrasse na avenida Champs-Élysées, depois na avenida du Bois... bem devagar... e que depois retornasse pela Champs-Élysées...

Ela estava cada vez mais atrapalhada. Sua voz se apagava. Ela baixou a cabeça e ficou em silêncio.

Sem dúvida, não havia nenhuma confissão nesse silêncio e não havia nenhuma razão para crer que sua aflição fosse outra coisa que não uma consequência de sua dor. Mas ela parecia tão cansada que era possível admitir que, sentindo-se perdida, ela renunciava à luta. E era quase piedade o que se sentia por essa mulher contra quem todas as circunstâncias se voltavam e que se defendia tão mal que havia certa hesitação em pressioná-la ainda mais.

O senhor Desmalions parecia realmente indeciso, como se a vitória fosse muito fácil e ele tivesse certo escrúpulo em seguir com ela.

Mecanicamente, ele observou Perenna, que lhe entregou um pedaço de papel e disse:

– Este é o número de telefone da senhora Ersinger.

O senhor Desmalions murmurou:

– Sim, de fato... podemos saber... – e pegando o telefone, ele pediu:

– Alô. Louvre 25-04, por favor.

E conseguindo uma comunicação imediata, prosseguiu:

– Quem fala? O mordomo. Ah! A senhora Ersinger está em casa? Não? E o senhor...? Também não... Mas acho que o senhor mesmo pode me responder sobre o assunto. Aqui quem fala é o senhor Desmalions, comandante-geral, e preciso de uma informação. A que horas a senhora Fauville chegou esta noite? O que o senhor está me dizendo? Tem certeza disso? Às duas da manhã? Não antes disso? E ela foi embora depois de dez minutos, é isso? Bem... o senhor não está enganado sobre o horário de chegada? Insisto nisso formalmente. Então foi mesmo às duas da manhã? Duas horas da manhã... pois bem. Muito obrigado.

Quando o senhor Desmalions se virou, viu a senhora Fauville em pé ao lado dele, olhando-o com angústia. A mesma ideia se apoderou da mente dos assistentes: ou eles estavam na presença de uma mulher inocente, ou de uma atriz excepcional cujo semblante se prestava a mais perfeita expressão de inocência.

– O que o senhor quer comigo? – ela gaguejou. – O que significa isso? Explique-se!

Então o senhor Desmalions fez apenas uma pergunta:

– O que a senhora fez esta noite, das onze e meia até as duas da manhã?

Pergunta aterradora no ponto em que o interrogatório tinha chegado. Pergunta Fatal, que significava: "Se a senhora não pode indicar o emprego rigorosamente preciso de seu tempo enquanto o crime estava sendo realizado, temos o direito de concluir que a senhora não é alheia aos assassinatos de seu marido e enteado..."

Ela compreendeu isso e vacilou sobre as pernas, repetindo:

– É horrível... é horrível...

O comandante repetiu:

– O que a senhora fez? A resposta não deve ser difícil.

– Oh! – ela disse nesse mesmo tom de lamento. – Como o senhor pode ser capaz de acreditar? Oh! Não... Não... Como é possível? Como o senhor pode acreditar?

– Ainda não acredito em nada – disse ele. – Além disso, com uma só palavra a senhora pode estabelecer a verdade.

Supunha-se, pelo movimento dos seus lábios e pelo súbito gesto de resolução que a suscitaram, que ela ia dizer a tal palavra. Mas de repente ela pareceu atordoada, perturbada. Articulou algumas sílabas ininteligíveis e caiu em uma poltrona com soluços convulsivos e gritos de desespero.

Era a confissão. Era, pelo menos, a admissão da sua incapacidade de dar uma explicação plausível que encerraria o debate.

O comandante-geral se afastou dela e conversou em voz baixa com o juiz de instrução e com o procurador da República.

Perenna e o brigadeiro Mazeroux permaneceram sozinhos, perto um do outro. Mazeroux murmurou:

– O que eu lhe dizia? Eu sabia que o senhor encontraria! Ah, que grande homem o senhor é! O senhor fez essa história chegar até aqui!

Ele resplandecia à ideia de que o chefe estava fora de suspeita e não tinha mais qualquer desavença com seus próprios chefes, a quem ele venerava tanto quanto a dom Luís. Estavam todos de acordo agora. "Eram amigos". Mazeroux sufocava de alegria.

– Ela será presa, não é mesmo?

– Não – disse Perenna. – Não há "provas" suficientes para emitir um mandado de prisão.

– Como! – resmungou Mazeroux, indignado. – Não há provas suficientes! De todo modo, espero que o senhor não a deixe partir. Ela, que estava colocando as luvas para atacá-lo! Vamos, chefe, acabe com ela. Uma diabinha como essa!

Dom Luís permaneceu pensativo. Ele refletia a respeito das coincidências inauditas, do conjunto de fatos que cercavam a senhora Fauville por todos os lados. E Perenna poderia fornecer a prova decisiva que reuniria todos esses fatos e dar à acusação a base que ainda faltava.

Tratava-se da impressão dos dentes na maçã, a maçã escondida entre a folhagem do jardim. Para a justiça, isso equivaleria a uma impressão digital. Especialmente porque podemos corroborar essas marcas com as que estavam gravadas na barra de chocolate.

Mas ele hesitava. E com a máxima atenção, ele examinava, com uma mistura de pena e repulsa, essa mulher que, muito provavelmente, tinha matado o marido e o filho do marido. Ele deveria desferir nela o golpe de misericórdia? Teria ele o direito de fazer o papel do justiceiro? E se estivesse enganado?

Nesse ínterim, o senhor Desmalions se aproximou dele, e, enquanto fingia falar com Mazeroux, foi a Perenna que ele disse:

– O que o senhor pensa disso tudo?

Mazeroux balançou a cabeça. Dom Luís respondeu:

– Eu penso, senhor comandante, que se essa mulher é culpada, ela se defende, apesar de toda a sua habilidade, com uma incrível inabilidade.

– O que isso significa?

– Significa que provavelmente ela foi apenas um instrumento nas mãos de um cúmplice.

– Um cúmplice?

– Lembre-se, senhor comandante, da exclamação do marido dela, ontem, na Chefatura: "Ah! Os miseráveis! Os miseráveis!". Há, portanto, pelo menos um cúmplice, que provavelmente é o homem cuja presença, como o brigadeiro Mazeroux deve ter dito ao senhor, foi percebida no café do Pont-Neuf, ao mesmo tempo que lá se encontrava o inspetor Vérot. Um homem de barba castanha, que usava uma bengala de ébano com punhos de prata. De modo que...

– De modo que – concluiu o senhor Desmalions – temos a chance de chegar ao cúmplice se prendermos ainda hoje, e por meras presunções, a senhora Fauville?

Perenna não respondeu. O comandante-geral retomou, pensativo:

– Prendê-la... prendê-la... ainda precisamos de provas. Vocês não encontraram nenhum vestígio?

– Nenhum, senhor comandante. É verdade que minha investigação foi sumária.

– Mas a nossa foi minuciosa. Nós revistamos a fundo esta sala.

– E o jardim, senhor comandante?

– Também.

– Com o mesmo cuidado?

– Talvez não. Mas me parece...

– Ao contrário, senhor comandante, a mim parece que, se os assassinos passaram pelo jardim para entrar e sair, teríamos alguma chance...

– Mazeroux – disse o senhor Desmalions –, vá ver isso um pouco mais de perto.

O brigadeiro saiu. Perenna, que se afastou novamente, ouviu o comandante-geral repetir para o juiz de instrução:

– Ah, se tivéssemos uma prova, só uma! É evidente que essa mulher é culpada. Há demasiadas presunções contra ela! E há também os milhões de Cosmo Mornington. Por outro lado, olhe para ela, olhe para tudo o que há de honesto em sua bela figura, tudo o que há de sincero em sua dor.

Ela continuava chorando, com soluços e sobressaltos de revolta que lhe cerravam os punhos. Em um momento, ela agarrou o lenço encharcado em lágrimas, deu uma mordida nele e o rasgou, como fazem algumas atrizes. E Perenna via os lindos dentes brancos, um pouco largos, úmidos e claros, que se enfureciam junto da fina batista, e pensava nas impressões da maçã. Um extremo desejo de saber o dominava. Seria aquela a mesma mandíbula que imprimiu sua forma na carne da fruta?

Mazeroux voltou. O senhor Desmalions foi ter com o brigadeiro, que lhe mostrou a maçã encontrada sob a hera. Imediatamente, Perenna pôde perceber a importância considerável que o comandante-geral atribuía às explicações e à descoberta inesperada de Mazeroux.

Houve uma longa conversa entre os magistrados, que resultou na decisão que dom Luís tinha planejado.

O senhor Desmalions voltou para junto da senhora Fauville.

Era o desfecho.

Ele refletiu por um momento sobre como deveria travar esta última batalha e disse:

– A senhora ainda não consegue nos dizer como ocupou seu tempo esta noite?

Ela fez um esforço e murmurou:

– Sim... sim... Eu estava de carro, dei um passeio e também caminhei um pouco a pé...

– Isto é um fato que será fácil de verificarmos quando tivermos encontrado o condutor do veículo. Enquanto isso, há uma ocasião que se apresenta para dissipar um pouco a impressão desagradável que o seu silêncio nos deixou...

– Estou pronta...

– Vejamos. A pessoa, ou uma das pessoas que participaram do crime, mordeu uma maçã que ela atirou no jardim e que acabamos de encontrar. Para eliminar qualquer hipótese que lhe diga respeito, pedimos que realize o mesmo gesto...

– Oh! certamente! – ela exclamou com vivacidade. – Se isso for suficiente para convencer o senhor...

Ela pegou uma das três outras maçãs que o senhor Desmalions tinha deixado na compoteira, e a levou à boca.

O ato era decisivo. Se as duas impressões eram iguais, a prova existia, garantida, irrefutável.

Antes de completar seu gesto, ela parou como se atingida por um súbito medo. Medo de uma armadilha? Medo do monstruoso acaso que poderia arruiná-la? Ou então medo da prova assustadora que ela criaria contra si mesma? Em todo caso, nada a acusaria mais violentamente do que essa hesitação suprema, incompreensível se ela era inocente, mas muito clara se ela era culpada!

– Do que tem medo, minha senhora? – disse o senhor Desmalions.

– Nada... nada... – ela disse, estremecendo. – Não sei... Temo tudo... tudo isso é tão horrível.

– Entretanto, senhora, asseguro que o que lhe pedimos não tem qualquer importância e só pode ter para a senhora, tenho certeza, consequências felizes. Então?

Ela levantou mais o braço, e depois um pouco mais, com uma lentidão que revelava sua inquietação. E de fato, da forma como os acontecimentos se desenrolavam, a cena tinha algo de solene e trágico que cerrava os corações.

– E se eu recusar? – ela perguntou repentinamente.

– É seu direito absoluto, senhora – disse o comandante-geral. – Mas vale a pena? Tenho certeza de que o seu advogado será o primeiro a lhe aconselhar...

– Meu advogado... – ela gaguejou, compreendendo o temível significado dessa resposta.

De repente, com uma resolução indomável e aquele ar que de certa forma feroz que lhe retorce o rosto nos minutos de grandes perigos, ela fez o movimento que foi constrangida a fazer e abriu a boca. Todos viram seus dentes brancos reluzirem e eles logo se afundaram na fruta.

– Está feito, senhor – disse ela.

O senhor Desmalions se voltou para o juiz de instrução:

– O senhor está com a maçã encontrada no jardim?

– Aqui está ela, comandante.

O senhor Desmalions aproximou as duas frutas uma da outra.

E todos aqueles que se apressaram ao seu redor e olharam ansiosamente tiveram a mesma reação.

Ambas as impressões eram idênticas. Idênticas!

É verdade que, antes de afirmar, a partir da identidade de todos os detalhes, a analogia absoluta das impressões de cada dente, era preciso esperar pelos resultados da perícia. Mas havia uma coisa que não deixava dúvida: a completa semelhança da arcada dupla. Em uma fruta como na outra, o arco se arredondava de acordo com a mesma inflexão. Os dois semicírculos poderiam se confundir, ambos muito estreitos, um pouco alongados e ovais, e com um raio estreito, que é uma característica própria da mandíbula.

Os homens não disseram uma só palavra.

O senhor Desmalions levantou a cabeça. A senhora Fauville não se mexia. Estava lívida, enlouquecida de medo. Mas todos os sentimentos de pavor, estupor, indignação que ela poderia simular com a mobilidade de sua figura e seus dons prodigiosos de atriz não prevaleciam contra a evidência peremptória que se oferecia a todos os olhares.

As duas impressões eram idênticas. Os mesmos dentes tinham mordido ambas as maçãs!

– Senhora... – começou o comandante-geral.

– Não, não – ela exclamou, dominada por um ataque de fúria. – Não... isso não é verdade! Tudo isso é apenas um pesadelo, não é? O senhor vai me prender? Eu, ir para a cadeia! Mas isso é horrível! O que é que eu fiz? Ah! Juro que o senhor está enganado...

Ela segurava a cabeça com as duas mãos.

– Ah! Minha cabeça está explodindo. O que significa tudo isso? Eu não matei ninguém. Eu não sabia de nada. Soube tudo pelos senhores esta manhã. Como eu poderia adivinhar? Meu pobre marido... e o pequeno Edmond que me amava tanto e a quem eu amava. Mas por que eu os mataria? Digam, respondam, por favor! Não se mata alguém sem razão. Então... Então... Respondam!

E, abalada por um novo acesso de raiva, com uma atitude agressiva, os punhos estendidos na direção do grupo de magistrados, ela disse:

– Os senhores não passam de carrascos... Não se tem o direito de torturar uma mulher assim! Ah, que horror! Me acusar, me prender... por nada! Isso é abominável! Que bando de carrascos toda essa gente! E é especialmente o senhor – ela se dirigia a Perenna –, sim, o senhor. Eu sei bem. É o senhor o inimigo! Ah! Eu entendo agora. O senhor tinha motivo. Estava aqui esta noite. Então por que não o prendem? Por que não o senhor, já que estava aqui e eu não? Eu não sei nada, absolutamente nada sobre tudo o que aconteceu. Por que não o senhor?

As últimas palavras foram ditas de forma pouco inteligível. A senhora Fauville não tinha mais forças. Precisou se sentar. Ela curvou a cabeça até os joelhos e chorou de novo, copiosamente.

Perenna se aproximou dela e, levantando seu rosto, descobrindo a figura devastada pelas lágrimas, disse-lhe:

– As marcas de dentes gravadas em ambas as maçãs são absolutamente idênticas. Portanto, é indubitável que ambas foram deixadas pela senhora.

– Não – ela disse.

– Sim – ele insistiu. – Esse é um fato materialmente impossível de negar. Mas a primeira impressão pode ter sido deixada pela senhora antes desta noite, ou seja, a senhora poderia ter mordido esta maçã ontem, por exemplo...

Ela gaguejou:

– O senhor acha? Sim, talvez, acho que me lembro... ontem de manhã...

Mas o comandante-geral a interrompeu:

– É inútil, minha senhora. Acabei de interrogar o criado Silvestre. Foi ele quem comprou as frutas ontem à noite, às oito horas. Quando o senhor Fauville foi se deitar, havia quatro maçãs na compoteira. Esta manhã, às oito horas, restavam apenas três. Então a que encontramos no jardim é, sem dúvida, a quarta, e essa quarta foi "marcada" esta noite. Essa marca é a dos seus dentes.

Ela gaguejou:

– Não fui eu... não fui eu... essa marca não é minha.

– Entretanto...

– Essa marca não foi feita por mim... Juro pela minha alma. Além disso, juro que vou morrer... Sim, morrer. Prefiro a morte à prisão. Vou me matar... vou me matar...

Os olhos dele estavam arregalados. Ela se enrijeceu num esforço supremo para se levantar. Mas, ao ficar de pé, girou em seu próprio eixo e caiu, inconsciente.

Enquanto a socorriam, Mazeroux acenou para dom Luís e disse em voz baixa:

– Fuja daqui, chefe.

– Ah, a instrução está dada! Estou livre?

– Chefe, olhe para o sujeito que chegou há dez minutos e que está conversando com o comandante. O senhor o conhece?

– Santo Deus! – reagiu Perenna depois de examinar um homem gordo, de pele vermelha, que não tirava os olhos dele. – Santo Deus! É o subchefe Weber.

– E ele o reconheceu, chefe! Ele reconheceu Lupin de primeira. Com ele, não há camuflagem suficiente. Ele tem um bom faro para isso. Ora, chefe, lembre-se de todos os truques que lhe pregou e pergunte a si mesmo se ele não fará o impossível para se vingar.

– Ele advertiu o comandante?

– Por Deus, sim! E o comandante ordenou que os camaradas o perseguissem. Se o senhor tentar fugir, será apanhado.

– Nesse caso, não há nada a fazer.

– Como assim não há nada a fazer? É preciso despistá-los, e do jeito certo.

– De que isso me serviria, já que vou para casa e todos sabem onde moro?

– Hein? Depois do que aconteceu, o senhor teria a audácia de ir para casa?

– Onde quer que eu durma? Debaixo de uma ponte?

– Mas, com mil raios! Então o senhor não entende que o resultado desta história será uma confusão infernal, que o senhor já está comprometido até o pescoço e que todos se voltarão contra o senhor?

– O que é que tem?

– Bem, desista do caso.

– E os assassinos de Cosmo Mornington e de Fauville?

– A polícia cuidará disso.

– Você é estúpido, Alexandre.

– Então transforme-se novamente em Lupin, o incrível e invisível Lupin, e lute pessoalmente contra eles, como no passado. Mas, pelo amor de Deus, não permaneça como Perenna! É muito perigoso. E não cuide mais, oficialmente, de um caso que não lhe diz respeito.

– Você tem cada uma, Alexandre. Estou interessado neste caso por causa dos duzentos milhões. Se Perenna não permanecer forte em seu posto, os duzentos milhões passarão bem debaixo de seu nariz. E pela primeira vez posso ganhar uns tostões com justiça e probidade. Isso seria vergonhoso.

– E se o prenderem?

– Não há nada a fazer. Estarei morto.

– Lupin está morto. Mas Perenna está vivo.

– Desde que não seja preso hoje, estou tranquilo.

– É só um adiamento. E, até lá, as ordens são formais. Sua casa será cercada e o senhor será vigiado dia e noite.

– Tanto melhor! A noite me dá medo.

– Mas que droga! O que o senhor está supondo...?

– Não suponho nada, Alexandre. Tenho certeza. Tenho certeza de que, agora, ninguém se incomodará em me prender.

– O Weber vai se incomodar!

– Não dou a mínima para o Weber. Sem ordens, o Weber não pode fazer nada.

– Mas as ordens lhe serão dadas!

– A ordem para me matar, sim; a de me prender, não. O comandante-geral está tão comprometido comigo que será obrigado a me apoiar. E depois, há ainda isto: o caso é tão absurdo, tão complexo, que vocês são incapazes de resolvê-lo. Mais dia, menos dia, vocês me procurarão. Ninguém além de mim está à altura de lutar com tais adversários, nem você, nem Weber, nem qualquer um dos seus colegas da Sûreté. Espero sua visita, Alexandre.

No dia seguinte, a perícia legal identificou as impressões das duas maçãs e também constatou que a dentada gravada na barra de chocolate era semelhante às outras.

Além disso, um motorista de táxi veio depor que uma senhora o tinha chamado na saída da Ópera, que ela tinha sido conduzida diretamente para o outro extremo da avenida Henri-Martin, e que lá ela havia se separado dele.

Ora, o final da avenida Henri-Martin fica a cinco minutos do palácio Fauville.

Confrontado com a senhora Fauville, esse homem não hesitou em reconhecê-la.

O que fazia ela nesse bairro durante mais de uma hora?

Marie-Anne Fauville estava presa. Naquela mesma noite, ela dormiu na prisão de Saint-Lazare.

Foi nesse mesmo dia, quando os repórteres começavam a divulgar certos detalhes da investigação, como a descoberta das impressões dentárias, que no momento ignoravam a quem atribuir, foi nesse dia que os dois principais jornais deram como título para seus artigos as mesmas palavras que dom Luís Perenna tinha usado para designar as marcas nas maçãs, as sinistras palavras que evocavam tão bem o caráter selvagem, feroz, e, por assim dizer, bestial da aventura:

Os dentes do tigre.

A CORTINA DE FERRO

Por vezes, a tarefa de contar a vida de Arsène Lupin é ingrata. É por essa razão que cada uma de suas aventuras é parcialmente conhecida pelo público, porque elas eram, cada uma a seu tempo, objeto de comentários apaixonados, e porque somos forçados, se quisermos desvendar o que aconteceu nas sombras, a recomeçar do início, e de forma minuciosa, a contar a história do que aconteceu em plena luz.

É em virtude dessa necessidade que devemos reiterar aqui a extrema emoção suscitada na França, na Europa e em todo o mundo, em razão das notícias dessa abominável série de crimes. De repente – porque dois dias depois o caso do testamento de Cosmo Mornington foi publicado –, quatro crimes eram revelados. A mesma pessoa, com toda certeza, tinha matado Cosmo Mornington, o inspetor Vérot, o engenheiro Fauville e o seu filho Edmond. A mesma pessoa tinha dado a idêntica e sinistra mordida, criando contra ela, por um estupor que parecia vingança do destino, a prova mais impressionante e acusatória, que dava às multidões o frisson da assustadora realidade: as marcas de seus dentes – os dentes do tigre!

No meio dessa carnificina, no momento mais trágico da fúnebre tragédia, eis que a mais estranha figura emergia das sombras! Eis que uma espécie de aventureiro heroico, de surpreendente inteligência e clarividência, desfazia em poucas horas uma parte do emaranhado de fios da intriga, previa o assassinato de Cosmo Mornington, anunciava o assassinato do inspetor Vérot, assumia a condução da investigação, entregava à justiça a monstruosa criatura cujos belos dentes brancos se ajustavam às impressões como pedras preciosas aos alvéolos de seu molde, embolsava, no dia seguinte a essas façanhas, um cheque de um milhão e, finalmente, encontrava-se na condição de beneficiário de uma prodigiosa fortuna.

Eis que Arsène Lupin ressuscitava!

A multidão não estava enganada. Graças a uma intuição milagrosa, antes de um exame cuidadoso dos acontecimentos dar qualquer credibilidade à hipótese dessa ressurreição, ela proclamou: Dom Luís Perenna é Arsène Lupin.

– Mas ele está morto! – objetaram os incrédulos.

A que responderam:

– Sim, sob os escombros ainda carbonizados de um pequeno chalé situado perto da fronteira com Luxemburgo, foram encontrados os cadáveres de Dolorès Kesselbach e de um homem que a polícia identificou como sendo Arsène Lupin. Mas tudo isso prova que a encenação foi engendrada por Lupin que queria, por razões secretas, que acreditassem na sua morte. E tudo prova que a polícia aceitou e legalizou essa morte pela simples razão de querer se livrar do seu eterno adversário. Como indício, há as confidências de Valenglay, que já era presidente do conselho na época, e há o misterioso incidente da ilha de Capri, quando o imperador da Alemanha, no momento em que seria soterrado sob um deslizamento rochoso, foi supostamente salvo por um eremita que, de acordo com a versão alemã, não era outro senão Arsène Lupin.

Sobre isso, nova objeção:

– Que seja, mas leiam os jornais da época. Dez minutos depois, esse eremita se atirou do topo do promontório de Tibério.

E nova resposta:

– De fato. Mas o corpo não foi encontrado. E, precisamente, sabe-se que um navio resgatou no mar, nessas paragens, um homem que fazia sinais, e que esse navio se dirigia para a Argélia. Ora, comparem as datas e observem as coincidências: poucos dias após a chegada do navio à Argélia, o dito dom Luís Perenna, que está sob nossos cuidados hoje, alistou-se, em Sidi Bel Abbès, na Legião Estrangeira.

Naturalmente, a polêmica iniciada pelos jornais sobre esse assunto foi discreta. O personagem era temido, e os repórteres mantinham uma certa reserva em seus artigos, evitando afirmar categoricamente o que poderia haver de Lupin sob a máscara de Perenna. Mas no capítulo do legionário, em sua estadia no Marrocos, eles se vingaram e se refestelaram.

O comandante d'Astrignac havia se pronunciado. Outros oficiais, companheiros de Perenna, relataram o que tinham visto. Foram publicados os relatórios e as agendas que diziam respeito ao assunto, e o que foi chamado de "Epopeia do herói" se transformou em uma espécie de livro de assinaturas em que cada página contava sobre a mais louca e mais implausível das proezas.

Assim se formou a heroica lenda de Perenna. Ela destacava a energia sobre-humana, a prodigiosa ousadia, a estonteante fantasia, o espírito aventureiro, a habilidade física e o sangue-frio de um singularmente misterioso personagem difícil de não ser confundido com Arsène Lupin, mas um Arsène Lupin novo, maior, enobrecido por suas façanhas, idealizado e purificado.

Uma manhã, quinze dias após o duplo assassinato do boulevard Suchet, esse homem extraordinário, que despertava uma curiosidade tão ardente, e de quem falavam por toda parte como se fosse um ser fabuloso e de alguma forma irreal, dom Luís Perenna, vestiu-se e caminhou por sua residência.

Tratava-se de uma confortável e espaçosa construção do século XVIII, localizada na entrada do Faubourg Saint-Germain, na pequena praça do Palais-Bourbon, e que ele tinha comprado já mobiliada de um rico romeno, o conde Malonesco, mantendo para seu uso e serviço os cavalos, as carruagens, os automóveis, os oito domésticos e também a secretária do conde, a senhorita Levasseur, que se encarregava de administrar os funcionários, recepcionar e acompanhar os visitantes, jornalistas, os inoportunos ou os comerciantes de quinquilharias, atraídos pelo luxo da residência e pela reputação de seu novo proprietário.

Tendo completado a inspeção dos estábulos e da garagem, ele atravessou o pátio principal, voltou para o escritório, entreabriu uma das janelas e levantou a cabeça. Acima dele havia um espelho inclinado que refletia, por cima do pátio e do muro que o cercava, um lado inteiro da praça do Palais-Bourbon.

– Droga! – ele disse. – Esses policiais infelizes ainda estão aqui. E isso já dura duas semanas! Estou começando a ficar de saco cheio de toda essa vigilância.

De mau humor, começou a ler as correspondências, rasgando, depois de ler, as cartas que lhe diziam pessoalmente respeito, e anotando as outras: pedidos de ajuda, solicitações de entrevistas…

Quando acabou, chamou.

– Peça à senhorita Levasseur me trazer os jornais.

Há não muito tempo ela servia como leitora e secretária do conde romeno, e Perenna a acostumou a ler nos jornais tudo o que lhe dizia respeito e a dar-lhe, todas as manhãs, um relato preciso da instrução dirigida contra a senhora Fauville.

Ela usava sempre um vestido preto, muito elegante em tamanho e forma, e ele simpatizava muito com ela. A jovem tinha um ar de grande dignidade, uma fisionomia séria e pensativa, através da qual era impossível penetrar no segredo da alma, e que pareceria austera se cachos de cabelo loiros, rebeldes a qualquer disciplina, não a enquadrassem com uma auréola de luz e alegria. A voz tinha um timbre musical e suave que Perenna gostava de ouvir, e, um pouco intrigado com a reserva da senhorita Levasseur, ele se perguntava o que ela poderia pensar dele, de sua existência, do que os jornais contavam sobre seu passado misterioso.

– Nada de novo? – ele disse.

Ela leu as informações relativas à senhora Fauville, e dom Luís constatou que, desse lado, a investigação quase não havia progredido. Marie-Anne Fauville não se afastava de sua estratégia, chorando, indignando-se e afetando uma completa ignorância dos fatos sobre os quais ela era questionada.

– Isso é absurdo – ele pensou em voz alta. – Nunca vi ninguém se defender de uma forma tão desajeitada.

– Mas e se ela for inocente?

Era a primeira vez que a senhorita Levasseur formulava uma opinião, ou melhor, uma observação sobre o caso. Dom Luís olhou para ela, muito surpreso.

– A senhorita acha que ela é inocente?

Ela parecia pronta para responder e explicar o significado de sua interrupção. Era possível dizer que ela desfazia sua máscara de impassibilidade e que, sob o impulso dos sentimentos que a agitavam, sua figura assumia uma expressão mais animada. Mas, por um visível esforço, ela se conteve e murmurou:

– Não sei... não tenho nenhuma opinião a respeito.

– Talvez – disse ele, examinando-a curiosamente –, mas a senhorita está em dúvida... uma dúvida que seria admissível se não houvesse as marcas deixadas pela mordida da senhora Fauville. Essas marcas são mais do que uma assinatura, mais do que uma admissão de culpa. E enquanto ela não der uma explicação satisfatória sobre isso...

Mas Marie-Anne Fauville não dava mais explicações sobre isso do que sobre as outras coisas. Ela continuava impenetrável. Por outro lado, a polícia não conseguia encontrar seu cúmplice, ou seus cúmplices, nem o homem com a bengala de ébano e o lornhão estampado de quem o garçom do café do Pont-Neuf tinha falado a Mazeroux e cujo papel parecia singularmente suspeito. Em suma, nenhuma luz surgia das profundezas da escuridão. Eles também procuraram em vão os vestígios do tal Victor, o primo das irmãs Roussel, que, na ausência de herdeiros diretos, herdaria a fortuna de Mornington.

– Isso é tudo? – perguntou Perenna.

– Não – respondeu a senhorita Levasseur –, há um artigo no *Écho de France*...

– Que fala de mim?

– Suponho que sim, senhor. O título é: *Por que não o prendem?*

– Isso é da minha conta – disse ele, rindo.

Ele pegou o jornal e leu:

Por que não o prendem? Por que prolongar, ao contrário de toda a lógica, uma situação anormal que deixa espantadas as pessoas honestas? Essa é uma pergunta que todos fazem e à qual a continuidade das nossas investigações nos permite dar a resposta exata.

Um ano após a suposta morte de Arsène Lupin, a justiça descobriu, ou pensou ter descoberto, que Arsène Lupin era, na verdade, o senhor Floriani, nascido em Blois e desaparecido. Ele mandou inscrever nos registros de estado civil, na página correspondente ao senhor Floriani, a menção 'falecido' seguida destas palavras: sob o nome de Arsène Lupin.

Portanto, para ressuscitar Arsène Lupin, não só seria necessário ter provas irrefutáveis da sua existência – o que não seria impossível – como também seria necessário pôr em prática os mecanismos administrativos mais complicados e obter um decreto do Conselho de Estado.

No entanto, parece que o senhor Valenglay, presidente do conselho, em acordo com o comandante-geral, se opõe a qualquer investigação muito minuciosa, susceptível de desencadear um escândalo temido pelos superiores. Ressuscitar Arsène Lupin? Recomeçar uma luta com esse maldito personagem? Arriscar mais uma vez a derrota e o ridículo? Não, não, mil vezes não.

E é dessa forma inusitada que Arsène Lupin, o ex-ladrão, o impertinente reincidente, o rei dos bandidos, o imperador de roubos e fraudes, que Arsène Lupin pode, hoje, não clandestinamente, mas diante dos olhos e aos ouvidos do mundo todo, continuar o mais formidável trabalho que ele já realizou, viver publicamente sob um nome que não é o seu, mas que ele assumiu de uma forma incontestável, suprimir impunemente quatro pessoas que o atrapalhavam, enviar à prisão uma mulher inocente contra a qual ele mesmo acumulou as provas mais mentirosas, e, no final, apesar da revolta do bom senso, e graças a cúmplices inconfessáveis, tocar os duzentos milhões do legado de Mornington.

Essa é a verdade ignominiosa. É importante que ela seja dita. Esperamos que, uma vez revelada, ela influencie o curso dos acontecimentos.

– Pelo menos ela influenciará a conduta do imbecil que escreveu esse artigo – zombou dom Luís.

Ele dispensou a senhorita Levasseur e pediu para falar com o comandante d'Astrignac ao telefone.

– É o senhor, meu comandante? O senhor leu o artigo do *Echo de France*?

– Sim.

– O senhor se importaria de pedir uma reparação pública a esse senhor?

– Oh! Oh! Um duelo!

– Isso se faz necessário, meu comandante. Todos esses artistas me importunam com suas elucubrações. É preciso pôr uma mordaça neles. Estes pagarão pelos outros.

As negociações foram imediatas.

O diretor do *Écho de France* declarou que, embora o artigo, publicado em seu jornal sem uma assinatura e datilografado, tivesse sido publicado sem o seu conhecimento, ele assumia plena responsabilidade por ele.

No mesmo dia, às três horas, dom Luís Perenna, acompanhado pelo comandante d'Astrignac, por outro oficial e por um médico, partia do palácio na praça do Palais-Bourbon em seu automóvel e, seguido de perto por um táxi onde os agentes da Sûreté, responsáveis por vigiá-lo, se amontoaram, chegou ao Parc des Princes.

Enquanto esperava pelo adversário, o conde Astrignac chamou dom Luís de lado:

– Meu caro Perenna, não estou lhe pedindo nada. O que é verdade em tudo o que é publicado sobre você? Qual é o seu nome verdadeiro? Nada disso importa. Para mim, o senhor é o legionário Perenna, e isso basta. O seu passado começa no Marrocos. Quanto ao futuro, sei que o senhor não terá outro propósito senão vingar Cosmo Mornington e proteger os seus herdeiros. Só há uma coisa que me inquieta.

– Fale, meu comandante.

– Prometa que não matará esse homem.

– Dois meses de cama, comandante, isso é o suficiente?

– É muito. Quinze dias.

– Adjudicado.

Os dois adversários ficaram frente a frente. No segundo round, o diretor do *Écho de France* sucumbiu, atingido no peito.

– Ah! Isso está errado, Perenna – resmungou o conde Astrignac –, você tinha prometido...

– Prometi, e cumpri, meu comandante.

Nesse meio tempo, os médicos examinaram o ferido. Um deles se levantou e disse:

– Não é nada grave. Três semanas de repouso, no máximo. Um centímetro a mais e ele estaria perdido.

– Sim, mas o centímetro não foi ultrapassado – murmurou Perenna.

Sempre seguido pelo carro da polícia, dom Luís voltou ao Faubourg Saint-Germain, e foi então que ocorreu um incidente que o intrigaria singularmente e lançaria sobre o artigo do *Écho* uma novidade verdadeiramente estranha.

No pátio de seu palácio, ele viu duas cachorrinhas que pertenciam ao cocheiro e que geralmente ficavam no estábulo. Elas estavam brincando com uma bola de fios vermelhos que ficava presa em todos os lugares, nos degraus do alpendre, nos vasos de flores. No final, a bola de papel em torno da qual os fios estavam enrolados apareceu. Dom Luís estava de passagem nesse exato momento. Seu olhar discerniu traços de escrita no papel. Então ele o pegou e desdobrou.

Ele estremeceu. Havia reconhecido imediatamente as primeiras linhas do artigo publicado no *Écho de France*. E o artigo estava lá, inteiramente escrito à caneta, em um papel quadriculado, com rasuras.

Ele chamou o cocheiro e perguntou:

– De onde veio esta bola de fios?

– Essa bola, senhor? Da selaria. Deve ter sido a Miza que...

– E quando é que o senhor enrolou os fios no papel?

– Ontem à noite, senhor.

– Ah! E de onde veio este papel?

– Juro que não sei exatamente, senhor... Eu precisava de alguma coisa para enrolar meus fios e peguei isso atrás da cocheira, lá onde são jogados os trapos da casa esperando serem usados na rua, à noite.

Dom Luís prosseguiu com suas investigações. Ele interrogou alguns e pediu à senhorita Levasseur para interrogar outros criados. Não descobriu nada, mas um fato estava garantido: o artigo do *Écho de France* tinha sido escrito – o rascunho encontrado era prova disso – por alguém que vivia na casa, ou que tinha relações com um dos seus habitantes.

O inimigo estava no local.

Mas que inimigo? E o que queria ele? Somente a prisão de Perenna?

Durante toda essa tarde, dom Luís permaneceu ansioso, atormentado pelo mistério que o rodeava, exasperado por sua inação e, sobretudo, por essa ameaça de prisão que, sem dúvida, não o preocupava, mas paralisava seus movimentos.

Também, quando anunciaram, perto das dez horas, que um indivíduo que se apresentou sob o nome de Alexandre insistia em vê-lo, quando ele fez entrar esse indivíduo e se viu frente a frente com Mazeroux, mas um Mazeroux disfarçado, escondido sob um velho e irreconhecível manto, ele se atirou sobre ele como sobre uma presa:

– Finalmente você chegou! Ei! Eu disse na Chefatura para não sair e você vem me procurar? Ah! Essa é boa. Diabos! Eu sabia que você não teria culhões para me prender e que o comandante-geral acalmaria um pouco o ardor intempestivo desse maldito Weber. Primeiro, prenderam o homem de que precisamos? Vai, conta. Meu Deus! Como você parece estúpido! Responde logo. Em que pé estão as coisas? Ande, fale. Vou resolver isso em cinco segundos. Estou contando no relógio. Dois minutos. Vai dizer ou não?

– Mas, chefe… – hesitou Mazeroux.

– O quê? Vou ter que arrancar as informações à força! Vamos. Vou começar. É sobre o homem com a bengala de ébano, não é? Aquele que vimos no café do Pont-Neuf no dia em que o inspetor Vérot foi assassinado?

– Sim… de fato.

– Encontraram o rastro dele?

– Sim.

– Então, tagarela, vejamos!

– É o seguinte, chefe. Não foi só o rapaz do café quem reparou nele. Havia também um outro cliente, e esse outro cliente, que eu acabei descobrindo quem é, tinha saído do café ao mesmo tempo que nosso homem e, do lado fora, ouviu ele perguntar a um passante "Onde fica a estação de metrô mais próxima para ir a Neuilly?".

– Excelente. E, em Neuilly, interrogando aqui e ali, vocês encontraram o artista?

– Chegamos a descobrir até nome dele, chefe: Hubert Lautier, avenida Roule. Só que ele desapareceu, há seis meses, deixando toda a mobília e levando somente uma mala.

– Mas e os correios?

– Nós fomos aos correios. Um dos funcionários reconheceu a descrição física que lhe demos. Nosso homem vem a cada oito ou dez dias buscar suas correspondências, que, a propósito, não são numerosas. Uma ou duas cartas apenas.

– E essa correspondência está em nome dele?

– Com as iniciais.

– Ele se lembrou quais eram?

– Sim. B. R. W. 8.

– Isso é tudo?

– De minha parte, absolutamente tudo. Mas um dos meus colegas conseguiu descobrir, a partir dos depoimentos de dois policiais, que um indivíduo com uma bengala de ébano e cabo de prata e com um binóculo de tartaruga saiu da estação de Auteuil, por volta das onze horas e quarenta e cinco, e seguiu para Ranelagh, na noite do duplo assassinato. O senhor se lembra da presença da senhora Fauville nesse bairro no mesmo horário? E se lembra de que o crime foi cometido pouco antes da meia-noite? Eu concluo...

– Já chega, vai embora.

– Mas...

– Depressa.

– Então não nos veremos mais?

– Nos encontramos em meia hora na porta da casa do nosso homem.

– Que homem?

– O cúmplice de Marie-Anne Fauville...

– Mas o senhor não sabe...

– O endereço dele? Mas foi você mesmo quem me deu. Boulevard Richard-Wallace, número oito. Vamos, não faça essa cara de idiota.

Ele o fez dar meia-volta, empurrou-o pelos ombros até a porta e o entregou, perplexo, nas mãos de um criado.

Ele também saiu alguns minutos depois, arrastando atrás de si os policiais destinados a vigiá-lo, deixando-os de plantão em frente a um imóvel de duas entradas e sendo conduzido de carro até Neuilly. Ele seguiu a pé pela avenida de Madrid e chegou ao boulevard Richard-Wallace, diante do bosque de Boulogne.

Mazeroux já estava esperando por ele em frente a uma pequena casa, cujos três andares se erguiam no fundo de um pátio limitado pelos muros altos da propriedade vizinha.

– Este aqui é o número oito?

– Sim, chefe, mas o senhor pode me explicar...

– Um segundo, meu velho, preciso recuperar o fôlego! Ele respirou fundo algumas vezes.

– Meu Deus! Como é bom se mexer! – ele disse. – É verdade, eu já estava enferrujando... E que prazer perseguir esses bandidos! Então você quer que eu explique?

Ele passou o braço sob o do brigadeiro.

– Ouça, Alexandre, e aproveite. Quando uma pessoa escolhe quaisquer iniciais para o seu endereço de correspondência, tenha certeza de que ela não as escolhe aleatoriamente, mas quase sempre de modo que as cartas tenham algum significado para aquele que se corresponde com ela, o que permitirá que essa outra pessoa possa se lembrar facilmente do endereço que lhe foi dado.

– E neste caso?

– Neste caso, Mazeroux, um homem como eu, que conhece Neuilly e os arredores do bosque, compreende imediatamente essas três letras, B R W, e sobretudo essa letra estrangeira, W, uma letra inglesa. De modo que, na minha mente, diante dos meus olhos, instantaneamente, como uma alucinação, eu vi as três letras em seu lugar lógico de iniciais, no início das palavras que elas formam e que precisam delas. Vi o B do boulevard, vi R e o W inglês de Richard e de Wallace. E vim em direção ao boulevard Richard-Wallace. E é por isso, meu caro senhor, que tudo isso que estou lhe contando é uma grande inutilidade.

Mazeroux parecia um pouco cético.

– E o senhor acredita, chefe?

– Não acredito em nada. Eu procuro. Eu construo uma hipótese sobre a primeira base que me chega... uma hipótese verossímil. E eu penso... eu penso, Mazeroux, que este cantinho é diabolicamente misterioso e que esta casa...

– Shhh... Escute...

Ele empurrou Mazeroux para uma reentrância escura. Eles tinham ouvido o barulho de uma porta bater. De fato, passos cruzaram o pátio em frente à casa. A fechadura do portão externo rangeu. Alguém apareceu e a luz de um candeeiro de rua iluminou seu rosto.

– Com mil raios! – balbuciou Mazeroux. – É ele.

– Parece-me, de fato...

– É ele, chefe. Veja a bengala preta e o brilho do cabo. Além disso, o senhor viu o lornhão... e a barba. Como o senhor é sagaz, chefe!

– Acalme-se e vamos segui-lo.

O indivíduo tinha atravessado o boulevard Richard-Wallace e virava no boulevard Maillot. Ele caminhava rápido, a cabeça erguida, girando sua bengala com um gesto alegre. Acendeu um cigarro.

Do outro lado do boulevard Maillot, o homem passou pela outorga e adentrou em Paris. A estação de trem Ceinture estava próxima. Ele seguiu na direção dela e pegou o trem que o conduziria para Auteuil.

– Estranho – disse Mazeroux –, ele está fazendo exatamente o que fez há quinze dias, quando o vimos.

O indivíduo caminhou ao longo das fortificações. Em um quarto de hora, ele chegou ao boulevard Suchet e logo em seguida ao palácio onde o engenheiro Fauville e seu filho haviam sido assassinados. Em frente ao palácio, ele subiu as fortificações e ficou ali por alguns minutos, imóvel, olhando para a fachada. Então, retomando seu caminho, ele seguiu pela Muette e penetrou na escuridão do bosque de Boulogne.

– Ao trabalho, e com coragem! – disse dom Luís, que apertou o passo.

Mazeroux o segurou:

– O que o senhor quer dizer, chefe?

– Bem, vamos agarrá-lo exatamente pelo pescoço. Somos dois, e o momento é propício.

– Ora, chefe, o senhor não está pensando nisso, né?

– Por que não pensaria?

– Porque não se pode prender um homem sem motivo.

– Sem motivo? Um bandido dessa espécie? Um assassino? Do que mais você precisa?

– Na ausência de um caso de força maior, um flagrante delito, preciso de algo que não tenho.

– O quê?

– Um mandado. Não tenho um mandado.

A entonação de Mazeroux era tão convincente, e sua resposta parecia tão cômica para dom Luís Perenna, que ele caiu na gargalhada.

– Você não tem um mandado? Pobre rapaz! Bem, você vai ver se eu por acaso preciso de um mandado!

– Não vou ver é nada – exclamou Mazeroux, agarrado ao braço de seu companheiro. – O senhor não vai encostar nesse sujeito.

– Você é a mãe por acaso?

– Ora, chefe…

– Mas, honestíssimo homem – disse dom Luís, exasperado –, se deixarmos escapar a oportunidade, teremos outra?

– Facilmente. Ele vai voltar para casa. Vou avisar o comissário de polícia. Nós telefonaremos para a Chefatura e amanhã de manhã...

– E se o pássaro voar?

– Não tenho um mandado.

– Quer que eu assine um pra você, seu idiota?

Mas dom Luís conteve sua ira. Ele percebia que todos os seus argumentos se chocariam contra a obstinação do brigadeiro e que Mazeroux iria tão longe quanto necessário para defender o inimigo. Ele simplesmente formulou num tom sentencioso:

– Um imbecil, mais você, são dois imbecis. E o número de imbecis é tão grande quanto o de pessoas que querem agir como a polícia, usando trapos de papel, assinaturas, mandados e outros disparates. A polícia, meu rapaz, é feita com os punhos. Quando o inimigo se apresenta, nós o atacamos. Se não o fizermos, corremos o risco de atacar o vazio. Dito isso, boa noite. Vou para a cama. Telefone-me quando tudo estiver terminado.

Ele voltou para casa furioso, oprimido por uma aventura em que ele não pôde agir livremente, e teve que se submeter à vontade ou, melhor dizendo, à frouxidão dos outros.

Mas na manhã seguinte, ao acordar, o desejo de ver a polícia lutando com o homem com a bengala de ébano, e especialmente a sensação de que sua contribuição não seria inútil, impulsionaram-no a se arrumar rapidamente.

– Se eu não chegar a tempo – ele pensou –, eles vão se deixar enganar.

Justamente, Mazeroux o aguardava ao telefone. Ele correu para uma pequena cabine que seu antecessor tinha mandado construir no primeiro andar, em uma sala escura que se comunicava apenas com seu escritório, e acendeu a luz.

– É você, Alexandre?

– Sim, chefe. Estou em uma loja de vinhos perto da residência do boulevard Richard-Wallace.

– E o nosso homem?

– O pássaro está no ninho. Mas já estava na hora.

– Ah!

– Sim, a mala dele está pronta. Ele deve partir esta manhã.

– Como sabem disso?

– Soubemos pela governanta. Ela acabou de entrar na casa e vai abrir a porta para nós.

– Ele vive sozinho?

– Sim, essa mulher prepara as refeições dele e vai embora no fim do dia. Ninguém mais vem até essa casa, exceto uma senhora escondida sob um véu, que lhe fez três visitas desde que ele chegou. A governanta não a conhece. De acordo com ela, ele é um pesquisador que passa seu tempo lendo e trabalhando.

– E você tem um mandado?

– Sim, vamos usá-lo.

– Estou a caminho.

– Impossível! É o subchefe Weber quem está no comando. Ah! Mas então o senhor não sabe da novidade a respeito da senhora Fauville?

– Sobre a senhora Fauville?

– Sim, ela tentou se matar ontem à noite.

– Hein! Ela tentou se matar?

Perenna tinha lançado uma exclamação de estupor e ficou muito surpreso ao ouvir, quase ao mesmo tempo, outro grito, como um eco muito próximo.

Sem soltar o telefone, ele se virou. A senhorita Levasseur estava no escritório, a poucos passos dele, com a figura contraída, lívida.

Os olhares deles se encontraram. Ele estava prestes a interrogá-la, mas ela se retirou.

"Por que diabos ela estava me ouvindo?", se perguntou dom Luís, "e por que esse ar de pavor?"

Enquanto isso, Mazeroux continuava:

– Ela havia dito que tentaria se matar. Teve muita coragem.

Perenna retomou:

– Mas como?

– Contarei em breve. Estão me chamando. Mas não venha, chefe.

– Sim – respondeu ele claramente –, estou indo.

– Então se apresse, chefe. Vamos invadir.

– Estou indo.

Ele desligou o telefone rapidamente e deu meia-volta para sair do escritório. Um movimento de recuo o atirou contra a parede do fundo.

No momento exato em que ele ia atravessar o limiar, algo explodiu acima de sua cabeça e ele só teve tempo de saltar para trás para evitar ser atingido por uma cortina de ferro que caiu na sua frente com terrível violência.

Mais um segundo e a enorme massa o teria esmagado. Ele sentiu um choque em sua mão. E talvez ele nunca tivesse sentido tão intensamente a angústia do perigo iminente.

Após um momento de verdadeiro pânico, no qual ele permaneceu petrificado, com a mente confusa, ele retomou o sangue-frio e se lançou sobre o obstáculo.

Mas, de repente, o obstáculo lhe pareceu intransponível.

Era um pesado painel de metal, que não era feito de lamelas ou de peças ligadas umas às outras, mas formado por um único bloco, maciço, forte, rígido e que o tempo tinha revestido com sua pátina brilhante e escurecido aqui e ali por manchas de ferrugem. À direita e à esquerda, em cima e embaixo, as bordas do painel afundavam em um sulco estreito que as cobria hermeticamente.

Dom Luís estava preso. Dando socos, dominado por uma raiva repentina, ele se lembrou da presença da senhorita Levasseur em seu escritório. Se ela ainda não tivesse saído do quarto – e certamente ela não poderia tê-lo feito antes do acontecimento –, ela ouviria o barulho. Ela voltaria em seu auxílio, soaria o alarme e o salvaria.

Ele escutou. Nada. Chamou. Nenhuma resposta. Sua voz se chocava contra as paredes e contra o teto da saleta onde estava trancado, e ele tinha a impressão de que todo o palácio, para além dos salões, das escadas e dos vestíbulos, permanecia surdo ao seu chamado.

Entretanto... entretanto... e a senhorita Levasseur?

– O que significa isso? – ele murmurou. – O que significa tudo isso?

E agora, imóvel, taciturno, ele pensava novamente na estranha atitude da jovem, em sua figura espantada, seus olhos arregalados, e se perguntava também: por que acaso o mecanismo invisível tinha se desprendido e lançado sobre ele, silenciosamente e implacavelmente, a perigosa cortina de ferro?

O HOMEM COM A BENGALA DE ÉBANO

No boulevard Richard-Wallace, o subchefe Weber, o inspetor-chefe Ancenis, o brigadeiro Mazeroux, três inspetores e o comissário de polícia de Neuilly estavam reunidos em frente à cerca do número oito. Mazeroux observava a avenida Madrid, pela qual dom Luís deveria vir, mas já começava a se inquietar, pois havia passado uma hora desde que eles tinham se falado por telefone e Mazeroux não encontrava mais pretextos para adiar a operação.

– Já está na hora – disse o subchefe Weber –, a governanta nos deu um sinal pela janela: o sujeito está se vestindo.

– Por que não o pegamos quando ele estiver saindo? – objetou Mazeroux.

– E se ele sair por alguma outra saída que não conhecemos? – questionou o subchefe. – Precisamos desconfiar de patifes como esse. Não, vamos atacá-lo em seu esconderijo. É mais certo.

– Entretanto…

– O que é agora, Mazeroux? – perguntou o subchefe, chamando-o de lado. – Então não vê que os nossos homens estão nervosos? Esse sujeito os preocupa. Só há uma maneira de pegá-lo, que é saltando sobre ele como se fosse um animal selvagem. Além disso, precisamos ter a situação resolvida antes da chegada do comandante-geral.

– Então ele vem?

– Sim. Ele quer ver tudo isso com os próprios olhos. Toda esta história é uma grande preocupação para ele. Portanto, vamos em frente! Estão prontos, rapazes? Vou tocar a campainha.

Tocaram de fato a campainha, e imediatamente a governanta correu e entreabriu a porta.

Embora o comando fosse manter a máxima calma para não assustar, o medo que ele inspirava era tal que houve uma confusão e todos os agentes correram para o pátio, prontos para a batalha... Mas uma janela foi aberta e alguém gritou do segundo andar:

– O que está acontecendo?

O subchefe não respondeu. Dois agentes, o inspetor-chefe, o comissário e ele invadiram a casa, enquanto os outros dois, que permaneceram no pátio, impediam qualquer fuga.

O encontro aconteceu no primeiro andar. O homem tinha descido, já vestido e com o chapéu na cabeça, e o subchefe disse:

– Parado! Não se mexa! O senhor é Hubert Lautier?

O homem parecia confuso. Cinco revólveres estavam apontados para ele. No entanto, nenhuma expressão de medo alterou o seu rosto e ele simplesmente disse:

– O que o senhor deseja? O que vieram fazer aqui?

– Viemos em nome da lei. Este é o mandado que lhe diz respeito, um mandado de prisão.

– Um mandado de prisão para mim!

– Para Hubert Lautier, domiciliado no boulevard Richard-Wallace, número oito.

– Mas isso é um absurdo! – disse ele. – É inacreditável. Por que razão...?

Sem demonstrar qualquer resistência, ele foi agarrado pelos dois braços e levado para uma sala bastante ampla onde havia apenas três cadeiras de palha, uma poltrona e uma mesa cheia de livros grandes.

– Ali – disse o subchefe –, e não se mexa. Ao menor gesto, será pior para o senhor...

O homem não protestou. Agarrado pelo colarinho pelos dois oficiais, ele parecia refletir, como se procurasse entender os motivos secretos de uma prisão à qual ele não havia sido preparado. Ele tinha um ar inteligente, uma barba castanha com reflexos ruivos, olhos azuis-acinzentados cuja expressão se tornava, em certos momentos, por trás dos binóculos que ele usava, um tanto rude. Os ombros largos e o pescoço vigoroso denotavam sua força.

– Podemos levá-lo para o cabriolé? – perguntou Mazeroux ao subchefe.

– Espere um pouco. O comandante-geral está chegando, já posso ouvi-lo. Vocês revistaram os bolsos? Tem armas?

– Não.

– Nada suspeito?

– Não, nada.

Assim que chegou, o senhor Desmalions examinou a figura do prisioneiro, falou em voz baixa com o subchefe e foi informado dos detalhes da operação.

– Bom trabalho – disse ele –, nós precisávamos disso. Presos, os dois cúmplices terão de falar e tudo será esclarecido. Então não houve resistência?

– Nenhuma, senhor comandante.

– Que seja! Fiquemos atentos.

O prisioneiro não tinha dito uma só palavra e conservava o ar pensativo de alguém para quem os acontecimentos não se prestam a nenhuma explicação. No entanto, quando ele percebeu que o recém-chegado era o comandante-geral, levantou a cabeça e o senhor Desmalions lhe disse:

– É inútil expor os motivos de sua prisão, não é mesmo?

Ele respondeu com um tom de voz deferente:

– Desculpe, senhor comandante, mas, pelo contrário, eu gostaria de saber o que está acontecendo. Não faço ideia do que isso tudo significa. Há um grande erro sendo cometido por seus agentes e uma explicação pode dissipá-lo. E eu desejo – e exijo – essa explicação...

O comissário encolheu os ombros e disse:

– O senhor é suspeito de ter participado do assassinato do engenheiro Fauville e de seu filho Edmond.

– Hippolyte está morto!

O grito foi espontâneo, quase inconsciente. Um grito de estupor e de pavor que fluía de um ser cujas profundezas da alma haviam sido perturbadas. E era tão estranho esse estupor, tão imprevisível essa pergunta pela qual ele queria demonstrar uma ignorância inaceitável!

Ele repetiu, com a voz surda e um tremor nervoso:

– Hippolyte está morto? O que o senhor está me dizendo? É possível que ele esteja morto? Como? Assassinado? Edmond também?

O comandante-geral voltou a encolher os ombros.

– O fato de o senhor ter chamado o senhor Fauville pelo primeiro nome mostra que o senhor era bastante próximo dele. E, admitindo que o senhor não tenha qualquer envolvimento no assassinato dele, ler os jornais da última quinzena seria suficiente para que o senhor já soubesse disso.

– Nunca leio jornais, senhor comandante.

– Hein! O senhor quer que eu acredite...

– Pode ser improvável, mas é a verdade. Eu vivo intensamente para o trabalho, lidando exclusivamente com a pesquisa científica para uma obra de vulgarização e sem tomar conhecimento ou me interessar por coisas externas. Por isso, desafio qualquer um no mundo a provar que li um único jornal durante meses e meses. E é por isso que tenho o direito de dizer que desconhecia o assassinato de Hippolyte Fauville.

– Mas o senhor conhecia o senhor Fauville.

– Há muito tempo, mas nós brigamos.

– Por que razões?

– Assuntos de família...

– Assuntos de família! Então os senhores eram parentes?

– Sim, Hippolyte era meu primo.

– Seu primo! O senhor Fauville era seu primo? Mas... mas então... Vejamos, explique-se. O senhor Fauville e sua esposa eram filhos de duas irmãs, Élisabeth e Armande Roussel. Essas duas irmãs foram criadas com um primo chamado Victor.

– Sim, Victor Sauverand, filho do avô Roussel. Victor Sauverand casou-se em outro país e teve dois filhos. Um morreu há quinze anos. O outro sou eu.

O senhor Desmalions estremeceu. Estava visivelmente perturbado. Se aquele homem dizia a verdade, se ele era realmente filho do Victor, cujo estado civil ainda não tinha sido descoberto pela polícia, o caso se encerraria ali mesmo, uma vez que o senhor Fauville e seu filho estavam mortos e que a senhorita Fauville, acusada de assassinato, havia sido destituída de seus direitos. O homem que prenderam, então, seria o herdeiro definitivo de Cosmo Mornington.

Mas por que aberração ele direcionaria contra si mesmo, sem ser obrigado a fazê-lo, essa acusação esmagadora? Ele retomou:

– As minhas revelações parecem surpreendê-lo, senhor comandante. Talvez elas esclareçam o erro de que sou vítima?

Ele se expressava sem qualquer incômodo, com grande educação e com uma notável distinção de voz, e não parecia suspeitar que suas revelações confirmavam a legitimidade das medidas adotadas contra ele.

Sem responder à sua pergunta, o comandante-geral perguntou:

– Então o seu nome verdadeiro é...?

– Gaston Sauverand – disse ele.

– Por que o senhor se apresenta como Hubert Lautier?

O homem demonstrou uma pequena fraqueza que não escapou a um observador tão perspicaz como o senhor Desmalions. Suas pernas vacilaram e os olhos tremeram.

– Isso não diz respeito à polícia, somente a mim.

O senhor Desmalions sorriu:

– O argumento é medíocre. O senhor também irá se opor se eu quiser saber por que se esconde, por que deixou sua residência na avenida Roule sem deixar um endereço e por que recebe sua correspondência nos Correios, sob iniciais?

– Sim, comandante, são ações de natureza privada e que só dizem respeito a mim. O senhor não tem que saber nada a esse respeito.

– Essa é a resposta exata que sua cúmplice nos dá a todo instante.

– Minha cúmplice?

– Sim, a senhora Fauville.

– Senhora Fauville?

Gaston Sauverand proferiu o mesmo grito dado no momento do anúncio da morte do engenheiro, e seu estupor foi ainda maior. Uma angústia deixou seu rosto irreconhecível.

– O quê?... Que...? O que o senhor está dizendo? Não é a Marie-Anne, certo? Não pode ser verdade!

O senhor Desmalions considerou desnecessário responder, pois esse hábito de ignorar tudo o que dizia respeito ao drama do boulevard Suchet era absurdo e infantil.

Fora de si, os olhos assustados, Gaston Sauverand murmurou:

– É verdade? Ela é vítima do mesmo equívoco que eu? Ela foi presa? Ela! Ela! Marie-Anne na prisão!

Seus punhos cerrados se ergueram num gesto de ameaça que se dirigia a todos os inimigos desconhecidos que o cercavam, àqueles que o perseguiam e que tinham assassinado Hippolyte Fauville e acusado Marie-Anne.

Mazeroux e o inspetor Ancenis o agarraram brutalmente. Ele fez um movimento de revolta como se fosse repelir os seus agressores, mas foi só um reflexo. Ele caiu sobre uma cadeira, escondendo o rosto entre as mãos.

– Que mistério! – ele balbuciou. – Não entendo... Não entendo...

Ele se calou.

O comandante-geral disse a Mazeroux:

– Foi a mesma cena da senhora Fauville, e interpretada por um ator da mesma espécie que ela e com a mesma intensidade. Nota-se que são parentes.

– Precisamos tomar cuidado com ele, senhor comandante. Por agora, sua prisão o deprimiu, mas cuidado quando ele despertar!

O subchefe Weber, que havia saído por alguns minutos, retornou. O senhor Desmalions perguntou:

– Está tudo pronto?

– Sim, senhor comandante. Pedi para o táxi se aproximar do portão, ao lado do seu carro.

– Quantos vocês são?

– Oito. Dois agentes acabaram de chegar do comissariado.

– Vocês revistaram a casa?

– Sim. A propósito, ela está quase vazia. Há apenas a mobília necessária e, no quarto, maços de papéis.

– Ótimo, levem-no e redobrem a vigilância

Gaston Sauverand se deixou levar calmamente e seguiu o subchefe e Mazeroux. No limiar da porta, ele se virou:

– Senhor comandante, já que o senhor está realizando buscas, suplico que tome conta dos papéis que estão espalhados sobre a mesa do meu quarto: tratam-se de anotações que me custaram muitas madrugadas sem dormir. Além disso...

Ele hesitou, visivelmente envergonhado.

– Além disso?

– Bem, senhor comandante, vou dizer-lhe algumas coisas...

Ele pensava nas palavras que iria dizer e parecia temer as consequências enquanto as pronunciava. Mas de repente ele se decidiu:

– Senhor comandante, há aqui... em algum lugar... um pacote de cartas que é tão importante para mim quanto minha própria vida. Talvez, se essas cartas forem mal interpretadas, elas se transformem em armas contra mim... mas não importa... O mais importante... é preciso que... que elas estejam seguras... O senhor verá. Há ali documentos de extrema importância. E as confio ao senhor, e somente ao senhor.

– Onde elas estão?

– O esconderijo é fácil de encontrar. Basta subir na mansarda acima do meu quarto e pressionar, à direita da janela, um prego aparentemente inútil, mas que controla um esconderijo localizado do lado de fora, sob uma das ardósias, ao longo da calha.

Ele voltou a caminhar, supervisionado pelos dois homens. O comandante-geral os deteve.

– Um momento... Mazeroux, suba até a mansarda e me traga as cartas.

Mazeroux obedeceu e retornou após alguns minutos. Ele não tinha conseguido fazer o mecanismo funcionar. O comandante-geral ordenou que o inspetor-chefe Ancenis subisse com Mazeroux e levasse o prisioneiro, que lhes mostraria o funcionamento de seu esconderijo. Enquanto isso, ele permaneceu no quarto com o subchefe Weber, esperando o resultado da busca, e começou a examinar os títulos dos livros empilhados sobre a mesa.

Eram volumes de ciência entre os quais ele viu obras de química: *A química orgânica, A química nas relações com a eletricidade*. Todos estavam cheios de anotações nas margens. Ele folheava um deles quando pensou ter ouvido clamores. Correu. Mas, antes mesmo de atravessar o limiar da porta, uma detonação ecoou no vazio das escadas, seguida de um grito de dor. Imediatamente, ouviram-se mais dois tiros, e depois gritos, um barulho de luta e uma nova detonação...

Saltando quatro degraus por vez, com a agilidade inesperada para um homem de seu tamanho, o comandante-geral, seguido pelo subchefe, subiu até o segundo andar e alcançou o terceiro, que era mais estreito e mais íngreme.

Ao terminar a curva, um corpo que cambaleava acima dele caiu em seus braços: era Mazeroux, que estava ferido.

Sobre os degraus havia outro corpo inerte, o do inspetor-chefe Ancenis. No alto, sob os batentes de uma pequena porta, Gaston Sauverand, terrível, com a fisionomia feroz, tinha o braço estendido. Ele disparou uma quinta vez ao acaso. Depois, vendo o comandante-geral, mirou-o calmamente.

O comandante viu de relance a imagem terrível daquele cano apontado para o seu rosto e acreditou que estava tudo acabado. Mas, nesse exato segundo, atrás dele, houve uma detonação. A arma de Sauverand caiu de sua mão antes que ele pudesse atirar e o comandante viu, como se fosse uma miragem, um homem que tinha acabado de salvá-lo da morte e que passava sobre o corpo do inspetor-chefe, empurrava Mazeroux para a parede e corria, seguido pelos agentes.

Ele o reconheceu. Era dom Luís Perenna.

Dom Luís rapidamente entrou na mansarda onde Sauverand havia se refugiado, mas teve apenas o tempo de vê-lo em pé no parapeito da janela, pulando no vazio do alto do terceiro andar.

– Ele se jogou dali!? – fez o comandante-geral enquanto seguia na mesma direção. – Não conseguiremos pegá-lo vivo!

– Nem vivo nem morto, senhor comandante. Veja, ele está se levantando. Acontecem milagres com essas pessoas. Ele está correndo para o portão e só está mancando um pouco.

– Mas e os meus homens?

– Ora! Estão todos nas escadas, na casa, atraídos pelos tiros, cuidando dos feridos...

– Ah! Aquele demônio – reagiu o comandante-geral. – Ele fez uma jogada de mestre!

De fato, Gaston Sauverand fugia sem encontrar ninguém.

– Peguem-no! Peguem-no! – vociferou o senhor Desmalions.

Havia dois carros estacionados na rua, que é bastante larga naquele trecho – o carro do comandante-geral e o que o subchefe tinha pedido que trouxessem para transportar o prisioneiro. Os dois motoristas, sentados em seus assentos, não tinham percebido nada da confusão, mas viram Gaston Sauverand pular o muro, e o motorista da chefatura, em cujo assento um certo número de provas e objetos tinham sido depositados, pegou aleatoriamente a bengala de ébano, a única arma que ele tinha à mão, e correu corajosamente atrás do fugitivo.

– Peguem-no! Peguem-no! – gritava o senhor Desmalions.

O encontro se deu na saída do pátio e tudo aconteceu rapidamente. Sauverand saltou sobre o agressor, arrancou-lhe a bengala, deu um pulo para trás e quebrou a bengala na cabeça dele. Então, sem soltar o punho de prata, ele fugiu perseguido pelo outro motorista e por três agentes que finalmente surgiram do interior da casa. Ele estava trinta passos à frente dos agentes. Um deles fez diversos disparos em vão.

Quando o senhor Desmalions e o subchefe Weber desceram, encontraram no segundo andar, no quarto de Gaston Sauverand, o inspetor-chefe deitado na cama com o rosto pálido.

Ferido na cabeça, ele agonizava. Morreu quase imediatamente.

O brigadeiro Mazeroux, cuja ferida foi insignificante, contou, enquanto lhe faziam um curativo, que Sauverand o havia conduzido, juntamente com o inspetor-chefe, para a mansarda, e que, em frente à porta, mergulhou a mão rapidamente em uma espécie de sacola velha pendurada na parede, entre aventais domésticos e blusas velhas. Ele tirou de dentro um revólver e disparou à queima-roupa contra o inspetor-chefe, que caiu pesadamente. Agarrado por Mazeroux, o assassino se desvencilhou e disparou três vezes. A terceira bala atingiu o brigadeiro no ombro.

Assim, na batalha em que a polícia tinha uma tropa de agentes treinados, quando o inimigo cativo parecia não ter nenhuma chance de salvação, esse inimigo, por meio de um estratagema de uma audácia inaudita, eliminou dois de seus adversários, deixando-os fora de combate, atraiu os outros para dentro da casa e, deixando o caminho livre, fugiu.

O senhor Desmalions estava pálido de raiva e de desespero. Ele gritou:

– Ele nos enganou. As cartas, o esconderijo, o prego solto... tudo mentira. Ah! O bandido!

Ele desceu até o térreo e atravessou o pátio. No boulevard, encontrou um dos agentes que tinha corrido atrás do assassino e que voltava sem fôlego.

– O que é que aconteceu? – ele perguntou, ansioso.

– Senhor comandante, ele virou na próxima rua, onde um carro estava esperando por ele. O motor devia estar em atividade, porque nosso homem partiu imediatamente.

– Mas e o meu carro?

– O tempo de ligá-lo, senhor comandante, o senhor compreende...

– O carro que o levou era alugado?

– Sim... um táxi...

– Então vamos encontrá-lo. O motorista virá espontaneamente quando souber pelos jornais...

Weber sacudiu a cabeça:

– A não ser, senhor comandante, que esse motorista também seja um cúmplice. Além disso, mesmo que encontremos o carro, é possível admitir que um tipo como Gaston Sauverand ignora as formas de falsificar uma pista? Teremos muita dificuldade, senhor comandante.

– Sim – murmurou dom Luís, que havia acompanhado as primeiras investigações sem nada dizer, e que ficou sozinho por um momento com Mazeroux. – Sim, vocês terão muita dificuldade, especialmente se deixarem escapar as pessoas que tinham nas mãos. Hein, Mazeroux, o que foi que eu disse ontem à noite? Mas, mesmo assim, que bandido! E ele não está sozinho, Alexandre. Afirmo que ele tem cúmplices e que não estão longe. Há ao menos um deles em minha casa. Você me ouviu? Em minha casa!

Depois de questionar Mazeroux sobre a atitude de Sauverand e sobre os incidentes de sua prisão, dom Luís voltou para seu palácio da praça do Palais-Bourbon.

A investigação que ele precisava fazer estava, certamente, relacionada a acontecimentos igualmente estranhos, e, se o papel desempenhado por Gaston Sauverand na busca pela herança de Cosmo Mornington merecia sua total atenção, a conduta da senhorita Levasseur não o intrigava menos intensamente.

Era impossível para ele esquecer o grito de terror que havia escapado da jovem enquanto ele falava com Mazeroux ao telefone, e igualmente impossível esquecer a expressão assustada de seu rosto. Ora, poderia ele atribuir esse grito de terror e medo a qualquer outra coisa senão à frase proferida por ele em resposta a Mazeroux: "O que você está dizendo? A senhora Fauville tentou se matar?" O fato era certo, e havia entre o anúncio do suicídio e a emoção extrema da senhorita Levasseur uma relação óbvia demais para que Perenna não tentasse tirar disso suas conclusões.

Ele foi direto para seu escritório e examinou a baia que dava acesso à cabine telefônica. Essa baia, de formato arredondado, com cerca de dois metros de largura e muito baixa, estava fechada apenas por uma portinhola de veludo que, quase sempre levantada, a deixava exposta. Sob a portinhola, entre as molduras fixadas na parede, dom Luís encontrou um botão móvel que, ao ser apertado, derrubou a cortina de ferro que o havia atingido duas horas antes.

Ele acionou o mecanismo três ou quatro vezes. Essas experiências provaram da forma mais categórica que o mecanismo estava em perfeitas condições e não podia funcionar sem intervenção externa. Então, Perenna devia concluir que a jovem pretendia matá-lo? Mas por que razões?

Ele estava prestes a chamá-la para lhe pedir explicações, mas o tempo passou e ele não o fez. Pela janela, ele a viu a atravessar o pátio. Ela caminhava com um andar lento e seu torso balançava sobre as ancas com um ritmo harmonioso. Um raio de sol iluminava o tom dourado de seus cabelos.

Dom Luís permaneceu o resto da manhã sentado em um sofá fumando charutos. Ele estava desconfortável, insatisfeito consigo mesmo e com os acontecimentos que não lhe apresentavam o menor vislumbre de verdade e que, pelo contrário, combinavam-se de forma a derramar ainda mais sombra na escuridão em que ele se debatia. Ansioso para agir, assim que agia, encontrava novos obstáculos que paralisavam sua vontade de agir, e nada na natureza desses obstáculos esclarecia sobre a personalidade dos adversários que os impunham. Mas, ao meio-dia, quando tinha acabado de dar a ordem para que o almoço fosse servido, seu mordomo entrou no escritório com uma bandeja na mão e exclamou com uma agitação que demonstrava que os funcionários da residência não ignoravam a situação embaraçosa do patrão:

– Senhor, é o comandante-geral.

– Hein? – perguntou Perenna. – Onde ele está?

– Lá embaixo, senhor. Soube há pouco... e achei melhor avisar à senhorita Levasseur. Mas...

– O senhor tem certeza?

– Aqui está o cartão dele, senhor.

Perenna leu, de fato, no cartão de visitas:

GUSTAVE DESMALIONS

Ele foi até a janela, abriu-a e, com a ajuda do espelho superior, observou a praça do Palais-Bourbon. Havia meia dúzia de indivíduos caminhando por lá. Ele os reconheceu.

Eram os vigias habituais dos quais ele tinha "se livrado" na noite anterior e que acabavam de retomar seus postos.

"Só isso?", ele pensou. "Vejamos, não há nada a temer, e o comandante-geral só tem boas intenções em relação a mim. Foi o que planejei e acho que fiz bem em salvar sua vida."

O senhor Desmalions entrou sem dizer uma única palavra. Ele apenas inclinou a cabeça ligeiramente, em um gesto que podia ser interpretado como uma saudação. Weber, que o acompanhava, não se deu ao trabalho de disfarçar os sentimentos que um homem como Perenna lhe inspirava...

Dom Luís pareceu não notar e, por outro lado, ofereceu apenas uma poltrona. Mas o senhor Desmalions começou a andar pela sala com as mãos para trás, como se quisesse continuar suas reflexões antes de proferir uma única palavra.

O silêncio se prolongou. Dom Luís aguardou tranquilamente.

Então, de repente, o comandante parou e disse:

– Ao deixar o boulevard Richard-Wallace, o senhor seguiu direto para casa?

Dom Luís aceitou a conversa sob esse tom de interrogatório e respondeu:

– Sim, senhor comandante.

O senhor Desmalions fez uma pausa e retomou:

– Saí trinta ou quarenta minutos depois do senhor e o meu carro me conduziu até a Chefatura. Tenho aqui este pneumático com uma carta que o senhor pode ler. Note que ela foi deixada na Bolsa de Paris às 9h30.

Dom Luís pegou o pneumático e leu as seguintes palavras, escritas em letras maiúsculas:

Advertimos que, após fugir, Gaston Sauverand encontrou seu cúmplice, o senhor Perenna, que, como sabem, é Arsène Lupin. Arsène Lupin lhe cedeu a residência de Sauverand para se livrar dele e ficar com toda a herança de Mornington. Eles se reconciliaram esta manhã e Arsène Lupin indicou a Sauverand um esconderijo seguro. A prova desse encontro e da cumplicidade deles é muito simples. Por precaução, Sauverand entregou a Lupin o pedaço da bengala que ele tinha pegado sem o seu conhecimento. Os senhores o encontrarão sob as almofadas que enfeitam um sofá situado entre as duas janelas do escritório de senhor Perenna.

Dom Luís encolheu os ombros. O conteúdo da carta era absurdo, uma vez que ele não tinha saído de seu escritório. Ele dobrou a carta tranquilamente e a devolveu ao comandante-geral sem tecer qualquer comentário. Estava determinado a deixar o senhor Desmalions conduzir toda a conversa. Este perguntou:

– O que o senhor tem a responder sobre a acusação?

– Nada, senhor comandante.

– No entanto, o conteúdo é bastante preciso e fácil de ser verificado.

– Muito fácil, senhor comandante, o sofá está ali, entre as duas janelas.

O senhor Desmalions esperou dois ou três segundos, depois aproximou-se do sofá e moveu as almofadas.

Sob uma delas, apareceu o pedaço da bengala.

Dom Luís não conseguiu conter um gesto de estupor e raiva. Nem por um segundo ele tinha considerado a possibilidade de tal milagre, e o evento o pegou de surpresa. No entanto, ele se controlou. Afinal de contas, não havia nenhuma evidência de que essa metade de bengala era realmente a que tinha sido vista nas mãos de Gaston Sauverand e que ele tinha inadvertidamente levado consigo.

– A outra metade está comigo – disse o comandante-geral, respondendo, assim, à objeção. – O subchefe Weber a recuperou pessoalmente no boulevard Richard-Wallace. Aqui está ela.

Ele tirou-a do bolso interno do sobretudo e fez o teste.

As extremidades dos dois pedaços de bengala se encaixavam perfeitamente uma à outra.

Houve um novo silêncio. Perenna estava confuso, como deviam ficar, como sempre ficavam aqueles a quem ele mesmo infligia derrotas e humilhações desse tipo. Ele não conseguia acreditar. Por que façanha Gaston Sauverand tinha conseguido, no curto espaço de vinte minutos, penetrar naquela casa e entrar nessa sala? A hipótese de um cúmplice ligado ao palácio não tornava o fenômeno menos inexplicável.

"Isso destrói minhas previsões", pensou ele, "e desta vez eu tenho que enfrentar a situação. Consegui escapar da acusação da senhora Fauville e impedir o golpe da turquesa. Mas o senhor Desmalions jamais vai admitir que haja uma tentativa semelhante agora, e que Gaston Sauverand queria, assim como Marie-Anne Fauville, me excluir da disputa, comprometendo-me e me fazendo ser preso."

– E então – disse, com voz grave, o impaciente comandante-geral –, responda! Defenda-se!

– Não, senhor comandante, não tenho por que me defender.

O senhor Desmalions bateu o pé e resmungou:

– Neste caso... neste caso... já que o senhor confessa... já que...

Ele agarrou a maçaneta da janela, pronto para abri-la. Um apito e os agentes invadiriam e o ato estaria consumado.

– Devo pedir que chamem seus inspetores, senhor comandante? – perguntou dom Luís.

O senhor Desmalions não respondeu. Ele soltou a maçaneta da janela e voltou a caminhar pela sala. De repente, enquanto Perenna procurava as razões para essa hesitação suprema, pela segunda vez ele se colocou diante de seu interlocutor e pronunciou:

– E se eu considerasse o incidente desta bengala de ébano como sem valor, ou melhor, como um incidente que, provando a traição de um dos seus empregados, não poderia comprometê-lo? E se eu considerasse apenas os serviços que o senhor já prestou para nós? Resumindo, se eu o deixasse livre?

Perenna não pôde deixar de sorrir. Apesar do incidente da bengala, embora todas as evidências estivessem contra ele, no momento em que tudo parecia estar ruindo, a coisa estava tomando a direção que ele tinha previsto desde o início, a mesma que ele tinha indicado para Mazeroux: precisavam dele.

– Livre? – ele repetiu. – Sem vigilância? Ninguém mais no meu encalço?

– Ninguém.

– E se a campanha da imprensa continuar em torno do meu nome, se alguém conseguir, como consequências de certas histórias e de certas coincidências, criar um levante da opinião pública, se alguém pedir que se tomem medidas contra mim?

– Essas medidas não serão tomadas.

– Então não tenho com que me preocupar?

– Não.

– O senhor Weber deixará de lado suas implicâncias comigo?

– Pelo menos ele vai agir como se as tivesse deixado de lado, não é, Weber?

O subchefe soltou alguns grunhidos que poderiam ser entendidos, a rigor, como aquiescência, e dom Luís imediatamente exclamou:

– Neste caso, senhor comandante, tenho certeza de chegar à vitória, e de acordo com os desejos e as necessidades da justiça.

Assim, por uma súbita mudança na situação, após uma série de circunstâncias excepcionais, a própria polícia, curvando-se às qualidades prodigiosas de dom Luís Perenna, reconhecendo tudo o que ele já tinha feito e pressentindo tudo o que ainda podia fazer, decidiu apoiá-lo, solicitou sua ajuda e ofereceu-lhe, por assim dizer, a condução das operações.

O tributo era lisonjeiro. Ele só se dirigia a dom Luís Perenna? E Lupin, o terrível, o indomável Lupin, não tinha o direito de reclamar sua parte? Era possível acreditar que o senhor Desmalions, no fundo, não admitia a existência dos dois personagens?

Nada na atitude do comandante-geral permitia criar qualquer hipótese sobre seu pensamento secreto. Ele propôs a dom Luís Perenna um desses pactos que a justiça é muitas vezes forçada a fazer para alcançar seu objetivo. O pacto estava concluído. Não se disse mais nada sobre isso.

– O senhor não tem informações a me solicitar? – ele perguntou.

– Sim, senhor comandante. Os jornais falaram de uma caderneta que teria sido encontrada no bolso do infeliz inspetor Vérot. Essa caderneta continha alguma indicação?

– Nenhuma. Notas pessoais, lista de despesas, só isso. Ah! Eu já estava esquecendo, a fotografia de uma mulher... uma fotografia sobre a qual ainda não consegui obter nenhuma informação. Não presumo, aliás, que ela tenha qualquer relação com o caso e não a comuniquei aos jornais. Veja, aqui está ela.

Perenna pegou o cartão que lhe foi oferecido e foi tomado por um tremor que não escapou ao senhor Desmalions.

– O senhor conhece essa mulher?

– Não... não, senhor comandante, eu pensei que... mas não... é uma simples semelhança... talvez um ar familiar, que vou verificar, inclusive, se for possível o senhor deixar essa fotografia comigo até hoje à noite.

– Até hoje à noite, está bem. Devolva-a ao brigadeiro Mazeroux, a quem darei ordens para se resolver com o senhor sobre tudo o que diz respeito ao caso Mornington.

Desta vez, a conversa estava concluída. O comandante-geral se retirou e dom Luís o acompanhou até a saída.

Mas, no limiar, o senhor Desmalions se virou e disse:

– O senhor salvou a minha vida esta manhã. Não fosse o senhor, aquele bandido do Sauverand...

– Oh! Senhor comandante – protestou dom Luís.

– Sim, eu sei, o senhor está habituado a essas coisas. Mesmo assim, aceite meus agradecimentos.

E o comandante-geral se despediu como se tivesse saudado realmente dom Luís Perenna, o nobre espanhol, herói da Legião Estrangeira. Quanto a Weber, ele colocou as mãos em seus bolsos e passou com um ar de mastim amordaçado, lançando sobre o inimigo um olhar de ódio atroz.

"Cretino!", pensou dom Luís. "Esse aí não me escapa quando a oportunidade surgir!"

De uma janela, viu o carro do senhor Desmalions arrancar. Os agentes da Sûreté seguiram os passos do subchefe e deixaram a praça do Palais-Bourbon. O cerco tinha se dissipado.

– Agora, ao trabalho! – disse dom Luís. – Estou livre para agir. A coisa vai esquentar.

Ele chamou o mordomo.

– Sirva-me e diga à senhorita Levasseur para vir falar comigo imediatamente após a refeição.

Ele foi até a sala de jantar e se sentou à mesa. Havia colocado a fotografia deixada pelo senhor Desmalions sobre a mesa e, inclinado sobre ela, examinava-a com extrema atenção.

A foto estava um pouco desbotada, um pouco gasta, como são as fotografias que ficam guardadas em carteiras ou entre os papéis, mas a imagem ainda era bastante nítida.

Era a imagem radiante de uma jovem mulher em um vestido longo de baile, com os ombros e os braços nus, com um penteado enfeitado com flores e folhas, que sorria.

– Senhorita Levasseur – ele murmurou diversas vezes –, será que é possível?

Num canto havia algumas letras borradas, pouco legíveis. Ele leu "Florence". Sem dúvida o primeiro nome da jovem.

Ele repetiu:

– Senhorita Levasseur... Florence Levasseur. Como sua fotografia teria ido parar na carteira do inspetor Vérot? E por que vínculo a leitora do conde húngaro, cuja sucessão eu assumi nesta casa, se relaciona com toda essa aventura?

Ele se lembrou do incidente da cortina de ferro. Lembrou-se também do artigo do *Écho de France* dirigido a ele e cujo rascunho havia encontrado no pátio de seu palácio. Ele evocou sobretudo o enigma do pedaço de bengala encontrado em seu escritório. E enquanto sua mente tentava compreender esses acontecimentos, enquanto ele tentava determinar o papel desempenhado pela senhorita Levasseur, seus olhos permaneciam fixos na fotografia e ele contemplava distraidamente o belo desenho da boca, a graça do sorriso, a encantadora linha do pescoço, o desabrochar dos ombros nus.

A porta foi aberta abruptamente. A senhorita Levasseur adentrou o recinto.

Nesse momento, Perenna, que estava sozinho, levava aos lábios um copo que tinha enchido de água. Ela saltou, agarrou-lhe o braço, arrancou o copo de sua mão e o atirou no chão, estilhaçando-o.

– O senhor bebeu? O senhor bebeu? – ela disse com a voz abafada.

Ele respondeu:

– Não, ainda não tinha bebido. Por quê?

Ela gaguejou:

– A água dessa garrafa... a água dessa garrafa...

– O que é que tem?

– Essa água está envenenada.

Ele saltou da cadeira e, por sua vez, agarrou o braço dela com extrema violência.

– Envenenada! O que a senhorita está dizendo? Fale! Tem certeza disso?

Apesar de seu autocontrole, ele ficou bastante assustado.

Conhecendo os efeitos perigosos do veneno usado pelos bandidos que ele estava perseguindo, tendo visto o cadáver do inspetor Vérot, os cadáveres de Hippolyte Fauville e de seu filho, ele sabia que, por mais treinado que fosse para suportar doses relativamente consideráveis de veneno, não escaparia da ação fulminante daquele. Esse veneno era implacável, e certamente e fatalmente o mataria.

A jovem estava em silêncio. Ele ordenou:

– Responda! Tem certeza disso?

– Não... foi uma impressão que tive... um pressentimento... há certas coincidências...

Era possível pensar que ela lamentava suas palavras e que tentava voltar atrás.

– Ora, ora – ele exclamou –, mas eu quero saber. A senhorita não tem certeza de que a água dessa garrafa estava envenenada?

– Não... pode ser...

– No entanto, há pouco...

– De fato eu pensei... mas não...

– É fácil ter certeza – disse Perenna, que tentou pegar a garrafa.

Ela foi mais rápida do que ele, pegou a garrafa e a quebrou contra a mesa.

– O que a senhorita está fazendo? – ele disse, exasperado.

– Eu estava enganada. Portanto, é inútil atribuir importância...

Dom Luís saiu rapidamente da sala de jantar. De acordo com suas ordens, a água que ele bebeu vinha de um filtro colocado em uma copa localizada no final do corredor, que ligava a sala às cozinhas e seguia para além delas.

Ele correu até lá e pegou sobre uma tábua uma tigela onde despejou água do filtro. Depois, seguindo pelo corredor que bifurcava naquele local e desembocava no pátio, ele chamou Mirza, a cachorrinha. Ela brincava ao lado do estábulo.

– Toma – disse ele, oferecendo a tigela.

A cachorrinha começou a beber, mas quase imediatamente ela parou e ficou imóvel, com as patas esticadas e completamente rígidas. Um arrepio a fez tremer. Ela gemeu, deu duas ou três voltas e caiu.

– Ela está morta –disse ele depois de tocar no animal.

A senhorita Levasseur tinha se juntado a ele. Ele se virou para a jovem e lançou:

– Era verdade, o veneno... e a senhorita sabia... Mas como?

Sem fôlego, ela comprimiu os batimentos e respondeu:

– Vi a outra cachorrinha bebendo na copa. Ela morreu. Eu avisei o motorista e o cocheiro. Eles estão no estábulo... e corri para avisá-lo.

– Mas então não havia dúvida. Por que a senhorita dizia que não tinha certeza de haver veneno, uma vez que...

O cocheiro e o motorista estavam saindo do estábulo. Arrastando a jovem, Perenna lhe disse:

– Precisamos conversar. Vamos até sua casa.

Eles retornaram ao corredor sinuoso. Ao lado da copa onde o filtro estava instalado, havia um outro corredor que terminava em três degraus. No topo desses degraus, uma porta.

Perenna a empurrou: era a entrada para o apartamento reservado à senhorita Levasseur. Chegaram a um salão. Dom Luís fechou a porta da entrada e também a do salão.

– Agora vamos resolver tudo – ele disse em um tom resoluto.

SHAKESPEARE, VOLUME OITO

Dois pavilhões, de uma época tão antiga quanto o restante do palácio, flanqueavam, à direita e à esquerda, o baixo muro que se erguia entre o pátio principal e a praça do Palais-Bourbon. Esses pavilhões estavam ligados ao edifício principal localizado na parte de trás do pátio por uma série de construções que eram usadas como dependências. De um lado, cocheiras, estábulo, selaria, garagem, e, no final, o pavilhão dos empregados. Do outro lado, rouparias, cozinhas, copas e, no final, o pavilhão reservado à senhorita Levasseur.

Esse pavilhão tinha apenas um andar, constituído por um vestíbulo obscuro e uma grande sala na qual a sala de estar ocupava o espaço maior e, do outro lado, havia um quarto que, na verdade, era apenas uma espécie de alcova. Uma cortina mantinha isolados a cama e o banheiro. Duas janelas davam para a praça do Palais-Bourbon.

Era a primeira vez que dom Luís entrava no apartamento da senhorita Levasseur. Por mais absorto que estivesse, ele se rendeu ao encanto. A mobília era simples. Poltronas velhas, cadeiras de mogno, uma escrivaninha da época do Império, sem ornamentos, uma mesinha de centro com pés maciços e prateleiras com livros. Mas a cor clara das cortinas de tela alegrava o ambiente. Nas paredes haviam reproduções de pinturas famosas, desenhos de monumentos e paisagens ensolaradas, cidades italianas, templos da Sicília...

A jovem permanecia em pé. Ela havia retomado, com sangue-frio, seu ar enigmático, muito desconcertante pela imobilidade de seus traços e pela expressão deliberadamente sombria sob a qual Perenna acreditava entrever uma emoção contida, uma vida intensa, sentimentos tumultuados que a energia mais atenta tinha dificuldade em disciplinar. O olhar não era nem amedrontador, nem provocador. Era possível acreditar que ela não tinha nada a temer.

Dom Luís ficou calado por um bom tempo. Coisa estranha e da qual ele se dava conta com irritação. Ele sentia um certo embaraço diante daquela mulher contra a qual, no fundo, ele tinha as acusações mais graves. E não ousando elaborar nem dizer exatamente o que pensava, ele começou:

– A senhorita sabe o que aconteceu esta manhã nesta casa?

– Esta manhã?

– Sim, quando encerrei um telefonema?

– Soube depois, pelos criados, pelo mordomo...

– Antes não?

– Como eu poderia ter sabido antes?

Ela estava mentindo. Era impossível ela não estar mentindo. No entanto, com que voz calma ela respondeu! Ele retomou:

– Vou contar, resumidamente, o que aconteceu. Eu estava saindo da cabine telefônica quando a cortina de ferro embutida na parte superior da parede caiu à minha frente. Tendo certeza de que não conseguiria me desvencilhar sozinho de tal obstáculo, resolvi simplesmente, uma vez que tinha o telefone à minha disposição, pedir ajuda a um amigo. Por isso telefonei ao comandante d'Astrignac. Ele atendeu ao meu chamado e, com a ajuda do mordomo, me socorreu. Foi isso que lhe disseram?

– Sim, senhor. Eu tinha me retirado para o meu quarto, o que explica por que eu não sabia nada sobre o incidente, nem sobre a visita do comandante d'Astrignac.

– Que seja. No entanto, descobri que o mordomo, e todos que trabalham aqui, por sinal, incluindo a senhorita, sabiam da existência dessa cortina de ferro.

– Certamente.

– E quem contou?

– O conde Malonesco. Soube por ele que, durante a Revolução, sua bisavó materna permaneceu escondida durante treze meses nesse refúgio. Naquela época, a cortina era revestida por uma madeira semelhante à da sala.

– É uma pena que eu não tenha sido avisado, porque faltou muito pouco para eu ser esmagado.

Essa eventualidade não pareceu comover a jovem. Ela disse:

– É importante verificar o mecanismo e descobrir por que razão ele foi acionado. É tudo muito antigo e funciona mal.

– O mecanismo funciona perfeitamente. Eu mesmo verifiquei. Não podemos culpar o acaso.

– Quem então, se não o acaso?

– Algum inimigo que não conheço.

– Alguém o teria visto.

– Só uma pessoa poderia tê-lo visto, a senhorita, que passava por meu escritório no exato momento em que eu falava ao telefone e cuja exclamação de medo em relação à senhora Fauville me surpreendeu.

– Sim, a notícia do suicídio dela me tocou profundamente. Tenho muita pena dessa mulher, seja ela culpada ou não.

– E enquanto a senhorita estava ao lado da baia, com a mão ao alcance do mecanismo, a presença de um malfeitor não lhe escaparia.

Ela não baixou os olhos. Um rubor cobriu-lhe a face. Ela disse:

– De fato eu o teria encontrado, já que, aparentemente, eu me retirei poucos segundos antes do acidente.

– Certamente – disse ele. – Mas o que é curioso... implausível, é que a senhorita não ouviu o estrondo da cortina caindo, nem meus chamados, tampouco o escândalo que fiz.

– Eu provavelmente já tinha fechado a porta do escritório. Não ouvi absolutamente nada.

– Então eu devo supor que alguém estava escondido no meu escritório nesse momento e que essa pessoa tem relações de cumplicidade com os bandidos que cometeram o duplo crime do boulevard Suchet, uma vez que o comandante-geral acaba de descobrir, sob as almofadas do meu sofá, o pedaço de uma bengala que pertence a um desses bandidos.

Ela parecia muito surpresa. Com efeito, essa nova história parecia-lhe completamente desconhecida. Ele se aproximou dela e, olhando em seus olhos, articulou:

– Pelo menos admita que isso é estranho.

– O que é estranho?

– Essa série de acontecimentos, todos voltados contra mim. Ontem, esse rascunho de carta que encontrei no pátio – o rascunho do artigo publicado no *Écho de France*! Esta manhã, primeiro a queda da cortina de ferro no exato momento da minha passagem, e depois a descoberta dessa bengala... e depois... e depois... há pouco, essa garrafa com água envenenada...

Ela balançou a cabeça e murmurou:

– Sim... sim... há um conjunto de acontecimentos...

– Um conjunto de acontecimentos – concluiu ele com ênfase – cujo significado é tal que, sem dúvida, devo considerar como certa a intervenção direta do mais implacável e ousado dos inimigos. Sua presença já está provada. Sua ação é constante. Seu objetivo é evidente. Por meio do artigo anônimo, desse pedaço de bengala, ele tentou me comprometer e fazer com que eu fosse preso. Com a queda da cortina, ele quis me matar, ou pelo menos me manter preso por algumas horas. E agora o veneno, o veneno que mata covardemente, sorrateiramente, e que foi despejado no meu copo e que amanhã será colocado na minha comida... E então será o punhal, a bala de revólver ou a corda do estrangulamento... o que quer que seja... desde que eu desapareça, pois é isso que desejam: me aniquilar. Eu sou o adversário, sou o cavalheiro de quem têm medo, aquele que, mais dia ou menos dia, desvendará o mistério e ficará com os milhões que sonham roubar. Eu sou o intruso. Diante da herança de Mornington, vigilante, ali estou eu.

"É a minha vez de ser eliminado. Quatro vítimas já morreram. Serei a quinta. Gaston Sauverand decidiu isso, Gaston Sauverand ou qualquer outro que conduz o caso. E o cúmplice está aqui, neste palácio, no coração da praça, ao meu lado. E ele me espreita. Ele segue todos os meus passos. Ele vive na minha sombra. Ele procura, para me golpear, o minuto oportuno e o lugar favorável. Pois bem, já estou farto. Quero saber, quero e vou saber. Quem é ele?"

A jovem havia recuado um pouco e se apoiava na mesinha de centro.

Ele deu um passo para frente e, sem tirar os olhos dela, enquanto procurava um indício de preocupação em seu rosto inalterável ou um arrepio de inquietação, repetiu, de forma mais violenta:

– Quem é esse cúmplice? Quem aqui jurou a minha morte?

– Não sei – ela disse –, eu não sei. Talvez não haja nenhuma conspiraçao, como o senhor acredita, mas acontecimentos fortuitos...

Ele teve vontade de dizer, com seu hábito de tratar informalmente aqueles que considerava adversários:

"Você está mentindo, minha querida. É você a cúmplice. Você, que surpreendeu minha conversa ao telefone com Mazeroux, só você poderia ir em auxílio de Gaston Sauverand, esperar por ele de carro na esquina do boulevard, e, por ordem dele, trazer o pedaço da bengala até aqui. É você, beldade, quem quer me matar, por razões que ignoro. A mão que me golpeia na escuridão, é a sua."

Mas era impossível para ele tratá-la dessa maneira, e o fato de não ousar gritar sua certeza com palavras de indignação e raiva o exasperava tanto que ele tomou os dedos dela entre os seus e os apertou com força, e seu olhar e toda sua atitude acusavam a jovem com ainda mais força do que as mais amargas palavras que ele poderia ter dito.

Dominando-se, ele soltou sua presa. A jovem se libertou com um gesto rápido em que havia revolta e ódio. Dom Luís disse:

– Que seja. Vou interrogar os criados. Se necessário, demitirei aqueles que me parecerem suspeitos.

– Mas não, mas não – disse ela enfaticamente. – Não é necessário... Eu conheço todos eles.

Ela ia defendê-los? Seriam os escrúpulos da consciência que a agitavam no momento em que, por hipocrisia e obstinação, ela sacrificava os funcionários cuja conduta sabia ser irrepreensível?

Dom Luís teve a impressão de ver no olhar que ela lhe dirigia um pedido de piedade. Mas piedade de quem? Dos outros? Ou dela mesma?

Eles permaneceram em um longo silêncio. Dom Luís, de pé a poucos passos de distância dela, pensava na fotografia e encontrava com espanto na mulher à sua frente a mesma beleza da imagem, toda aquela beleza que ele ainda não tinha notado, mas que agora o impressionava como uma revelação. Os cabelos dourados brilhavam com um brilho que ele ignorava. A boca tinha uma expressão menos feliz, talvez, um pouco amarga, mas ainda mantinha a mesma forma do sorriso. A curva do queixo, a graça da nuca, que deixava o decote da lingerie descoberto, a linha dos ombros, o gesto dos braços e das mãos sobre os joelhos, tudo isso era encantador, de grande suavidade, e, em certa medida, de grande delicadeza. Era possível que essa mulher fosse uma assassina, uma envenenadora?

Ele lhe disse:

– Não me lembro mais qual foi o nome que a senhorita disse ser o seu da primeira vez. Mas não era o verdadeiro.

– Era sim, era sim – disse ela, ligeiramente sobressaltada.

– A senhorita se chama Florence? – ele perguntou.

– O quê? Quem lhe disse? Florence? Como o senhor sabe?

– Aqui está sua fotografia, e aqui está seu nome, quase apagado.

– Ah! – disse ela, atordoada, e olhando para a foto. – Como é possível? De onde é que ela veio? Diga, onde o senhor a encontrou?

E de repente:

– Foi o comandante-geral quem lhe deu, não foi? Sim... foi ele... tenho certeza. Tenho certeza de que essa fotografia está sendo usada para me descrever e que estão à minha procura também... E é sempre o senhor... sempre o senhor...

– Não tenha medo – disse Perenna –, bastam alguns retoques nessa prova para que seu rosto fique irreconhecível. Eu vou fazê-los, não tenha medo...

Ela já não lhe dava ouvidos. Ela observava a fotografia com muita atenção e sussurrou:

– Eu tinha vinte anos e vivia na Itália. Meu Deus, como eu estava feliz no dia em que posei para essa foto! E tão feliz quando vi meu retrato! Eu me achava tão bela na época. Mas a fotografia desapareceu, ela me foi roubada, como já me roubaram outras coisa ao longo do tempo...

E falando ainda mais baixo, pronunciando o seu nome como se estivesse se dirigido a outra mulher, a uma amiga infeliz.

– Florence – ela repetiu –, Florence...

Lágrimas caíram de seus olhos.

– Ela não é uma daquelas que matam – pensou dom Luís –, é inadmissível que ela seja cúmplice. Entretanto...

Ele se afastou dela e caminhou pelo quarto, indo da janela até a porta. Os desenhos de paisagens italianas pendurados na parede atraíram sua atenção. Depois ele examinou, nas prateleiras, os títulos dos livros. Eram obras de literatura francesa e estrangeira, romances, peças de teatro, ensaios sobre moral, volumes de poesia que testemunhavam uma cultura real e variada. Ele viu Racine ao lado de Dante, Stendhal junto de Edgar Allan Poe, Montaigne entre Goethe e Virgílio. E de repente, com essa capacidade extraordinária que lhe permitia ver em um conjunto de objetos muitos detalhes que nem observava, ele notou que um dos volumes de uma edição em inglês de Shakespeare não tinha exatamente o mesmo aspecto que os outros. A lombada, amarrada com chagrém vermelho, tinham algo especial, mais rígido, sem as rachaduras e dobras que atestam o uso de um livro.

Era o volume oito. Ele o pegou rapidamente, de modo que ninguém pudesse ouvir.

Ele não estava errado. Era um volume falso, uma simples cartonagem vazia por dentro formando uma caixa e, portanto, oferecendo um verdadeiro esconderijo. Nesse livro ele encontrou um papel de carta branco, envelopes soltos e folhas de papel quadriculado simples, todas do mesmo tamanho e como se tivessem sido arrancadas de um bloco de notas.

Imediatamente o aspecto dessas folhas o inquietou. Ele lembrava do aspecto da folha em que o rascunho do artigo para o *Écho de France* tinha sido escrito. O quadriculado era o mesmo e as dimensões também pareciam iguais.

Além disso, observando todas as folhas uma após a outra, ele viu, na penúltima, uma série de linhas formadas por palavras e números que tinham sido desenhados a lápis, como anotações feitas às pressas. Ele leu:

Hotel do boulevard Suchet.
Primeira carta. Madrugada do dia 15 para o dia 16 de abril.
Segunda. Noite do dia 25.
Terceira e quarta. Noite de 5 de maio e 15 de maio.
Quinta e explosão. Noite de 25 de maio.

E constatando, primeiramente, que a data da primeira noite era precisamente a da noite vindoura e, em seguida, que todas essas datas se sucediam com dez dias de intervalo, ele notou a semelhança da caligrafia com a escrita do rascunho que ele trazia no bolso, dentro de um bloco de anotações. Ele poderia, assim, verificar a semelhança das duas caligrafias e das duas folhas quadriculadas.

Dom Luís pegou seu bloquinho e o abriu. O rascunho tinha desaparecido.

– Meu Deus do céu! – ele disse entre os dentes. – Essa já é demais.

Ao mesmo tempo, lembrou-se muito claramente que, enquanto ligava para Mazeroux de manhã, seu bloquinho estava no bolso do seu sobretudo, e o sobretudo sobre uma cadeira perto da cabine. Ora, naquele exato momento, a senhorita Levasseur, sem qualquer razão, rondava seu escritório. O que ela fazia lá?

– Ah! Aquela cabotina! – pensou Perenna, furioso. – Ela estava me enrolando. Suas lágrimas, seu ar de candura, suas doces memórias, tudo enganação! Ela é da mesma estirpe e do mesmo bando que Marie-Anne Fauville e que Sauverand, mentirosa e dissimulada como eles até nos menores gestos e na menor inflexão de sua voz inocente.

Ele estava prestes a desmascará-la. Desta vez as provas eram irrefutáveis. Por meio de uma investigação que poderia ter chegado até ela, não queria deixar nas mãos do adversário o rascunho do artigo. Como poderia haver qualquer dúvida, então, de que ela era a cúmplice usada pelas pessoas que estavam agindo no caso Mornington e que procuravam se livrar dele? Não seria possível, inclusive, assumir que ela liderava o bando sinistro e que, dominando os outros com sua audácia e inteligência, conduzia-os ao obscuro objetivo que eles almejavam?

Pois ela estava livre, completamente livre para realizar suas ações e seus movimentos. Através das janelas com vista para a praça do Palais-Bourbon, ela tinha todas as facilidades para sair do palácio em meio à escuridão e regressar sem ninguém controlar suas ausências. Era, portanto, perfeitamente possível que na noite do duplo crime ela estivesse entre os assassinos de Hippolyte Fauville e de seu filho. Era, portanto, perfeitamente possível que ela tivesse participado, e mesmo que o veneno tivesse sido injetado nas duas vítimas por suas mãos, por aquela pequena mão que ele viu apoiada nos cabelos dourados, tão branca e tão fina.

Um tremor o invadiu. Ele colocou discretamente o papel de volta no livro, e o livro em seu lugar, e se aproximou da jovem. De repente ele ficou surpreso ao estudar o fundo de seu rosto, a forma de sua mandíbula! Sim, era o que ele se empenhava em adivinhar, sob a curva das bochechas e sob o véu dos lábios. Contra sua vontade, com uma mistura torturante de angústia e curiosidade, ele olhava, olhava, prestes a abrir violentamente aqueles lábios cerrados e procurar a resposta para o problema assustador que se colocava diante dele. Aqueles dentes, os dentes que ele não via, não seriam aqueles que tinham deixado no fruto a marca acusatória? Os dentes do tigre, os dentes da besta feroz, eram aqueles, ou os de outra mulher?

Hipótese absurda, uma vez que a marca tinha sido reconhecida como sendo de Marie-Anne Fauville. Mas o absurdo de uma hipótese é razão suficiente para descartá-la?

Surpreso com os próprios sentimentos que o perturbavam, com medo de se trair, preferiu encurtar a conversa e, passando perto da jovem, disse-lhe num tom imperioso e agressivo:

– Quero que todos os criados do palácio sejam demitidos. Pague o salário deles, dê-lhes a indenização que quiserem e eles devem partir ainda hoje, irrevogavelmente. Outra equipe será contratada esta noite e a senhorita a receberá.

Ela não contestou. Ele partiu levando dessa conversa a impressão de desconforto que marcava sua relação com Florence. Entre ela e ele, a atmosfera permanecia pesada e opressiva. As palavras ditas pareciam nunca ser aquelas que ambos pensavam em segredo e os atos não correspondiam às palavras pronunciadas. A situação não levava à demissão imediata de Florence como único resultado lógico? Todavia, dom Luís nem sequer cogitava fazê-lo.

Ao retornar imediatamente ao seu escritório, ele chamou Mazeroux ao telefone e, em voz baixa, de modo a não ser ouvido do outro cômodo:

– É você, Mazeroux?

– Sim.

– O comandante-geral o colocou à minha disposição?

– Sim.

– Bem, então diga a ele que eu coloquei todos os meus empregados na rua e que o instruí a vigiá-los em tempo integral. É ali que devemos procurar o cúmplice de Sauverand. Outra coisa: peça permissão ao comandante para que nós dois possamos passar a noite na casa do engenheiro Fauville.

– Ora! Na casa do boulevard Suchet?

– Sim, tenho todas as razões para acreditar que haverá um importante acontecimento por lá.

– Que acontecimento?

– Não sei. Mas algo deve acontecer lá. E eu insisto nisso. Está de acordo?

– De acordo. Se não houver nenhuma mudança de plano pelo caminho, nos encontramos esta noite, às nove horas, no boulevard Suchet.

Nesse dia, Perenna não viu mais a senhorita Levasseur. Ele deixou seu palácio na parte da tarde e foi até uma agência de empregos onde escolheu criados, motorista, cocheiro, mordomo, cozinheiro, etc. Em seguida, foi até um fotógrafo que fez um novo negativo da fotografia da senhorita Levasseur, que dom Luís mandou retocar e que ele mesmo adaptou para que o comandante-geral não notasse a substituição.

Ele jantou em um restaurante.

Às nove horas, encontrou Mazeroux.

Desde o duplo homicídio, o palácio Fauville estava sob a vigilância de um zelador. Selos judiciais tinham sido colocados em todos os quartos e em todas as fechaduras, exceto na porta interna do ateliê, cujas chaves foram conservadas pela polícia para fins de investigação. A sala grande apresentava o mesmo visual. No entanto, todos os papéis tinham sido removidos ou arrumados e não restava mais nada, nem livros nem brochuras, sobre a mesa de trabalho. Um pouco de poeira, já visível sob a luz elétrica, cobria o couro preto e a moldura de mogno.

– E então, meu velho Alexandre – disse dom Luís quando eles se instalaram –, o que você tem a dizer? É fantástico estar aqui, não é? Mas, desta vez, sem portas barricadas. Sem trancas. Se algo deve acontecer, nesta noite de 15 a 16 de abril, não vamos impor qualquer obstáculo a esse acontecimento. Liberdade total a esses senhores. É com eles agora.

Embora estivesse brincando, dom Luís estava singularmente impressionado, como ele dizia, com a terrível lembrança dos dois crimes que ele não tinha conseguido evitar e pela visão assombrosa dos dois cadáveres. Ele também se lembrava, com uma genuína emoção, do implacável duelo com a senhorita Fauville, do desespero dessa mulher e de sua prisão.

– Fale-me dela – ele pediu a Mazeroux. – Então ela tentou se matar?

– Sim – disse Mazeroux –, e pra valer, por um tipo de suicídio que, entretanto, deveria deixá-la horrorizada: ela se enforcou com retalhos arrancados de seus lençóis e roupas e trançados uns nos outros. Ela teve de ser reanimada com trações e massagens respiratórias. Disseram-me que ela já está fora de perigo, mas está em observação, porque jurou tentar novamente.

– Ela não confessou nada?

– Não.

– E a opinião da Procuradoria, da Chefatura?

– Como quer que a opinião mude a respeito dela, chefe? A investigação confirmou ponto por ponto todas as acusações contra ela, e, sobretudo, concluíram, sem possibilidade de contestação, que somente ela poderia ter tocado na maçã, e que ela o fez entre as onze horas da noite e as sete horas da manhã. Ora, a maçã tem as marcas exatas dos seus dentes. O senhor admitiria que haja duas mandíbulas no mundo capazes deixar uma marca de forma idêntica?

– Não... não... – considerou dom Luís, que pensava em Florence Levasseur – não existe nenhuma possibilidade de controvérsia para essa argumentação. O fato é tão claro como o dia e essa marca constitui, por assim dizer, um flagrante delito. Mas então, o que vem fazer no meio de tudo isso...?

– Quem, chefe?

– Nada... é só um pensamento que me atormenta. Além disso, você entende, há tantas coisas anormais nesse caso, coincidências e contradições tão bizarras que eu não me atrevo a me prender a uma certeza que a realidade do amanhã pode destruir.

Eles conversaram durante um bom tempo, em voz baixa, estudando a questão de todos os lados. Por volta da meia-noite, apagaram as luzes e combinaram um revezamento para poderem dormir.

E as horas se passaram como as horas da primeira vigília. Os mesmos sons de carros lentos e de automóveis. Os mesmos apitos ferroviários. O mesmo silêncio. A noite passou. Não houve qualquer alerta ou incidente.

Ao amanhecer, a vida lá fora recomeçava e dom Luís, em suas horas de vigia, tinha ouvido na sala apenas o monótono ressonar de seu companheiro.

"Será que me enganei?", ele se perguntou. "A anotação encontrada no volume de Shakespeare tinha outro significado? Ou ela se referia aos acontecimentos do ano anterior, que aconteceram no lugar nas datas indicadas?"

Ainda assim, uma confusa inquietude tomava conta dele à medida que o amanhecer se infiltrava pelas persianas semicerradas. Quinze dias antes, também não havia acontecido nada que o alertasse, e ainda assim, ao acordar, as duas vítimas jaziam ao seu lado.

Às sete horas ele chamou:

– Alexandre?

– Hein! O que foi, chefe?

– Não está morto?

– O que o senhor está dizendo? Se estou morto? Mas não, chefe.

– Tem certeza?

– Ora! O senhor tem cada ideia, chefe. E por que não o senhor?

– Oh! Minha vez chegará em breve com bandidos desse calibre!

Esperaram mais uma hora. Depois Perenna abriu uma janela e afastou as persianas.

– Veja, Alexandre. Talvez você não esteja morto. Mas por outro lado...

– Por outro lado?

– Você está verde.

Mazeroux teve um riso forçado.

– Juro, chefe, que quando eu estava de vigia, enquanto o senhor dormia, não me distraí nem por um segundo.

– Você ficou com medo?

– De arrepiar até a ponta do cabelo.

Ele se interrompeu de tanto que a figura de dom Luís expressava espanto.

– O que há, chefe?

– Olhe… sobre a mesa… essa carta… – ele olhou.

Havia, de fato, uma carta sobre a escrivaninha, ou melhor, um aerograma cuja fita colante tinha sido rasgada seguindo a linha pontilhada e da qual era possível ver o endereço, o selo e os carimbos dos Correios.

– Foi você quem o colocou ali, Alexandre?

– Está brincando, chefe. O senhor sabe muito bem que só pode ter sido o senhor mesmo.

– Só poderia ter sido eu, mas não fui eu…

– Mas então…

Dom Luís pegou o aerograma e, depois de o examinar, constatou que o endereço e os carimbos dos Correios tinham sido riscados de tal forma que nem o nome do destinatário, nem seu endereço estavam legíveis, mas que o endereço do remetente e as datas estavam bem claros:

Paris, 4 de janeiro de 1919

– Então a carta tem três meses e meio – disse dom Luís.

Ele a virou do lado de dentro. A carta continha uma dúzia de linhas e imediatamente ele exclamou:

– A assinatura de Hippolyte Fauville!

– E sua caligrafia – observou Mazeroux. – Eu a reconheço. Não há engano. O que isso significa? Uma carta escrita por Hippolyte Fauville, três meses antes da sua morte…

Perenna leu em voz alta:

Meu querido amigo,

Infelizmente, eu não posso senão confirmar o que lhe escrevi no outro dia. O cerco está se fechando. Ainda não sei qual é o plano deles e ainda menos como irão executá-lo, mas tudo me leva a crer que o desfecho está próximo. Eu vejo isso nos olhos dela. Como ela olha para mim de um jeito estranho às vezes! Ah! Que infâmia! Quem um dia poderia acreditar que ela seria capaz de... Eu sou muito infeliz, meu pobre amigo.

– E está assinada por Hippolyte Fauville – prosseguiu Mazeroux –, e garanto que foi realmente escrita por ele... escrita no dia 4 de janeiro deste ano, para um amigo cujo nome não sabemos, mas que tenho certeza de que iremos descobrir. E esse tal amigo vai nos dar todas as provas necessárias.

Mazeroux se exaltou:

– Provas! Mas isso já não é mais necessário! Elas estão aqui. O próprio senhor Fauville as deu. "O desfecho está próximo. *Eu vejo isso nos olhos dela.*" "Ela" é a sua esposa, é Marie-Anne Fauville, e o testemunho do marido confirma tudo o que sabíamos contra ela. O que o senhor me diz?

– Você tem razão – respondeu Perenna distraidamente –, você está certo, esta carta é a prova definitiva. Mas quem diabos a teria trazido? Alguém teria que ter entrado aqui nesta sala esta noite, enquanto estávamos aqui! Isso é possível? Porque, afinal de contas, nós teríamos ouvido... é isso que me espanta.

– É verdade que...

– Não é mesmo? Há quinze dias, a situação já tinha sido estranha. Mas tínhamos usado a antessala para dormir e vigiávamos aqui. Enquanto hoje, nós dois estávamos aqui o tempo todo, perto desta mesma mesa. E sobre a mesa, onde ontem à noite não havia um único pedaço de papel, esta manhã encontramos esta carta.

Um estudo cuidadoso do lugar não lhes revelou nenhuma pista. Eles visitaram o palácio de cima a baixo e certificaram-se de que não havia ninguém escondido lá. Além disso, admitindo que se alguém se escondia nela, como essa pessoa teria entrado na sala sem chamar a atenção deles? O problema era insolúvel.

– Não vamos procurar mais – disse Perenna –, não vale a pena. Em histórias como essa, mais dia ou menos dia a luz penetra através de uma fenda invisível e tudo se ilumina gradualmente. Leve essa carta ao comandante-geral, conte-lhe sobre a nossa vigília e diga que estamos pedindo permissão para regressar na noite de 25 para 26 de abril. Nessa noite, mais uma vez, deve haver algo novo, e eu quero diabolicamente saber se uma segunda carta será entregue a nós pela ação do Espírito Santo.

Eles fecharam as portas e saíram do palácio.

Seguiram para a direita, em direção a la Muette, para pegar um carro e chegaram no final do boulevard Suchet. O acaso fez dom Luís virar a cabeça na direção da calçada.

Um homem os ultrapassou numa bicicleta.

Dom Luís só teve tempo de ver seu rosto sob a cabeça calva, os olhos brilhantes fixados nele.

– Cuidado! – ele gritou, empurrando Mazeroux tão abruptamente que o brigadeiro perdeu o equilíbrio.

O homem estendeu o punho, armado com um revólver. Um tiro foi disparado. A bala assobiou nos ouvidos de dom Luís, que tinha se abaixado rapidamente.

– Vamos atrás dele – disse. – Não estás ferido, Mazeroux?

– Não, chefe.

Ambos saíram correndo e chamando por socorro. Mas, àquela hora da manhã, os transeuntes eram raros nas grandes avenidas do bairro. O homem, que fugia rapidamente, ampliou sua distância, virou na rua Octave-Feuillet e desapareceu.

– Biltre! Eu ainda pego você – resmungou dom Luís, renunciando àquela perseguição vã.

– Mas o senhor nem sabe quem é, chefe.

– Sei sim, é ele.

– Ele quem?

– O homem da bengala de ébano. Ele cortou a barba. Ele se barbeou. Mas não importa, eu o reconheci. Era o homem que nos alvejou ontem de manhã, do topo das escadas de sua casa. Ah, o desgraçado! Como ele sabia que passei a noite no palácio Fauville? Então alguém me seguiu, me espionou? Mas quem? E por que razão? E por que meio?

Mazeroux refletiu e disse:

– Chefe, lembra que o senhor me ligou ontem à tarde para marcar o encontro? Quem sabe? Talvez, por mais baixo que o senhor tenha falado, alguém de dentro da casa o ouviu.

Dom Luís não respondeu. Ele pensava em Florence.

Nesta manhã, não foi a senhorita Levasseur quem trouxe a correspondência a dom Luís, nem ele a chamou. Ele a viu várias vezes dando ordens aos novos criados. Depois ela deve ter se recolhido para seu quarto, pois ele não a viu mais.

À tarde, ele pediu para trazerem seu automóvel e foi para o palácio do boulevard Suchet para continuar, com Mazeroux, e sob as ordens do comandante, as investigações que, aliás, não chegaram a nenhum resultado.

Eram seis horas quando ele chegou em casa. Ele e o brigadeiro jantaram juntos. À noite, desejando examinar por sua vez a casa do homem com a bengala de ébano, ele saiu de carro, sempre acompanhado por Mazeroux, e informou o endereço do boulevard Richard-Wallace.

O carro atravessou o Sena e seguiu pela margem direita.

– Vá mais rápido – disse ele ao novo motorista através do alto-falante –, estou acostumado a andar mais depressa.

– O senhor vai acabar capotando, chefe – disse Mazeroux.

– Não há nenhum perigo – respondeu dom Luís. – Os acidentes de carro estão reservados aos imbecis.

Chegaram à praça d'Alma. O carro, no exato momento, virou para a esquerda.

– Siga em frente – gritou dom Luís. – Suba pelo Trocadero.

O carro se endireitou. Mas, de imediato, guinou três ou quatro vezes a toda a velocidade, subiu em uma calçada, bateu numa árvore e capotou.

Em poucos segundos, uma dúzia de transeuntes vieram socorrer. Uma das janelas foi quebrada e abriram a porta. Dom Luís foi o primeiro a sair.

– Nada – disse ele –, não tenho nada. E você, Alexandre?

Tiraram o brigadeiro. Ele tinha alguns hematomas, algumas dores, mas nenhum ferimento que parecesse grave. Apenas o motorista tinha sido lançado do seu assento e jazia inerte sobre a calçada com a cabeça ensanguentada. Levaram-no até uma farmácia. Ele morreu dez minutos depois.

Quando Mazeroux voltou para o carro, depois de ter acompanhado a infeliz vítima e que, ele próprio bastante tonto, tinha tomado um cordial, encontrou dois policiais que estavam observando o acidente e coletando testemunhos, mas o chefe não estava lá.

Perenna tinha acabado de saltar para dentro de um táxi e estava sendo conduzido para casa a toda velocidade. Na praça, ele saiu do carro, passou correndo por baixo do alpendre, atravessou o pátio e seguiu pelo corredor que levava ao apartamento da senhorita Levasseur.

No topo dos degraus ele bateu e entrou sem esperar pela resposta.

A porta da sala que servia como sala de estar foi aberta.

Florence apareceu.

Ele a arrastou de volta para a sala de estar e disse-lhe num tom de indignação e ira:

– Está feito. O acidente aconteceu, mas nenhum dos antigos criados pôde prepará-lo, uma vez que eles já não estavam mais aqui e eu saí esta tarde no automóvel. Então foi no final do dia, entre as seis e as nove da noite, que alguém entrou na garagem e limou três quartos da barra de direção.

– Eu não estou entendendo, não estou entendo – ela disse, parecendo assustada.

– A senhorita entende perfeitamente que o cúmplice dos bandidos não pode ser um dos novos criados, e entende perfeitamente que o golpe não poderia falhar, e que ele foi bem-sucedido para além de toda esperança. Houve uma vítima, que pagou com a vida em meu lugar.

– Conte logo! O senhor está me assustando. Que acidente? O que aconteceu?

– O automóvel capotou. O motorista está morto.

– Ah! – ela disse. – Que horror! E o senhor acha que eu seria capaz... Ah! Essa morte, que horror! Pobre homem...

Sua voz ficou mais baixa. Ela estava de frente para Perenna, bem perto dele. Pálida, abatida, ela fechou os olhos e cambaleou.

Ele a recebeu em seus braços quando ela caiu. Ela tentou se desvencilhar, mas não tinha forças. Ele a deitou numa poltrona enquanto ela gemia repetidamente:

– O pobre homem... o pobre homem...

Com um dos braços atrás da cabeça da jovem, ele limpou com um lenço a testa suada e as bochechas pálidas para onde as lágrimas rolavam. Ela deve ter perdido completamente a consciência, pois entregou-se aos cuidados de Perenna sem sinalizar a menor revolta. E ele, não se mexendo mais, começou a olhar ansiosamente para a boca que se oferecia aos seus olhos, a boca com lábios tão vermelhos normalmente, e agora descoloridos como se estivessem privados de sangue.

Colocando suavemente seus dedos sobre cada uma das partes de seus lábios, fazendo um esforço contínuo, ele os afastou como se faz com as pétalas de uma rosa, e a dupla fileira de dentes surgiu.

Eles eram encantadores, admiráveis em forma e brancura, talvez um pouco menores do que os da senhora Fauville, talvez também dispostos em um círculo mais amplo. Mas o que é que ele sabia? E quem poderia garantir que sua mordida não deixava a mesma marca? Suposição implausível, milagre inadmissível, ele sabia. No entanto, quantas circunstâncias acusavam a jovem e a designavam como a mais ousada das criminosas, como a mais cruel, implacável e terrível!

A respiração dela se tornava regular. Uma inspiração igual, cuja carícia fresca ele sentiu, foi exalada por sua boca, inebriante como o cheiro de uma flor. Tentando resistir, ele se inclinou um pouco mais, tão perto, tão perto que teve uma vertigem e precisou fazer um grande esforço para descansar sobre o encosto da cadeira a cabeça da jovem e descolar seu olhar do belo rosto com lábios entreabertos. Levantou-se e partiu.

O CELEIRO DOS ENFORCADOS

De todos esses acontecimentos, apenas a tentativa de suicídio de Marie--Anne Fauville, a captura e a fuga de Gaston Sauverand, o assassinato do inspetor-chefe Ancenis e a descoberta de uma carta escrita por Hippolyte Fauville eram conhecidos. Tudo isso, aliás, foi suficiente para reavivar a curiosidade de um público já intrigado com o caso Mornington e apaixonado pelos menores indícios do misterioso dom Luís Perenna, que todos se obstinavam em confundir com Arsène Lupin.

Evidentemente, atribuíram a ele a captura momentânea do homem com a bengala de ébano. Soube-se também que ele tinha sido responsável por salvar a vida do comandante-geral e que, finalmente, depois de ter passado a noite no palácio do boulevard Suchet, ele tinha recebido, da forma mais incompreensível, a famosa carta do engenheiro Fauville. E tudo isso excitava a opinião pública ao ponto mais alto.

Mas quão mais complexos e perturbadores eram os problemas impostos a dom Luís Perenna! Quatro vezes no intervalo de quarenta e oito horas, e sem mencionar o artigo anônimo onde ele tinha sido denunciado, quatro vezes, pela queda da cortina de ferro, pelo veneno, pelo tiro no boulevard Suchet e pela sabotagem do seu automóvel, haviam tentado matá-lo. A participação de Florence nesses atentados subsequentes era inegável. E agora as relações da jovem com os assassinos de Hippolyte Fauville eram evidenciadas graças à pequena nota recolhida no volume oito de Shakespeare! E agora duas novas mortes tinham sido acrescentadas à lista fúnebre: a morte do inspetor-chefe Ancenis e a morte do motorista do automóvel.

Como definir e explicar o papel desempenhado pela enigmática criatura no meio de todas essas catástrofes?

Estranhamente, a vida recomeçou no palácio da praça do Palais-Bourbon como se nada de anormal tivesse acontecido por lá. Todas as manhãs, Florence Levasseur abria a correspondência na presença de dom Luís e lia em voz alta artigos de jornal que lhe diziam respeito ou estavam relacionados com o caso Mornington.

Nenhuma vez ele fez alusão à luta selvagem que havia sido travada contra ele durante dois dias. Parecia que tinha sido estabelecida uma trégua entre eles e que, por ora, o inimigo tinha renunciado aos seus ataques. E dom Luís se sentia calmo, a salvo do perigo, e falou com a jovem com um ar indiferente, como teria feito em um primeiro encontro.

Mas com que interesse febril ele a espiava às escondidas!

Como ele observava a expressão daquele rosto, tão ardente e ao mesmo tempo tão calmo, onde, sob a máscara pacífica, havia uma sensibilidade dolorosa, excessiva, difícil de conter, e que podia ser adivinhada a partir de certos arrepios dos lábios, de certas aberturas das narinas!

"Quem é você? Quem é você?", ele tinha vontade de gritar. "É sua vontade semear os cadáveres pelo caminho? E ainda precisa da minha morte para atingir o seu objetivo? Aonde vai e de onde vem?"

Ao fazer essa reflexão, uma certeza tomou conta dele e resolveu um problema com o qual ele tinha tantas vezes se preocupado: descobrir a relação misteriosa entre sua própria presença no palácio da praça do Palais-Bourbon, e a presença de uma mulher que, evidentemente, o perseguia com seu ódio. Hoje ele compreendia que não havia comprado aquele palácio por acaso. Ao fazê-lo, ele havia cedido a uma oferta anônima que lhe fizeram por meio de um anúncio datilografado. De onde vinha essa oferta senão de Florence, essa Florence que queria atraí-lo para perto de si para monitorá-lo e combatê-lo?

"Sim!" ele pensou, "a verdade está aí. Possível herdeiro de Cosmo Mornington, diretamente envolvido no caso, eu sou o inimigo e eles estão tentando me aniquilar, como fizeram com os outros. E é Florence quem está agindo contra mim. E foi ela quem matou os outros. Tudo a acusa e nada a defende. Seus olhos puros? Sua voz sincera? A seriedade e a nobreza da sua pessoa? E daí? Sim, e daí? Então já não conheci dessas mulheres de olhar cândido, que matam sem nenhuma razão, quase por voluptuosidade?"

Ele estremeceu de pavor com a lembrança de Dolorès Kesselbach... Que obscuro elo unia, a todo instante, na sua mente, a imagem dessas duas mulheres? Ele havia amado uma, a monstruosa Dolorès, e a estrangulou com suas próprias mãos. Será que o destino o levava agora na direção do mesmo amor e de um homicídio semelhante?

Quando Florence saía, ele sentia certa satisfação e respirava mais à vontade, como se livre de um peso que o oprimia, mas corria para a janela e a via atravessar o pátio, depois ainda esperava ir e vir a jovem cujo hálito perfumado ele tinha sentido em seu rosto.

Certa manhã, ela lhe disse:

– Os jornais anunciam que vai acontecer esta noite.

– Esta noite?

– Sim – ela disse, apontando para um artigo –, hoje é dia 25 de abril e as informações que o senhor forneceu à polícia, segundo está escrito, afirmam que a cada dez dias haverá uma carta no palácio do boulevard Suchet e que o palácio será destruído por uma explosão na mesma noite em que a quinta e última carta aparecer.

Era um desafio? Será que ela queria que ele ouvisse que, o que quer que acontecesse, e quaisquer que fossem os obstáculos, as cartas apareceriam, aquelas cartas misteriosas anunciadas na lista que ele tinha encontrado no volume oito de Shakespeare?

Ele a olhou fixamente. Ela não reagiu. Ele respondeu:

– De fato, é esta noite. E eu estarei lá. Nada no mundo poderá me impedir de fazê-lo.

Mais uma vez, ela estava prestes a responder, mas optou por silenciar os sentimentos que a perturbavam.

Naquele dia, dom Luís ficou alerta. Ele almoçou e jantou em um restaurante e combinou com Mazeroux para vigiarem a praça do Palais-Bourbon.

À tarde, a senhorita Levasseur não saiu do palácio. À noite, dom Luís ordenou aos homens de Mazeroux que seguissem qualquer um que saísse do palácio.

Às dez horas, o brigadeiro se juntou a dom Luís no escritório do engenheiro Fauville. O subchefe Weber e dois agentes o acompanharam.

Dom Luís chamou Mazeroux de lado.

– Estão desconfiando de mim, admita.

– Não. Enquanto o senhor Desmalions estiver aqui, não há nada que se possa fazer contra o senhor. Mas Weber afirma, e ele não é o único, que é o senhor quem está tramando todas essas histórias.

– Com que objetivo?

– Com o objetivo de apresentar provas contra Marie-Anne Fauville e condená-la. Então eu mesmo pedi a presença do subchefe e de dois homens. Seremos quatro a testemunhar sua boa-fé.

Cada um ocupou sua posição. Primeiro, os dois policiais ficariam vigiando.

Desta vez, depois de vasculhar cuidadosamente a pequena sala onde o filho de Hippolyte Fauville havia dormido outrora, as portas e persianas foram fechadas e trancadas.

Às onze horas, todas as luzes foram apagadas. Dom Luís e Weber mal dormiram.

A noite transcorreu sem um único incidente.

Mas, às sete da manhã, quando as persianas foram abertas, notaram que havia uma carta sobre a mesa.

Tal como da outra vez, havia uma carta sobre a mesa!

Passado o estupor inicial, o subchefe pegou a carta. Ele tinha ordens para não a ler e não deixar que ninguém o fizesse.

Aqui está ela, tal como os jornais publicaram, ao mesmo tempo que publicavam as declarações dos peritos, atestando que a escrita era realmente a de Hippolyte Fauville:

Eu o vi! Você entende, não é, meu bom amigo, eu o vi! Ele caminhava por um corredor do bosque com o colarinho levantado e o chapéu cobrindo as orelhas. Será que ele me viu? Acho que não. Já estava escuro. Mas eu o reconheci. Reconheci o punho de prata da sua bengala de ébano. Era ele mesmo, aquele miserável!

Então ele está em Paris, apesar da sua promessa. Gaston Sauverand está em Paris! Você compreende o que há de terrível nesse fato? Se ele se encontra em Paris, ele quer agir. Se ele está em Paris, é porque minha morte está decidida. Ah, esse homem! Quanta maldade ele ainda pode fazer contra mim! Ele já roubou a minha felicidade e agora é a minha vida que ele quer. Estou com medo.

Então o engenheiro Fauville sabia que o homem com a bengala de ébano, que Gaston Sauverand, premeditava matá-lo. Fauville, por um testemunho escrito com sua própria mão, declarava isso do modo mais formal, e a carta, além disso, corroborando as palavras que escaparam de Sauverand no momento de sua prisão, deixava entender que os dois homens tinham relações antigas, que tinha havido uma ruptura na amizade entre eles e que Sauverand tinha prometido nunca mais regressar a Paris.

Então, certa clareza permeava a tenebrosa aventura da herança de Mornington. Mas, por outro lado, que mistério inconcebível era a presença da carta sobre a mesa do escritório! Cinco homens haviam vigiado, cinco homens que estavam entre os mais hábeis e, todavia, naquela noite, assim como na noite de 15 de abril, uma mão desconhecida tinha depositado a carta em um quarto com portas e janelas barricadas sem que o menor ruído fosse percebido, sem quem nenhum vestígio de arrombamento tivesse sido detectado nas trancas das portas e das janelas.

Imediatamente, a hipótese de uma saída secreta foi levantada. Hipótese que teve que ser abandonada após um exame cuidadoso das paredes e após a convocação do empreiteiro que havia construído a casa alguns anos antes.

É inútil recordar, a esse respeito, aquilo a que poderíamos chamar de perplexidade do público. Nas condições em que ocorreu, o fato assumiu a aparência de um truque de mágica. Em vez da intervenção de um personagem dispondo de meios desconhecidos, tendia-se a ver ali o entretenimento de um mágico dotado de uma prodigiosa habilidade.

No entanto, ficou estabelecido que as indicações de dom Luís Perenna eram justificadas, e que a data do dia 25, como a de 15 de abril, tinha suscitado o incidente previsto. A data de 5 de maio daria sequência à série? Ninguém duvidava disso, já que dom Luís havia previsto e que parecia a todos que dom Luís não podia se enganar. E durante toda a noite de 5 para 6 de maio, uma multidão se encontrou ao longo do boulevard Suchet. Curiosos e notívagos vieram em bando para receber notícias.

O próprio comandante-geral, profundamente impressionado com o duplo milagre, quis ver e testemunhar pessoalmente as operações da terceira noite. Ele estava acompanhado por vários inspetores que deixou no jardim, no corredor e na mansarda do andar superior. Ele mesmo se estabeleceu no térreo junto com o subchefe Weber, Mazeroux e dom Luís Perenna.

A espera foi em vão, e por culpa do senhor Desmalions. Apesar da opinião formal de dom Luís de que a experiência era inútil, ele decidiu, a fim de descobrir se a luminosidade impediria o milagre de acontecer, não apagar as luzes. Em tais condições, não poderia surgir nenhuma carta, e nenhuma carta surgiu. Quer fosse um truque de mágica ou um estratagema de criminoso, a ajuda da sombra auspiciosa era necessária.

Então, foram dez dias perdidos, se é que o diabólico correspondente ousava renovar sua tentativa e produzir a terceira carta misteriosa.

Em 15 de maio, a sentinela foi retomada enquanto a mesma multidão se reunia do lado de fora, uma multidão ansiosa, ofegante, agitada pelos menores ruídos e que, com os olhos fixos no palácio Fauville, mantinha um silêncio impressionante. Desta vez as luzes foram apagadas, mas o comandante-geral manteve a mão no interruptor elétrico. Dez vezes, vinte vezes, ele acendeu inesperadamente a luz sobre a mesa. Nada. Ora era o estalido de uma mobília que despertava sua atenção, ou o gesto de um dos assistentes.

De repente, todos eles soltaram uma exclamação. Algo insólito, um atrito de papel tinha acabado de interromper o silêncio. O senhor Desmalions ligou o interruptor e gritou. A carta estava lá, não sobre a mesa, mas ao lado dela, no chão, no tapete.

Mazeroux fez o sinal da cruz. Os inspetores estavam lívidos.

O senhor Desmalions olhou para dom Luís, que acenou com a cabeça sem dizer nada.

Verificaram o estado dos cadeados e das fechaduras. Nada de diferente.

Naquele dia, novamente, o conteúdo da carta de alguma forma compensou a maneira verdadeiramente inaudita com que ela emergiu das trevas. Ela acabava de dissipar todas as nuvens que envolviam o duplo assassinato do boulevard Suchet.

Também assinada pelo engenheiro, escrita por ele no dia 8 de fevereiro daquele mesmo ano, sem endereço visível, ela dizia:

Meu querido amigo,

Pois bem! Não, não vou deixar que me degolem como uma ovelha levada para o abatedouro. Vou me defender, vou lutar até o último minuto. Ah! É que agora as coisas mudaram de figura. Tenho provas irrefutáveis. Tenho as cartas trocadas por eles! E sei que eles ainda se amam, como no início, e que querem se casar, e que nada os impedirá.

Está escrito, você percebe, está escrito pela própria mão de Marie-Anne: "Paciência, meu amado Gaston, a coragem está crescendo em mim. Azar daquele que nos separa. Ele irá desaparecer."

Meu bom amigo, se eu sucumbir na luta, você vai encontrar estas cartas (e todo o dossiê que estou reunindo contra a miserável criatura) no cofre que está escondido atrás da pequena vitrine. Então, vingue-me. Até logo. Adeus, talvez...

Tal foi a terceira missiva. Do fundo de sua sepultura, Hippolyte Fauville nomeava e acusava a esposa culpada. Do fundo de sua sepultura, ele desvendava o enigma, explicando as razões pelas quais o crime havia sido cometido: Marie-Anne e Gaston Sauverand se amavam.

Decerto eles sabiam da existência do testamento de Cosmo Mornington, uma vez que haviam começado por eliminá-lo, e a pressa de conquistar a enorme fortuna tinha precipitado o desfecho. Mas a primeira ideia do crime estava enraizada num sentimento antigo: Marie-Anne e Gaston Sauverand se amavam.

Restava um problema para ser resolvido. Quem era, então, aquele correspondente desconhecido a quem Hippolyte Fauville confiava a responsabilidade por sua vingança, e que, em vez de simplesmente entregar as cartas à justiça, empenhava-se em enviá-las por meio das mais maquiavélicas combinações? Ele próprio tinha algum interesse em permanecer nas sombras?

A todas essas perguntas, Marie-Anne respondeu da forma mais inesperada e que, no entanto, estava de acordo com suas ameaças. Oito dias mais tarde, depois de um longo interrogatório no qual ela foi pressionada a dizer quem poderia ser esse antigo amigo de seu marido, e quando foi preciso enfrentar o mais teimoso silêncio e uma espécie de torpor idiota, à noite, quando voltou para sua cela, ela abriu as veias do seu pulso com um pedaço de vidro que tinha conseguido esconder.

Na manhã seguinte, antes das oito horas, dom Luís foi avisado por Mazeroux, que veio ter com ele logo que saiu da cama.

O brigadeiro carregava uma mala de viagem.

A notícia que ele trouxe perturbou dom Luís.

– Ela está morta? – ele reagiu.

– Não... Parece que ela vai escapar novamente. Mas de que adianta?

– Como assim de que adianta?

– Por Deus, ela vai tentar outra vez! Ela está com essa ideia fixa. E um dia ou outro...

– E desta vez ela também não confessou nada antes da tentativa?

– Não. Ela escreveu algumas palavras em um pedaço de papel dizendo que, depois de muito refletir, tínhamos que investigar a origem das cartas misteriosas com o senhor Langernault. Era o único amigo de seu marido que ela já tinha conhecido, o único, em todo caso, que ele chamava de "meu bom amigo". Esse senhor Langernault era o único que poderia ilibá-la e demonstrar o terrível mal-entendido de que ela era vítima.

– Então – disse dom Luís –, se alguém pode exonerá-la, por que ela começa por cortar os pulsos?

– Tudo lhe é indiferente – segundo ela diz. – A vida dela está perdida. O que ela quer é o descanso, a morte.

– Descanso, descanso, não é só na morte que ela o encontra. Se a descoberta da verdade significa sua salvação, pode não ser algo impossível de descobrir.

– O que o senhor quer dizer, chefe? Descobriu alguma coisa? Está começando a compreender tudo?

– Oh! Muito vagamente, mas, mesmo assim, a exatidão realmente anormal dessas cartas parece-me justamente uma indicação...

Ele refletiu por um momento e continuou:

– O endereço apagado das três cartas foi reexaminado?

– Sim, e conseguiram, de fato, reconstruir o nome de Langernault.

– E onde vive esse Langernault?

– Segundo a senhora Fauville, no vilarejo de Formigny, em Orne.

– Decifraram o nome Formigny em uma das missivas?

– Não, mas o da cidade onde ele está localizado.

– E que cidade é essa?

– Alençon.

– E é para lá que você vai?

– Sim, o comandante-geral mandou que eu vá depressa. Vou pegar o trem.

– Você quer dizer que vai entrar no meu carro e que iremos juntos, meu rapaz. Preciso de ação, o ar desta casa é mortal para mim.

– O que o senhor está dizendo, chefe?

– Nada, só que eu me conheço.

Meia hora depois, eles estavam a caminho de Versalhes. Perenna conduzia seu carro conversível, e de tal forma que Mazeroux, um pouco sufocado, articulava de vez em quando:

– Minha nossa, estamos indo rápido demais... Com mil raios! O senhor está acelerando demais, chefe! Não tem medo de capotar?

Chegaram em Alençon na hora do almoço. Após a refeição, foram até a agência central dos Correios. Ninguém conhecia o senhor Langernault. Além disso, a comuna de Formigny tinha seu próprio escritório. Por conseguinte, era preciso supor, uma vez que as cartas tinham o carimbo de Alençon, que o senhor Langernault mandava endereçar suas correspondências para essa cidade, mas sob o disfarce da posta-restante.

Dom Luís e Mazeroux seguiram para o vilarejo de Formigny. Lá o receptor também não conhecia ninguém com o nome Langernault, embora houvesse apenas mil habitantes em Formigny.

– Vamos falar com o presidente da câmara municipal – disse Perenna.

Na Câmara Municipal, Mazeroux apresentou seus títulos e o objetivo de sua visita. O presidente da câmara exclamou:

– O ingênuo Langernault... se bem me lembro... um bom homem... um antigo mercador na capital.

– Que tem o hábito de retirar sua correspondência na agência dos Correios de Alençon, não é mesmo?

– Isso mesmo... com o objetivo de dar um passeio cotidiano.

– E sua residência?

– No fim do vilarejo. Os senhores passaram na frente dela.

– Podemos ir até lá?

– Ora, claro que sim... só que... há quatro anos ele não voltou mais para casa depois que saiu. Pobre homem.

– Como assim?

– Ele está morto há quatro anos.

Dom Luís e Mazeroux se entreolharam espantados.

– Ah! Ele está morto – disse dom Luís.

– Sim, morreu com um tiro.

– O que o senhor está dizendo? – exclamou Perenna. – Ele foi assassinado?

– Não, não, foi o que se imaginou primeiro quando o encontraram caído no chão do quarto, mas a investigação provou que houve um acidente. Enquanto limpava sua espingarda, ele acabou disparando um tiro contra o próprio ventre. Mas, mesmo assim, no vilarejo tudo isso pareceu bastante suspeito.

– Ele tinha muito dinheiro?

– Sim, e foi exatamente isso que interessou no caso, não conseguiram encontrar um centavo da sua fortuna.

Dom Luís permaneceu pensativo por um bom tempo, então retomou:

– Ele deixou filhos ou pais com o mesmo nome?

– Ninguém, nem sequer um primo. Prova disso é que sua propriedade, o Vieux-Château, que é chamado assim porque se encontra em ruínas, permanece no mesmo estado. A administração do patrimônio público mandou interditar as portas da residência e barricar as do parque. Estão à espera do fim do prazo para tomar posse de tudo.

– E os curiosos não vão passear no parque, apesar dos muros?

– Por Deus, não. Primeiramente, os muros são altos. Além disso... além disso, o Vieux-Château sempre teve uma má reputação na região. Sempre se falou de fantasmas... muitas histórias fantásticas, mas mesmo assim...

Perenna e seu companheiro não conseguiam acreditar no que estavam ouvindo.

– Essa é demais – exclamou dom Luís quando eles deixaram a Câmara Municipal. – Quer dizer então que o engenheiro Fauville escrevia suas cartas para um homem morto, e um homem morto que, aliás, parece ter sido assassinado.

– Alguém deve tê-las interceptado.

– Evidentemente. Ainda assim, ele as escrevia para um homem morto a quem ele fazia confidências e contava sobre os planos criminosos de sua esposa.

Mazeroux se calou. Ele também parecia extremamente perturbado.

Durante parte da tarde, eles se informaram sobre os hábitos do pobre Langernault, com a esperança de descobrir alguma indicação útil de quem o conhecia. Mas seus esforços não chegaram a nenhum resultado.

Por volta das seis horas, no momento de partir, dom Luís descobriu que o carro estava sem combustível e teve que enviar Mazeroux de carriola para os arredores de Alençon. Ele aproveitou esse intervalo para visitar o Vieux-Château no final do vilarejo.

Era necessário seguir, entre duas sebes, um caminho que levava a uma rotatória repleta de tílias e onde se erguia, no meio de um muro, uma porta de madeira maciça. Como a porta estava fechada, dom Luís ladeou o muro e conseguiu pulá-lo usando os ramos de uma árvore próxima. No parque, a grama estava alta e salpicada de grandes flores silvestres e de alamedas cobertas de ervas que seguiam, à direita, em direção a um montículo distante onde se erguiam os edifícios arruinados, e, à esquerda, para uma pequena casa deteriorada com portadas mal encaixadas.

Ele seguia nessa direção quando ficou muito surpreso ao ver no chão de um canteiro de flores, que as recentes chuvas haviam encharcado, traços de pegadas bem frescas. E ele se deu conta de que essas pegadas tinham sido deixadas por botas femininas, botas de solado elegante e fino.

"Quem diabos vem passear por aqui?", ele pensou.

Ele encontrou os mesmos traços um pouco mais adiante, em outro canteiro de flores que a transeunte havia cruzado, e esses traços o levaram para o lado oposto da casa, na direção de um conjunto de bosques onde ele encontrou mais duas pegadas.

Depois os rastros sumiram por completo.

Dom Luís estava, então, ao lado de um vasto celeiro apoiado em um talude muito alto, um tanto arruinado e cujas portas carcomidas pareciam se sustentar apenas por um acaso do equilíbrio.

Ele se aproximou e colocou o olho no meio de uma fenda na madeira. No interior, na semipenumbra desse celeiro sem janelas e que as aberturas cobertas com palha mal iluminavam por causa do entardecer, havia uma pilha de barris, prensas demolidas, arados velhos e sucata de metal de todo tipo.

"Certamente não foi por aqui que a caminhante conduziu seus passos", pensou dom Luís. "Vamos procurar em outro lugar."

Mas ele não se mexeu. Tinha acabado de ouvir um barulho no celeiro. Ele apurou os ouvidos e não percebeu mais nada. Mas como queria ter certeza, com um choque de seu ombro ele derrubou uma tábua e entrou.

A brecha que havia aberto iluminou um pouco o recinto e ele conseguiu deslizar, entre dois vasilhames, sobre os escombros de chassis cujos vidros ele quebrou até chegar a um espaço vazio do outro lado. Ele caminhou e seus olhos se adaptaram à escuridão. De repente ele bateu a testa, sem enxergar direito, em algo bastante duro e que, posto em movimento, balançou produzindo um ruído estranho e seco.

Decididamente, a escuridão era demasiado densa. Dom Luís tirou do bolso uma lanterna elétrica e a acendeu.

– Minha mãe do céu! – ele exclamou enquanto recuava, assustado.

Acima dele havia um esqueleto pendurado!

E logo Perenna proferiu outro palavrão. Ao lado do primeiro, havia um segundo esqueleto, também enforcado!

Espessas cordas prendiam ambos a pitões presos às vigas do celeiro. As cabeças pendiam para fora do laço. O que Perenna havia tocado ainda se movia um pouco, e os ossos, quando colidiam, faziam um barulho sinistro.

Ele empurrou uma mesa coxa, que apoiou como pôde e sobre a qual subiu a fim de examinar de perto os dois esqueletos.

Eles estavam virados um de frente para o outro, cara a cara, o primeiro consideravelmente maior do que o outro. Eram um homem e uma mulher. Mesmo que nenhum choque os agitasse, o vento soprando através das aberturas do celeiro os balançava ligeiramente, aproximava-os e os afastava em uma espécie de dança muito lenta, em um mesmo ritmo.

Mas, talvez, o que mais o impressionou naquela visão macabra foi ver que cada um dos esqueletos, em torno dos quais não existia mais nenhum fragmento de roupa, conservava um anel de ouro, muito largo agora que a carne tinha desaparecido, mas que as falanges curvadas de cada dedo prendiam como se fossem ganchos.

Com um arrepio de nojo, ele soltou esses anéis.

Eram alianças de casamento.

Ele as examinou. No interior de cada uma delas tinha uma data, a mesma data, 12 de agosto de 1892, e dois nomes: Alfred e Victorine.

– Marido e mulher – sussurrou ele. – Será que foi um duplo suicídio? Um crime? Mas como é possível que ainda não tenham descoberto estes dois esqueletos? Será que teremos que admitir que eles estão aqui desde a morte de Langernault, desde que a administração tomou posse da propriedade e que ninguém pode entrar nela?

Ele refletiu:

"Ninguém pode entrar? Ninguém...? Pode sim, já que vi pegadas no jardim e hoje mesmo uma mulher entrou aqui."

A ideia dessa visitante desconhecida o assombrava novamente e ele desceu. Apesar do barulho que ele tinha ouvido, não era possível supor que ela tinha entrado no celeiro. Depois de alguns minutos de investigação, ele ia sair do celeiro quando ocorreu, vindo da esquerda, um estrondo de coisas desmoronando e anéis de barris caíram bruscamente perto dele.

Eles caíam do alto, de um sótão igualmente cheio de objetos e de instrumentos e no qual uma escada estava apoiada. Seria possível acreditar que a visitante, surpreendida com sua chegada e tendo se refugiado nesse esconderijo, teria feito um movimento que provocasse a queda dos anéis de barris?

Dom Luís apontou sua lanterna para um barril, para que a luz refletisse e iluminasse o sótão. Não vendo nada suspeito, nada além de um arsenal de ancinhos velhos, picaretas e foices inutilizadas, ele atribuiu o incidente a algum animal, a um gato selvagem, e, para ter certeza disso, ele se precipitou na direção da escada e subiu.

De repente, e assim que chegou ao nível do assoalho, houve um novo tumulto, uma nova enxurrada de objetos, e uma silhueta emergiu da confusão com um gesto assustador.

Tudo aconteceu rápido como um raio. Dom Luís viu a grande lâmina de uma foice que cortava o espaço na altura de sua cabeça. Um segundo de hesitação, um décimo de segundo, e a arma terrível o decapitaria.

Ele só teve tempo de se abaixar contra a escada. A foice assobiou perto dele, tocando-lhe o casaco. Ele escorregou até o chão.

Mas ele tinha visto.

Ele tinha visto a terrível máscara de Gaston Sauverand, e, atrás do homem com a bengala de ébano, lívida sob o clarão da lanterna, a figura convulsiva de Florence Levasseur!

A IRA DE LUPIN

Dom Luís permaneceu imóvel por um momento, perplexo. No topo da escada havia todo um tumulto de objetos empilhados, como se os dois sitiados tivessem construído uma barricada. Mas, à direita da luz projetada, a confusa claridade do dia penetrou através de uma abertura descoberta, de repente e ele avistou diante dessa abertura uma silhueta, depois outra, que se abaixava para fugir pelo telhado.

Ele apontou seu revólver e disparou, mas mal, porque pensava em Florence e sua mão tremia. Mais três disparos. As balas estalaram sobre as ferragens do sótão. No quinto tiro, ouviu-se um grito de dor. Dom Luís subiu a escada outra vez.

Atrasado pela confusão dos objetos, em seguida por feixes de colza seca que formavam uma verdadeira fortaleza, ele conseguiu, enfim, ferindo-se e se esfolando, ganhar a abertura, e ficou muito surpreso quando a atravessou e se viu em um terraplano. Era o topo do aterro contra o qual o celeiro estava apoiado.

Ele desceu o aterro ao acaso, à esquerda do celeiro, e voltou para a frente da fachada do edifício sem ver ninguém. Então ele subiu novamente pela direita, e embora o terraplano fosse de proporções exíguas, procurou cuidadosamente, pois, na sombra emergente do anoitecer, temia um retorno ofensivo do inimigo.

E foi então que percebeu algo que ainda não tinha notado. O aterro delimitava o topo do muro, que neste ponto tinha cinco metros de altura. Sem dúvida Gaston Sauverand e Florence tinham fugido por ali.

Perenna seguiu o cume, que era bastante largo, até uma parte menos elevada do muro, e lá ele pulou em uma faixa de terra arada, localizada na borda de um pequeno bosque para o qual os fugitivos deviam ter escapado. Ele começou a explorá-lo, mas, dada a espessura do bosque, imediatamente percebeu que era uma perda de tempo se demorar em uma busca vã.

Então ele voltou para o vilarejo enquanto pensava nas vicissitudes dessa nova batalha. Mais uma vez, Florence e seu cúmplice tinham tentado se livrar dele. Mais uma vez, Florence aparecia no centro dessa rede de intrigas criminosas. No momento em que o acaso revelava a dom Luís que o pobre Langernault provavelmente tinha sido assassinado, no momento em que o acaso, atraindo-o para o celeiro dos enforcados, segundo sua expressão, colocava-o diante de dois esqueletos, Florence surgia como a representação de um assassino, um gênio do mal que podia ser visto por toda parte por onde a morte havia passado, por toda parte onde havia sangue, cadáveres...

– Ah, a horrível criatura! – ele murmurava, tremendo. – Como é possível que ela tenha uma aparência tão nobre? E olhos, olhos cuja beleza séria, sincera, quase ingênua não pode ser esquecida...

Na praça da igreja, em frente à pousada, Mazeroux, de volta, enchia o tanque com gasolina e acendia os faróis. Dom Luís avistou o presidente da Câmara Municipal de Formigny que estava atravessando a praça. Ele o chamou de lado:

– A propósito, por acaso o senhor ouviu falar na região, há mais ou menos dois anos, sobre o desaparecimento de um casal de uns 40 ou 50 anos? O marido se chamava Alfred...

– E a esposa, Victorine, não é? – interrompeu o presidente da câmara.

– Acho que sim. A história deu o que falar.

– Eram pequenos arrendatários de Alençon que desapareceram da noite para o dia sem que nunca mais se soubesse nada sobre o paradeiro deles nem sobre seu pecúlio, vinte mil francos que eles tinham recebido, no dia anterior, com a venda da sua casa... Sim, eu me lembro bem! O casal Dedessuslamare!

– Obrigado, senhor – disse Perenna, que tinha colhido informações suficientes.

O carro estava pronto. Um minuto depois, ele partia de Alençon com Mazeroux.

– Aonde vamos, chefe? – perguntou o brigadeiro.

– Para a estação. Tenho todas as razões para acreditar: 1º que Gaston Sauverand tomou ciência esta manhã (como? um dia saberemos) das revelações feitas na mesma noite pela senhora Fauville em relação ao pobre Langernault; 2º que ele veio hoje rondar a propriedade e o domínio de Langernault, por razões que também saberemos um dia. Ora, suponho que ele tenha vindo de trem e é de trem que ele retornará.

A suposição de Perenna recebeu uma confirmação imediata. Na estação, disseram-lhe que um cavalheiro e uma senhora tinham chegado de Paris às duas horas, que tinham alugado um cabriolé no hotel vizinho e que, terminadas suas atividades, tinham acabado de tomar o expresso das 7h40. As descrições desse cavalheiro e dessa senhora correspondiam exatamente às de Sauverand e de Florence.

– Em marcha – disse a Perenna depois de consultar as horas. – Estamos uma hora atrasados. É possível chegarmos em Le Mans antes dos bandidos.

– Chegaremos, chefe, e vamos pôr as mãos nele, eu juro! Nele e em sua senhora, uma vez que eles são dois.

– São dois, de fato. Só que...

– Só que...

Dom Luís esperou que eles tivessem ocupado seus lugares para responder e que o motor estivesse funcionando:

– Só que, meu rapaz, você vai deixar a senhora em paz.

– E por quê?

– Você tem um mandado contra ela?

– Não.

– Então, deixe-a em paz?

– Entretanto...

– Mais uma palavra, Alexandre, e eu abandono você na beira da estrada. E então você fará as detenções que bem quiser.

Mazeroux não disse mais nada. Além disso, a rapidez com que viajavam não lhe dava a oportunidade de protestar. Muito preocupado, ele só pensava em olhar para o horizonte e evitar os obstáculos. De ambos os lados, as árvores quase não podiam ser vislumbradas. O topo de suas folhagens fazia um som ritmado de ondas bramindo. Os animais noturnos se assustavam com a luz dos faróis.

Mazeroux arriscou dizer:

– Nós chegaremos de todo modo. Não é preciso "acelerar mais".

O ritmo aumentou. Ele se calou.

Vilarejos, planícies, colinas, e então, de repente, no meio das trevas, a claridade de uma cidade grande: Le Mans.

– Sabe onde fica a estação, Alexandre?

– Sim, chefe, à direita e depois em frente.

Claro que era para a esquerda que eles deviam ter virado. Eles perderam sete ou oito minutos vagando pelas ruas onde lhes foram dadas informações conflitantes. Quando o carro parou em frente à estação, o trem apitava.

Dom Luís saltou do carro, correu pelas salas, encontrou as entradas fechadas, empurrou os funcionários que tentaram segurá-lo e chegou à plataforma.

Um trem ia partir duas plataformas mais adiante. Estavam fechando a última porta. Ele correu pelos vagões se agarrando às barras de cobre.

– O seu bilhete, senhor! O senhor não tem um bilhete! – gritou um funcionário num tom furioso.

Dom Luís continuou suas acrobacias pelos degraus, olhando através das janelas, afastando as pessoas cuja presença nas janelas o atrapalhavam, pronto para invadir o compartimento onde se encontravam os dois cúmplices.

Ele não os viu nos últimos vagões. O trem vibrava, e de repente ele gritou. Eles estavam lá, os dois, sozinhos! Ele os tinha visto! Eles estavam lá! Florence, estendida sobre o banco, a cabeça apoiada no ombro de Gaston Sauverand, e ele curvado sobre ela com os dois braços em volta da jovem!

Furioso de raiva, ele levantou o loquete de cobre e agarrou a maçaneta.

No mesmo instante, perdeu o equilíbrio, puxado pelo funcionário furioso e por Mazeroux, que berrava:

– Mas isso é loucura, chefe, o senhor vai ser esmagado.

– Seu imbecil! – gritou dom Luís. – São eles... me solta!

Os vagões se moviam. Ele tentou pular em outro degrau, mas os dois homens o agarraram. Os cobradores intervieram. O chefe da estação veio em socorro. O trem partiu.

– Idiotas! – ele vociferou. – Broncos! Bando de bestas! Não podiam ter me soltado? Ah, por Deus!

Desferindo um golpe com o punho esquerdo, ele abateu o funcionário. Com o punho direito, derrubou Mazeroux. E, livrando-se dos cobradores e do chefe da estação, ele se atirou na plataforma e correu até a sala de bagagens, onde, com alguns saltos, ultrapassou várias pilhas de malas, caixas e sacolas.

– Ah! Aquele ignorante – ele falou entre os dentes, constatando que Mazeroux tinha tomado o cuidado de desligar o motor do automóvel. – Quando deve cometer uma estupidez, ele não falha.

Se dom Luís já tinha conduzido seu carro a grande velocidade durante o dia, aquela noite foi vertiginosa. Uma verdadeira tromba atravessou os arredores de Le Mans e correu pelas estradas principais. Ele tinha apenas um pensamento, apenas um objetivo, chegar à próxima estação, que era Chartres, antes dos dois cúmplices e pular no pescoço de Sauverand. Ele só vislumbrava isso, o abraço selvagem que faria o amante de Florence Levasseur agonizar entre suas mãos.

– Seu amante! Seu amante! – ele resmungava. – Ah, por Deus, sim, assim tudo está explicado. Ambos uniram forças contra sua cúmplice, Marie-Anne Fauville, e é a pobre infeliz quem pagará sozinha pela terrível série de crimes. Será que ela é cúmplice deles? Quem sabe! Quem sabe se esse casal de demônios não é capaz, depois de matar o engenheiro Fauville e seu filho, de ter engendrado a perda de Marie-Anne, o último obstáculo que os separava da herança de Mornington? Por que não? Afinal, não está tudo de acordo com essa hipótese? A lista de datas não foi encontrada por mim num livro pertencente a Florence? A realidade não prova que as cartas foram comunicadas por Florence? Essas cartas não acusam também Gaston Sauverand? Que seja! Ele não ama mais Marie-Anne, mas sim Florence. E Florence o ama. Ela é sua cúmplice, sua conselheira, aquela que vai viver ao lado dele e que vai desfrutar de sua fortuna. Às vezes, certamente, ela finge defender Marie-Anne... Puro fingimento! Ou talvez remorso, consternação com a ideia de tudo o que fez contra sua rival e do destino que se reserva para a infeliz! Mas ela ama Sauverand. E continua a luta sem misericórdia, sem descanso. E foi por isso que ela quis me matar, a mim, ao intruso, a mim cuja clarividência ela temia... E ela me execra, ela me odeia...

Sob o zumbido do motor, no assobio das árvores que se abatiam em seu encontro, ele sussurrava palavras incoerentes. A lembrança dos dois amantes, ternamente entrelaçados, fazia-o gritar de ciúme. Ele queria vingança. Pela primeira vez, a inveja, a vontade de matar, estava borbulhando em seu cérebro tumultuado.

– Santo Deus – ele de repente gritou –, o motor está falhando. Mazeroux!

– Hein! O quê! Chefe, então o senhor sabia que eu estava aqui – vociferou Mazeroux saindo da sombra onde estava escondido.

– Cretino! Então você imagina que o primeiro idiota que aparece pode se agarrar ao degrau do meu carro sem que eu repare? Você deve estar à vontade aí.

– É pura tortura, e estou tremendo.

– Ótimo, isso vai servir de lição. Mas onde diabos você comprou esse combustível?

– Na mercearia.

– De algum um ladrão. Isso não presta. Está sujando as velas.

– O senhor tem certeza?

– E os roncos, não está ouvindo, idiota?

O carro parecia, de fato, hesitar às vezes. Depois tudo voltou ao normal. Dom Luís forçou a velocidade. Ao descerem a costa, pareciam atirar-se no abismo. Um dos faróis se apagou. O outro não tinha mais a clareza habitual. Mas nada diminuía o ardor de dom Luís.

Houve outras falhas, uma nova hesitação, e depois alguns esforços, como se o motor corajosamente tentasse cumprir o seu dever. E então, de repente, veio a impotência definitiva, a parada no meio da estrada, a estúpida pane.

– Em nome de Deus – gritou dom Luís –, aqui estamos nós! Ah, isso é o cúmulo!

– Deixa disso, chefe. Nós podemos consertar. E pegaremos Sauverand em Paris em vez de Chartres, só isso.

– Triplo imbecil! Fica a uma hora de distância! Além disso, o problema vai continuar. Não foi gasolina que venderam a você, foi fuligem.

À volta deles, o campo se estendia até o infinito, sem outra luz além da das estrelas que crivavam a escuridão do céu.

Dom Luís sapateava de raiva. Ele queria quebrar o carro com pontapés. Ele queria...

Foi em Mazeroux que ele "descontou", segundo a expressão do infeliz brigadeiro. Dom Luís agarrou-o pelos ombros, sacudiu-o, vociferou insultos e disparates, e, finalmente, atirando-o contra o talude, disse-lhe, com a voz entrecortada, ora com ódio, ora com dor:

– Foi ela, está ouvindo, Mazeroux? Foi a companheira do Sauverand quem fez tudo. Preciso dizer tudo agora, porque tenho medo de fraquejar. Sim, sou um covarde. Ela tem um rosto tão sério... e olhos infantis. Mas é ela, Mazeroux. Ela vive na minha casa. Lembre-se do nome dela, Florence Levasseur... Você vai prendê-la, não vai? Eu não conseguiria... Não tenho coragem quando a olho.

"É que nunca gostei tanto... As outras mulheres... as outras mulheres... não, eram apenas capricho... nem isso... Nem sequer me lembro do passado! Enquanto Florence... Mas temos de prendê-la, Mazeroux. Preciso me libertar dos olhos dela... Eles me fulminam... são como veneno. Se você não me libertar dela, mato-a como fiz com Dolores... ou serei morto... ou... Ah! Não sei mais nada sobre todas as ideias que me destroem... É que há outro homem... há Sauverand a quem ela ama. Ah, os miseráveis! Eles mataram Fauville e o filho, e o velho Langernault, e os outros dois no celeiro... e outros, Cosmo Mornington, Vérot, e outros ainda. Eles são monstros. Ela especialmente... E se você visse os olhos dela...

Ele falava tão baixo que Mazeroux mal conseguia ouvi-lo. Seu abraço havia se afrouxado e ele parecia devastado pelo desespero, algo surpreendente nesse homem tão prodigioso de energia e equilíbrio.

– Vamos, chefe – disse o brigadeiro, levantando-o –, tudo isso é um exagero... Histórias de mulheres... Eu sei disso... Passei por isso como todo mundo... A senhora Mazeroux, meu Deus, sim, durante a sua ausência eu me casei. Bem! A senhora Mazeroux não era quem devia ter sido. Eu sofri muito... A senhora Mazeroux...

Ele gentilmente levou-o para o carro e o instalou no banco de trás.

– Descanse, chefe. A noite não está muito fria e não faltam agasalhos... Quando o primeiro camponês passar, de manhã cedo, eu pedirei para ele buscar o que precisamos na cidade vizinha. E provisões também, porque estou morrendo de fome. E tudo será resolvido... Tudo se resolve com mulheres... Basta colocá-las para fora da sua vida, a não ser que elas mesmas tomem essa iniciativa, como fez a senhora Mazeroux...

Dom Luís nunca saberia do paradeiro da senhora Mazeroux. As mais violentas crises não surtiram o menor impacto na paz do seu sono. Ele adormeceu quase imediatamente.

Já era tarde quando ele acordou no dia seguinte. Só às sete horas da manhã Mazeroux tinha conseguido fazer contato com um ciclista que seguia seu caminho para Chartres. Às nove horas eles partiram.

Dom Luís tinha recuperado a compostura. Ele disse ao brigadeiro:

– Eu disse um monte de disparates ontem à noite. Não me arrependo. Não, o meu dever é fazer tudo para salvar a senhora Fauville e chegar ao verdadeiro culpado. Essa tarefa é minha responsabilidade e eu juro que não falharei. Esta noite, Florence Levasseur vai dormir na prisão.

– Eu vou ajudá-lo, chefe – respondeu Mazeroux com uma voz singular.

– Não preciso de ninguém. Se você tocar num único fio de cabelo dela, eu acabo com você. Estamos de acordo?

– Sim, chefe.

– Então trate de se acalmar.

Sua raiva retornava gradualmente e resultava em uma aceleração da velocidade, que Mazeroux pensava ser uma vingança contra ele. Eles queimaram os pneus pelo asfalto de Chartres. Rambouillet, Chevreuse, Versalhes tiveram a visão assustadora de um velocista que as atravessou de uma ponta a outra. Saint-Cloud. O bosque de Boulogne…

Na praça da Concorde, enquanto o carro se dirigia para Tuileries, Mazeroux contestou:

– Não vai para casa, chefe?

– Não. Primeiro o mais urgente: é necessário dissuadir Marie-Anne Fauville de sua obsessão pelo suicídio dizendo-lhe que os culpados foram encontrados…

– E depois?

– Depois vou falar com o comandante-geral.

– O senhor Desmalions está ausente e só volta esta tarde.

– Nesse caso, falarei com o juiz de instrução.

– Ele só chegará ao Palácio ao meio-dia, e são onze horas.

– Veremos.

Mazeroux tinha razão. Não havia ninguém no Palácio de Justiça.

Dom Luís almoçou nas proximidades e Mazeroux, depois de passar na Sûreté, veio buscá-lo e o levou ao corredor dos juízes. Sua agitação e sua extraordinária ansiedade não escaparam a Mazeroux, que perguntou:

– O senhor continua decidido, chefe?

– Mais do que nunca. Enquanto almoçava, li os jornais. Marie-Anne Fauville, que havia sido levada à enfermaria após a segunda tentativa, tentou novamente quebrar a cabeça contra as paredes da sala. Precisaram colocá-la numa camisa de força. Mas ela recusa qualquer alimento. O meu dever é salvá-la.

– Como?

– Entregando o verdadeiro culpado. Vou advertir o juiz de instrução e esta noite trago a vocês Florence Levasseur, viva ou morta.

– E Sauverand?

– Sauverand! Não vai demorar. A não ser que...

– A não ser?

– A não ser que eu mesmo acabe com aquele desgraçado.

– Chefe!

– Que maçada!

Havia perto deles jornalistas que estavam em busca de notícias. Ele foi reconhecido e lhes disse:

– Podem anunciar, senhores, que, a partir de hoje, vou assumir a defesa de Marie-Anne Fauville e me dedicar inteiramente à sua causa.

Houve uma surpresa geral. Não foi ele quem mandou prender a senhora Fauville? Não foi ele quem reuniu contra ela um monte de provas incontestáveis?

– Essas provas – disse ele – serão destruídas uma a uma. Marie-Anne Fauville é vítima de miseráveis que planejaram as mais diabólicas maquinações contra ela, e estou prestes a entregá-los à justiça.

– Mas e os dentes? A impressão dos dentes?

– Coincidência! Uma coincidência inaudita, mas que me parece hoje a mais forte prova de inocência. De fato, se Marie-Anne Fauville tivesse sido hábil suficiente para cometer todos esses crimes, também o teria sido para não deixar atrás de si uma fruta marcada por sua dupla arcada dentária.

– Entretanto...

– Ela é inocente! E é isso que vou dizer ao juiz de instrução. Ela deve ser alertada dos esforços que estão sendo feitos a seu favor. Temos de lhe dar esperança imediatamente. Caso contrário, a infeliz mulher vai se matar e sua morte pesará sobre todos aqueles que acusaram uma mulher inocente. É preciso...

Neste momento, ele se interrompeu. Seus olhos se fixaram em um dos jornalistas que, um pouco distante, o ouvia enquanto tomava nota...

Ele disse muito baixo para Mazeroux:

– Descubra o nome daquele tipo ali. Não sei de onde o conheço.

Mas um oficial de justiça tinha acabado de abrir a porta do juiz de instrução, que, ao receber o cartão de Perenna, queria vê-lo imediatamente.

Então ele caminhou e estava prestes a entrar no escritório, assim como Mazeroux, quando de repente se virou para seu companheiro e soltou um grito enfurecido:

– É ele! Era o Sauverand que estava lá, disfarçado. Peguem-no! Ele acabou de ir embora. Corram!

Ele mesmo correu, seguido por Mazeroux, por guardas e por jornalistas. Ele não demorou muito para se distanciar de todos, de tal modo que, três minutos depois, não ouviu mais ninguém atrás dele. Ele tinha despencado pelas escadas da Souricière e atravessado o subsolo que dá passagem de um pátio para outro. Lá, duas pessoas afirmaram ter visto um homem que caminhava rapidamente.

A pista era falsa. Ele percebeu isso, procurou, perdeu tempo e conseguiu descobrir que Sauverand tinha fugido pelo boulevard do Palais e que tinha encontrado, no cais de Horloge, uma mulher loira, muito bonita, Florence

Levasseur, obviamente... Ambos tinham embarcado no ônibus que vai da praça Saint-Michel até a estação Saint-Lazare.

Dom Luís voltou para uma pequena rua isolada onde tinha deixado seu carro sob a supervisão de um garoto. Ele ligou o motor e, a toda velocidade, chegou à estação Saint-Lazare. Do ponto de ônibus, partiu atrás de uma nova pista, que também era falsa, perdeu ainda mais de uma hora, voltou para a estação e acabou por se certificar de que Florence havia embarcado sozinha em um ônibus que a conduzia à praça do Palais-Bourbon. Logo, e contrariando todas as expectativas, a jovem devia ter voltado para casa.

A ideia de revê-la exasperou a raiva dele. Enquanto seguia pela rua Royale e cruzava a praça Concorde, ele balbuciava palavras de vingança e ameaças que estava ansioso para pôr em prática. E ele insultava Florence. E ele a fustigava com suas injúrias. E era uma necessidade, amarga e dolorosa, fazer mal à vilã criatura.

Mas, ao chegar à praça do Palais-Bourbon, ele parou bruscamente. De repente, seu olhar treinado tinha contado, da direita à esquerda, meia dúzia de indivíduos cuja aparência profissional não podia ser ignorada. E Mazeroux, que o tinha visto, tinha acabado de se virar e estava escondido sob um portão.

Ele chamou:

– Mazeroux!

O brigadeiro pareceu muito surpreso ao ouvir seu nome e se aproximou do carro.

– Chefe!

Sua figura expressava tal desconforto que o medo de dom Luís se intensificou.

– Espere aí, não é por minha causa que você e os seus homens estão plantados diante da minha casa?

– Mas que ideia, chefe! – respondeu Mazeroux com um ar envergonhado. – O senhor sabe muito bem que está em vantagem.

Dom Luís teve um sobressalto. Ele tinha compreendido tudo. Mazeroux o havia traído. Tanto para obedecer aos escrúpulos de sua consciência quanto para demover seu chefe dos perigos de uma paixão fatal, Mazeroux tinha denunciado Florence Levasseur.

Ele apertou os punhos num esforço envolvendo todo o seu ser para conter a raiva que fervilhava dentro dele. O golpe era terrível. Ele tinha a súbita intuição de todas as falhas decorrentes da demência do seu ciúme desde o dia anterior, e o pressentimento do que poderia haver de irreparável em tudo isso. A direção dos acontecimentos lhe escapava.

– Você tem um mandado? – ele perguntou.

Mazeroux gaguejou:

– Por acaso eu encontrei o comandante-geral que estava retornando e conversei com ele sobre esse caso da senhorita. E eis que, justamente, haviam encontrado essa fotografia... O senhor sabe, a fotografia de Florence Levasseur que o comandante lhe confiou. Pois bem, descobriram que o senhor a retocou. Então, quando eu disse o nome Florence, o comandante se lembrou de que era esse o nome.

– Você tem um mandado? – repetiu dom Luís em tom mais severo.

– Claro! Foi preciso... O senhor Desmalions... o juiz...

Se a praça do Palais-Bourbon estivesse deserta, dom Luís certamente teria se aliviado no queixo de Mazeroux com um gancho desferido de acordo com as regras da arte. Além disso, Mazeroux previu essa eventualidade, porque se manteve cautelosamente o mais distante possível, e, para apaziguar a ira do chefe, emendava uma série de desculpas.

– É para o seu bem, chefe... era preciso fazê-lo. Pense nisso! O senhor ordenou: “Livre-me dessa criatura. Sou covarde demais para isso. Você vai prendê-la, não vai? Os olhos dela me fulminam. São como veneno”. Então, chefe, eu poderia agir de outro modo? Não, não é mesmo? Especialmente porque o subchefe Weber...

– Ah! O Weber também sabe?

– Claro! Sim. O comandante está um pouco desconfiado do senhor agora que soube da fotografia falsa... Então o Weber vai chegar daqui mais ou menos uma hora, com reforços. Então eu estava dizendo que o subchefe tinha acabado de saber que a mulher que ia para a casa de Gaston Sauverand, em Neuilly, na residência do boulevard Richard-Wallace, era loira, muito bonita, e que seu nome era Florence. Ela chegava a passar algumas noites por lá, inclusive.

– Você está mentindo! Está mentindo! – esbravejou Perenna.

Todo seu ódio tinha aumentado. Ele tinha perseguido Florence com intenções que não poderia revelar. E eis que, de repente, ele queria condená-la novamente, e conscientemente desta vez. Na verdade, ele já não sabia mais o que estava fazendo. Tinha agido aleatoriamente, agitado pelas mais diversas emoções, atormentado por esse amor desordenado que nos impulsiona, ao mesmo tempo, a matar o ser que amamos ou morrer para salvá-lo.

Um ambulante passou vendendo uma edição especial do *Jornal do meio-dia*, onde ele conseguiu ler, em letras grandes:

Declaração de dom Luís Perenna. A senhora Fauville seria inocente. – Prisão iminente dos culpados.

– Sim, sim – disse ele em voz alta. O drama está chegando ao fim. Florence pagará por sua dívida. Sinto muito por ela.

Ele voltou a ligar o carro e atravessou o limiar do portão principal. No pátio, disse ao motorista que tinha acabado de se apresentar:

– Assuma o volante e não guarde o carro. Posso precisar sair a qualquer momento.

Ele saltou do banco e, chamando o mordomo:

– A senhorita Levasseur está em casa?

– Sim, senhor, em seu apartamento.

– Ela esteve fora ontem, não é?

– Sim, senhor, ao receber um telegrama solicitando sua presença na província, junto de um parente doente. Ela voltou à noite.

– Preciso falar com ela. Chame-a, por favor, estou aguardando.

– No seu escritório, senhor?

– Não, lá em cima, na antecâmara ao lado do meu quarto.

Era uma sala pequena no segundo andar, outrora usada como toucador feminino, e que ele preferia ao seu escritório desde as tentativas de assassinato de que tinha sido vítima. O espaço era mais tranquilo, mais reservado e ali ele escondia seus documentos importantes. Ele não se separava da chave, uma chave especial, com tripla ranhura e uma mola interna.

Mazeroux havia acompanhado seu chefe até o pátio e seguia todos os seus passos sem que Perenna tivesse percebido. Mas este, dando-se conta, agarrou o brigadeiro pelo braço e o levou até o alpendre.

– Está tudo bem. Eu temia que Florence, suspeitando de algo, não tivesse voltado para casa. Mas, sem dúvida, ela não imagina que eu a vi ontem. Agora ela não pode mais escapar.

Eles atravessaram o vestíbulo e depois subiram até o primeiro andar. Mazeroux esfregou as mãos.

– Então o senhor está racional, chefe?

– Enfim, estou. Não quero que a senhora Fauville se mate, você entende, e como só há uma maneira de evitar essa catástrofe, vou sacrificar Florence.

– Sem sofrer?

– Sem remorsos.

– Então o senhor me perdoa?

– Eu te agradeço.

Dizendo isso, golpeou o colega com um soco no queixo.

Sem dar um só gemido, Mazeroux caiu, desmaiado, sobre os degraus do segundo andar.

Havia, no meio da escada, um reduto obscuro que servia de depósito e onde os criados armazenavam os utensílios de limpeza e a roupa suja. Dom Luís levou Mazeroux para lá e o ajeitou confortavelmente no chão, com as costas apoiadas em uma caixa, e enfiou um lenço em sua boca, amordaçou-o com uma toalha e amarrou os tornozelos e punhos com duas toalhas, amarrando as outras pontas em ganchos.

Quando Mazeroux saiu do entorpecimento, dom Luís lhe disse:

– Acho que você tem tudo de que precisa... toalhas... guardanapos... e uma pera na boca para aliviar a fome. Coma tranquilamente. Além do mais, uma boa soneca e você estará fresco como uma rosa.

Ele trancou a porta e então, consultando o relógio:

– Tenho uma hora pela frente. Está perfeito.

Naquele momento, sua intenção era esta: insultar Florence, cuspir-lhe na cara todas as suas infâmias e todos os seus crimes, e, dessa forma, obter dela uma confissão escrita e assinada. Depois, quando a salvação de Marie-Anne estivesse assegurada, ele decidiria o que fazer. Talvez atirasse Florence na parte de trás do seu carro e a levasse para algum refúgio onde, com a jovem lhe servindo de refém, ele representaria a justiça. Talvez... Mas ele não procurava prever os acontecimentos. O que ele queria era uma explicação imediata e impetuosa.

Dom Luís correu para o seu quarto no segundo andar e mergulhou o rosto na água fria. Ele nunca tinha experimentado tamanha excitação percorrer todo o seu ser, tamanho ímpeto de seus instintos cegos.

– É ela! Posso ouvi-la – ele balbuciou. – Ela está na parte inferior da escada. Finalmente! Que prazer tê-la à minha frente, cara a cara! Nós dois, sozinhos!

Ele tinha retornado ao patamar, em frente à antecâmara. Tirou a chave do bolso e abriu a porta.

Ele soltou um grito horrível. Gaston Sauverand estava lá.

Na sala fechada, em pé, os braços cruzados, Gaston Sauverand estava à espera dele!

SAUVERAND SE EXPLICA

Gaston Sauverand!

Instintivamente, dom Luís recuou, sacou seu revólver e o apontou para o bandido.

– Mãos para cima – ele ordenou. – Mãos para cima ou eu atiro!

Sauverand não parecia preocupado. Com um aceno, apontou para dois revólveres que tinha colocado sobre a mesa, fora de seu alcance, e disse:

– Ali estão as minhas armas. Não vim para lutar, mas para conversar.

– Como é que o senhor entrou? – disse dom Luís, a quem essa calma enfureceu. – Uma chave falsa, não é? Mas como o senhor conseguiu essa chave falsa? Por que meios?

O outro não respondeu. Dom Luís bateu o pé.

– Fale! Responda! Senão…

Mas Florence chegou depressa. Ela passou por ele sem que ele tentasse impedi-la e atirou-se sobre Gaston Sauverand, a quem ela disse, indiferente à presença de Perenna:

– Por que o senhor veio? O senhor tinha me prometido que não viria. O senhor jurou. Vá embora!

Sauverand se soltou e a obrigou a se sentar.

– Eu cuido disso, Florence. Minha promessa não tinha outro propósito senão tranquilizá-la, mas eu cuido disso.

– Não, não! – protestou ardentemente a jovem. – Não! Isso é loucura. Eu o proíbo de dizer uma única palavra. Ah! Eu imploro, não faça isso!

Lentamente, ele acariciou sua testa, afastando os cabelos dourados, um pouco inclinado sobre ela.

– Eu cuido disso, Florence – repetiu ele.

Ela ficou em silêncio, como se desarmada pela doçura dessa voz, e ele disse outras palavras que dom Luís não conseguiu ouvir, mas que pareceram convencê-la. Diante deles, Perenna não se mexia. Com o braço estendido, o dedo no gatilho, ele apontava para o inimigo. Quando Sauverand tratou Florence com intimidade, ele tremeu da cabeça aos pés e seu dedo se contraiu. Por que ele não atirou? Que força suprema do desejo poderia sufocar o ódio ciumento que o queimava como fogo? E eis que Sauverand tinha a audácia de acariciar o cabelo de Florence!

Ele baixou o braço. Mais tarde os mataria, mais tarde faria com eles o que achasse melhor, uma vez que eles estavam em seu poder e que, dali em diante, nada poderia salvá-los de sua vingança.

Ele pegou os dois revólveres de Sauverand e os guardou em uma gaveta. Então voltou para a porta com a intenção de fechá-la. Mas, ao ouvir barulho no patamar do primeiro andar, ele se aproximou da escada. Era o mordomo que subia com uma bandeja na mão.

– O que você quer agora?

– Uma carta urgente que acabaram de trazer para o senhor Mazeroux.

– O senhor Mazeroux está comigo. Pode me dar. E não quero mais ser incomodado.

Ele rasgou o envelope. A carta, escrita a lápis, apressadamente, e assinada por um dos inspetores que vigiavam o palácio, continha estas palavras:

Atenção, brigadeiro, Gaston Sauverand está na casa. De acordo com duas pessoas que vivem do outro lado da rua, a jovem, que é conhecida no bairro como administradora do palácio, voltou para casa há uma hora e meia, antes de assumirmos nossos postos. Em seguida, ela foi vista na janela do pavilhão que ocupa. E então, alguns instantes depois, uma portinha, situada sob esse pavilhão, e que deve ser usada para o serviço da adega, foi entreaberta, por ela, obviamente. Quase imediatamente, um homem desembarcou na praça, caminhou ao longo dos muros e adentrou na adega. Não há nenhuma dúvida. De acordo com as descrições, trata-se de Gaston Sauverand. Por isso, tenha cuidado, brigadeiro. Ao menor alerta, a um primeiro sinal seu, nós entraremos.

Dom Luís refletiu. Agora ele compreendia como o bandido tinha acesso à sua casa e como podia, impunemente, escondido no esconderijo mais seguro, escapar de todas as buscas. Ele, Perenna, vivia sob o mesmo teto que o homem que havia se declarado como seu mais terrível adversário.

"Vamos", ele pensou, "o sujeito está liquidado... e sua mocinha também. As balas do meu revólver ou as algemas da polícia, a escolha é deles."

Ele nem sequer pensou no carro que estava pronto lá embaixo. Ele não considerava a fuga de Florence. Se não matasse os dois, a justiça poria suas mãos neles. Também era melhor que fosse assim, para que a própria sociedade punisse os dois culpados que ele entregaria.

Ele fechou a porta, trancou o cadeado, ficou de novo de frente para seus dois cativos e, pegando uma cadeira, disse a Sauverand:

– Conversemos.

Como a sala em que se encontravam era estreita, eles estavam perto o suficiente para que dom Luís tivesse a sensação de quase tocar naquele homem que ele execrava até as profundezas da sua alma. Menos de um metro separava as duas cadeiras. Uma comprida mesa, coberta de livros, estava entre eles e a janela cujas seteira, atravessada pela parede espessa, formava um canto, como é comum nas casas antigas.

Florence tinha girado um pouco a cadeira e dom Luís mal conseguia discernir seu rosto, que a luz não iluminava.

Mas ele via em detalhes o de Gaston Sauverand e o observava com uma curiosidade ardente e uma raiva que crescia ao espetáculo dos traços ainda jovens, da boca expressiva, dos olhos inteligentes e bonitos, apesar da dureza do olhar.

– Bem, e então, fale! – disse dom Luís num tom imperioso. – Aceitei uma trégua entre nós, mas uma trégua momentânea, só o tempo de dizer as palavras necessárias. Está com medo agora? Se arrepende de suas ações?

O homem tinha um sorriso calmo e pronunciou:

– Não tenho medo de nada e não me arrependo de ter vindo, porque tenho um claro pressentimento de que podemos e devemos nos entender.

– Nos entendermos! – protestou dom Luís num sobressalto.

– Por que não?

– Um pacto! Um pacto de aliança entre o senhor e eu!

– Por que não? É uma ideia que eu já tive várias vezes, e que ficou clara há pouco no corredor de instrução, e que definitivamente me conquistou quando li a reprodução de sua nota na edição especial do jornal: *Declaração sensacional de dom Luís Perenna. A senhora Fauville seria inocente...*

Gaston Sauverand se levantou ligeiramente da cadeira e, martelando suas palavras, entoando-as com gestos secos, murmurou:

– Está tudo aí, senhor, nestas quatro palavras: *Senhora Fauville é inocente.* Essas quatro palavras que o senhor escreveu, que o senhor pronunciou pública e solenemente, expressam de fato o que o senhor pensa? Acredita, agora, e com toda sua fé, na inocência de Marie-Anne Fauville?

Dom Luís encolheu os ombros.

– Ora! Meu Deus, a inocência da senhora Fauville não tem nada a ver com isso. Não se trata dela, mas de vocês, de vocês dois e de mim. Então, vamos direto ao ponto, e o mais rápido possível. É mais do interesse de vocês do que do meu.

– Nosso interesse?

Dom Luís exclamou:

– Estão esquecendo do terceiro subtítulo do artigo! Não proclamei apenas a inocência de Marie-Anne Fauville. Eu também anunciei... leia: "*Prisão iminente dos culpados.*"

Sauverand e Florence se levantaram juntos, em um mesmo movimento impulsivo.

– E para o senhor... os culpados são...? – perguntou Sauverand.

– Ora! O senhor os conhece tão bem quanto eu. É o homem com a bengala de ébano, que não pode negar o assassinato do inspetor-chefe Ancenis. Quanto a ela, é cúmplice de todos os seus crimes. Ambos devem de se lembrar das tentativas de assassinato contra mim, do revólver disparado no boulevard Suchet, da sabotagem do meu automóvel seguida da morte do meu motorista... e, ainda ontem, no celeiro, lá onde vocês sabem, no celeiro onde estão os dois esqueletos pendurados... ainda ontem, lembram-se da foice, da foice implacável prestes a me decapitar.

– E daí?

– E daí? Daí que vocês perderam o jogo. É preciso pagar suas dívidas, e é preciso pagá-las, sobretudo, porque vocês se atiraram estupidamente na boca do lobo.

– Não entendo. O que significa tudo isso?

– Isso significa que já sabem quem é Florence Levasseur, que sabem da sua presença aqui, que o palácio está cercado e que o subchefe Weber está a caminho.

Sauverand parecia perplexo com essa ameaça imprevista. Perto dele, Florence estava lívida. Uma angústia louca a desfigurou. Ela gaguejou:

– Oh! Isso é terrível!... Não, não, não quero!

E, correndo para dom Luís:

– Covarde! Covarde! O senhor nos denunciou! Covarde! Ah, eu sabia que o senhor era capaz de todas as traições! E está aqui, como um carrasco! Que infâmia! Que covardia!

Exausta, ela caiu na cadeira. Ela soluçava, tinha uma das mãos no rosto.

Dom Luís virou de costas. Estranhamente, ele não sentia pena e as lágrimas da jovem, bem como seus insultos, não o agitavam mais, era como se ele nunca tivesse amado Florence. Ele ficou feliz com essa libertação. O horror que ela lhe inspirava tinha matado todo o amor.

Mas, tendo voltado a ficar diante deles depois de caminhar um pouco pela sala, ele percebeu que eles estavam de mãos dadas, como dois amigos em apuros que se apoiam mutuamente, e, tomado por um movimento repentino de ódio, fora de si, ele agarrou o braço do homem.

– Eu o proíbo... Com que direito? Ela é sua esposa? Sua amante? Então?

A voz dele estava engasgada. Ele mesmo sentiu a estranheza desse ataque de fúria, onde, de repente, com toda sua força e cegueira, uma paixão que acreditava ter sido extinta para sempre foi revelada. E ele corou, pois Gaston Sauverand olhou para ele com espanto e ele acreditou que o inimigo havia descoberto seu segredo.

Seguiu-se um longo silêncio durante o qual seus olhos cruzaram com os de Florence, olhos hostis, cheios de revolta e desdém. Ela também havia descoberto?

Ele não se atreveu a dizer uma única palavra e esperou pela explicação de Sauverand.

Enquanto esperava, não pensando nem nas revelações que aconteceriam, nem nos terríveis problemas cuja solução ele finalmente encontraria, nem nos trágicos acontecimentos que estavam por vir, ele apenas pensou, e febrilmente, com a palpitação de todo seu ser, no que estava prestes a saber sobre Florence, sobre os sentimentos da jovem, sobre seu passado, sobre seu amor por Sauverand! Só isso o interessava.

– Que seja – disse Sauverand. – Fui pego. Que o destino se cumpra! No entanto, posso falar com o senhor? Agora não tenho outro desejo além desse.

– Fale – respondeu ele. – Esta porta está trancada. Só abro quando quiser. Fale.

– Vou ser breve – disse Gaston Sauverand. – Afinal, não sei muita coisa. Não lhe peço que acredite, mas que ouça como se fosse possível que eu pudesse dizer a verdade, toda a verdade.

E ele se expressou com estas palavras:

– Eu nunca tinha encontrado Hippolyte Fauville e Marie-Anne, com quem, no entanto, eu me correspondia, o senhor se lembra que somos primos, quando o acaso nos reuniu, há alguns anos, em Palermo, onde eles passaram o inverno enquanto seu novo palácio no boulevard Suchet estava sendo construído. Vivemos cinco meses juntos, vendo-nos todos os dias. Hippolyte e Marie-Anne não se davam muito bem. Uma noite, como resultado de discussões mais violentas, eu a surpreendi chorando. Perturbado pelas lágrimas dela, não consegui mais guardar meu segredo. Desde o primeiro momento do nosso encontro eu amei Marie-Anne. E eu a amaria para sempre, cada vez mais.

– O senhor está mentindo! – exclamou dom Luís, incapaz de se conter. – Ontem, no trem que lhes trouxe de Alençon, eu vi vocês dois...

Gaston Sauverand observou Florence. Ela estava em silêncio, com a cabeça apoiada nos punhos, os cotovelos sobre os joelhos. Sem responder à exclamação de dom Luís, ele continuou:

– Marie-Anne também me amava. Ela me confessou, mas me fez jurar que nunca tentaria obter dela nada além da mais pura amizade. Eu fiz meu juramento. Então tivemos algumas semanas de incomparável felicidade. Hippolyte Fauville, que havia se apaixonado por uma cantora de concertos públicos, ausentava-se por longos períodos. Cuidei muito da educação física do pequeno Edmond, cuja saúde deixava muito a desejar. E também estava entre nós a melhor amiga, a conselheira dedicada e afetuosa que curava nossas feridas, alimentava nossa coragem, reavivava nossa alegria e emprestava ao nosso amor algo de sua força e nobreza: Florence estava lá.

Dom Luís sentiu seu coração bater mais depressa. Não que ele desse algum crédito às palavras de Gaston Sauverand, mas, por meio dessas palavras, ele esperava penetrar no interior da realidade. Talvez ele também sofresse, sem perceber, a influência de Sauverand, cuja aparente franqueza e sincera entonação lhe causavam certo espanto.

Sauverand retomou:

– Quinze anos antes, meu irmão mais velho, Raoul Sauverand, acolhia, em Buenos Aires, onde vivia, uma órfã, a filha mais nova de um casal de amigos. Quando ele morreu, confiou a criança – ela tinha catorze anos na época – a uma velha criada que tinha me criado e que tinha partido com meu irmão para a América do Sul. A velha criada me trouxe a criança e morreu em um acidente alguns dias após sua chegada à França.

"Eu levei a menina para Itália, para a casa de amigos onde ela trabalhou e se tornou... o que é hoje. Querendo viver sozinha, ela aceitou um cargo como professora na casa de uma família. Mais tarde, recomendei-a aos meus primos Fauville e a reencontrei em Palermo, como governanta do pequeno Edmond, que a adorava, e sobretudo como amiga dedicada e querida de Marie-Anne Fauville.

"Ela também era minha amiga naquele tempo feliz, tão radiante e, infelizmente, tão curto! Nossa felicidade, a felicidade de nós três desapareceria da forma mais abrupta e estúpida. Todas as noites eu escrevia em um diário sobre a vida diária do meu amor, uma vida sem acontecimentos, sem esperança e sem futuro, mas tão ardente e resplandecente! Marie-Anne era exaltada como uma deusa. Ajoelhando-me para escrever, eu traçava as litanias da sua beleza e também inventava, pobre vingança da minha imaginação, cenas ilusórias nas quais ela me dizia as palavras que poderia ter-me dito e me prometia todas as alegrias a que tínhamos renunciado voluntariamente. Hippolyte Fauville encontrou esse diário. Por qual prodigioso acaso, por que malvadez do destino, não sei, mas ele o encontrou.

"Sua raiva foi terrível. Primeiro ele quis expulsar Marie-Anne. Mas, diante do comportamento de sua mulher, diante das provas que ela lhe deu de sua inocência, diante da inflexível vontade que ela demonstrou de não se divorciar e da promessa que ela lhe fez de nunca mais voltar a me ver, ele se acalmou.

"Eu parti com a alma em frangalhos. Florence, demitida, também partiu. Nunca mais, nunca mais desde aquele momento fatal, troquei uma única palavra com Marie-Anne. Mas um amor indestrutível nos unia. Nem a separação nem o tempo diminuiriam seu poder."

Ele parou por um momento, como se lesse no rosto de dom Luís o efeito que sua história causava. Dom Luís não escondia sua atenção ansiosa. O que mais o surpreendia era a calma inaudita de Gaston Sauverand, a expressão tranquila dos seus olhos, a facilidade com que expunha, sem pressa, quase lentamente, e de forma tão simples, a história desse drama íntimo.

"Que ator!", ele pensou.

E, ao mesmo tempo que pensava nisso, lembrava-se de que Marie-Anne Fauville lhe tinha causado a mesma impressão. Deveria ele, portanto, voltar à sua primeira convicção e acreditar que Marie-Anne era culpada, uma atriz como seu cúmplice e como Florence? Ou devia atribuir alguma lealdade àquele homem?

Ele perguntou:

– E depois?

– Depois veio a guerra, e eu fui enviado para uma cidade no centro do país.

– E a senhora Fauville?

– Ela vivia em Paris, na sua nova casa, e não havia mais conversas sobre o passado entre ela e o marido.

– Como o senhor sabe? Ela lhe escrevia?

– Não. Marie-Anne é uma mulher que não faz concessões ao dever e sua concepção de dever é excessivamente rígida. Ela nunca me escreveu. Mas Florence, que tinha sido admitida aqui, na casa do barão Malonesco, seu antecessor, em um cargo de secretária e leitora, recebeu muitas vezes no seu pavilhão a visita de Marie-Anne. Nem uma vez falaram de mim, não é, Florence? Marie-Anne não permitiria isso. Mas toda a sua vida e alma, certo, Florence, eram apenas amor e lembranças apaixonadas. No final, cansado de estar tão longe dela, e desmobilizado, voltei a Paris. Foi a nossa perdição.

"Isso já tem cerca de um ano. Aluguei um apartamento na avenida Roule e vivi lá da forma mais secreta para que o meu regresso não pudesse ser descoberto por Hippolyte Fauville, pois eu temia que a paz de Marie-Anne fosse perturbada. Mas Florence sabia de tudo e vinha me visitar de vez em quando. Eu saía pouco, só no final do dia, e caminhava pelas alamedas mais desertas do Bosque.

"Mas aconteceu o seguinte – as resoluções mais heroicas têm seus fracassos –: uma noite, uma quarta-feira à noite, por volta das onze horas, minha caminhada me levou para perto do boulevard Suchet sem que eu percebesse, e passei em frente à casa de Marie-Anne. E por acaso, naquela mesma hora, como a noite estava linda e quente, Marie-Anne estava em sua janela. Ela me viu, tenho certeza disso, e ela me reconheceu, e minha felicidade foi tamanha que minhas pernas tremeram enquanto eu me afastava. Desde então, todas as quartas-feiras à noite, passei por seu palácio, e quase sempre Marie-Anne, cuja vida mundana, à procura natural por distrações, e a posição do seu marido a forçava a saídas frequentes, quase todas as vezes Marie-Anne estava lá, dando-me essa alegria inesperada e sempre nova.

– Mais rápido! Fale mais depressa! – disse dom Luís em quem o desejo de saber mais aumentava. – Depressa. Vamos direto aos fatos!

De repente ele estava com medo de não ouvir o resto da explicação, e de repente ele percebeu que as palavras de Gaston Sauverand estavam se infiltrando nele como falas que talvez não fossem mentirosas. Embora tentasse combater essa ideia, ela era mais forte do que suas prevenções e mais bem-sucedidas em seus argumentos. A verdade é que, no fundo da sua alma atormentada de amor e ciúme, algo o levava a acreditar nesse homem em quem ele tinha visto até aquele momento apenas um rival odiado e que proclamava tão alto, diante da própria Florence, o seu amor por Marie-Anne.

– Depressa – ele repetiu –, os minutos são preciosos.

Sauverand acenou com a cabeça.

– Não vou me apressar. Todas as minhas palavras, antes de decidir falar, foram pesadas, uma a uma. Todas são indispensáveis. Nenhuma delas pode ser omitida. Pois não é em meros fatos, separados uns dos outros, que o senhor encontrará a solução do problema, mas na sequência de todos esses fatos e na narrativa mais fiel possível.

– Por quê? Não entendo...

– Porque a verdade está escondida nessa narrativa.

– Mas essa verdade é a sua inocência, não é?

– É a inocência de Marie-Anne.

– Mas ela não está em discussão!

– Para que isso serve se o senhor não pode prová-la?

– Ora! Justamente, cabe ao senhor me dar as provas.

– Não as tenho.

– Hein?

– Estou dizendo que não tenho provas sobre tudo isso em que peço que acredite.

– Então eu não vou acreditar – considerou dom Luís em um tom irritado. – Não, não, mil vezes não! Se o senhor não me fornecer as provas mais convincentes, não acreditarei numa única palavra do que vai dizer.

– O senhor já acreditou em tudo o que eu disse até agora – respondeu Sauverand com grande simplicidade.

Dom Luís não protestou. Tendo voltado seus olhos para Florence Levasseur, parecia-lhe que ela o olhava com menos aversão e como se desejasse com todas as forças que ele não resistisse às impressões que o invadiam.

Ele murmurou:

– Continue.

E era realmente estranha a atitude desses dois homens, um se explicando em termos precisos e de modo a dar a cada palavra todo o seu valor; o outro ouvindo e pesando cada uma dessas palavras; ambos dominando os sobressaltos de sua emoção; ambos com a aparência calma como se tivessem procurado a solução filosófica de uma crise de consciência. O que acontecia ao redor não tinha a menor importância. O que aconteceria também não importava. Acima de tudo, e quaisquer que fossem as consequências da inação deles, no momento em que o cerco das forças policiais se fechava à volta deles, seria necessário que um falasse e o outro ouvisse.

– Estamos chegando – disse Sauverand com sua voz grave –, nos acontecimentos mais importantes, naqueles cuja interpretação, uma novidade para o senhor, mas estritamente em conformidade com a verdade, demonstrará nossa boa-fé. Tendo o infortúnio me colocado no caminho de Hippolyte Fauville, durante um dos meus passeios no bosque, por precaução, mudei de endereço e me instalei na casinha do boulevard Richard-Wallace, onde Florence veio me visitar diversas vezes. Tive até a precaução de cancelar essas visitas, e, além disso, de só me corresponder com ela através de cartas. Então eu estava absolutamente tranquilo. Trabalhava na mais completa solidão e em plena segurança. Não esperava nada. Nenhum perigo, nenhuma possibilidade de perigo nos ameaçava. E posso dizer, usando a expressão mais banal e mais precisa, que foi num céu absolutamente puro que o trovão rebentou. Eu descobri ao mesmo tempo, quando o comandante-geral e seus agentes invadiram minha casa e me prenderam, o assassinato de Hippolyte Fauville, o assassinato de Edmond e a prisão de Marie-Anne.

– Impossível! – exclamou dom Luís, que estava novamente agressivo e zangado. – Impossível! Esses fatos já tinham acontecido há quinze dias. Não posso admitir que não o senhor não sabia deles.

– Por quem?

– Pelos jornais, e mais provavelmente pela senhorita – exclamou dom Luís, apontando para a jovem.

Sauverand afirmou:

– Pelos jornais? Nunca os li. O quê! Por acaso isso é inadmissível? É uma obrigação, uma necessidade incontornável, desperdiçar meia hora todos os dias percorrendo a inaptidão da política e a ignomínia das notícias? E não podemos imaginar que exista um homem que só lê revistas ou folhetos científicos? É um fato raro, admito, mas a raridade de um fato não prova nada contra esse fato. Por outro lado, na mesma manhã do crime, eu tinha avisado a Florence que faria uma viagem de três semanas e me despedi dela. No último momento, mudei de ideia. Mas ela ignorava essa mudança de planos e, acreditando que eu já tinha partido, sem saber onde eu estava, não podia me avisar dos crimes, nem da prisão de Marie-Anne, nem mais tarde, quando o homem com a bengala de ébano foi acusado, das buscas dirigidas contra mim.

– Ora, justamente! – declarou dom Luís. – O senhor não está querendo dizer que o homem com a bengala de ébano, que o indivíduo que seguiu o inspetor Vérot até o café do Pont-Neuf e que lhe roubou a carta...

– Eu não sou esse tal homem – Sauverand interrompeu.

E, como dom Luís encolheu os ombros, ele insistiu, num tom mais enérgico:

– Não sou esse homem. Há um erro inexplicável em tudo isso. Eu nunca pus os pés no café do Pont-Neuf. Eu juro. O senhor deve aceitar essa afirmação como rigorosamente verdadeira. Além disso, ela está em absoluta concordância com a vida reclusa que eu levava, por necessidade e por vontade. E, repito, eu não sabia de nada. O trovão foi inesperado. E é precisamente por isso, compreenda, que o choque produziu em mim uma reação inesperada, um estado de espírito em absoluta oposição com minha verdadeira natureza, um desencadeamento dos meus instintos mais selvagens e primitivos. Pense, meu senhor. Eles haviam tocado no que eu tenho de mais sagrado no mundo. Marie-Anne estava na prisão! Marie-Anne estava sendo acusada de duplo homicídio! Eu enlouqueci. Controlando-me primeiro, fazendo uma encenação diante do comandante-geral, depois derrubando todos os obstáculos, abatendo o inspetor-chefe Ancenis, livrando-me do brigadeiro Mazeroux, saltando pela janela, eu tinha apenas uma ideia: fugir. Quando estivesse livre, salvaria Marie-Anne. As pessoas atravessavam meu caminho? Azar delas. Que direito tinham elas de atreverem-se a atacar a mais pura das mulheres? Eu matei apenas um homem, mas, naquele dia, eu teria matado dez! Eu teria matado vinte! O que me importava a vida do inspetor Ancenis? O que me importaria a vida de todos esses desgraçados? Eles estavam entre mim e Marie-Anne. E Marie-Anne estava na prisão!

Gaston Sauverand fez um esforço para recuperar a compostura que o abandonava pouco a pouco e que contraía todos os músculos do seu rosto. Ele conseguiu se recompor, mas sua voz, apesar de tudo, seguiu mais tremida e a febre que o devorava o sacudia com tremores que não conseguia dissimular.

Ele continuou:

– Na esquina onde eu tinha acabado de virar, no boulevard Richard-Wallace, depois de me distanciar dos agentes do comandante, e quando eu pensava estar perdido, Florence me salvou. Florence já sabia de tudo havia duas semanas. No dia seguinte ao duplo homicídio, ela soube pelos jornais, por esses jornais que lia ao seu lado e que o senhor comentava e discutia na frente dela. E foi ao lado do senhor, ouvindo-o, que ela formulou esta opinião com a qual, aliás, acontecimentos contribuíram: o inimigo, o único inimigo de Marie-Anne, era o senhor.

– Mas por quê? Por quê?

– Porque ela o via agir – disse Sauverand enfaticamente –, porque o senhor tinha mais interesse do que qualquer outra pessoa de que Marie-Anne primeiro, e depois eu mais tarde, não estivesse entre o senhor e a herança de Mornington, e finalmente…

– E finalmente…

Gaston Sauverand hesitou, então disse claramente:

– E finalmente, porque ela sabia, sem dúvida, o seu nome verdadeiro, e que, segundo ela, Arsène Lupin é capaz de qualquer coisa.

Houve um silêncio muito pungente para tal momento! Florence permanecia impassível sob o olhar de dom Luís Perenna, e, nesse rosto hermeticamente fechado ele não conseguia discernir nenhuma das emoções que deviam agitá-la.

Gaston Sauverand prosseguiu:

– Foi, portanto, contra Arsène Lupin que Florence, a amiga assustada de Marie-Anne, travou a luta. Foi para desmascarar Lupin que ela escreveu, ou melhor, mandou escrever o artigo cujo original o senhor encontrou embrulhado em uma bola de barbante. Foi Lupin que ela ouviu, uma manhã, telefonar para o brigadeiro Mazeroux e se regozijar com minha prisão iminente. Foi para me salvar de Lupin que ela derrubou sobre ele, correndo o risco de causar um acidente, a cortina de ferro, e que ela foi conduzida de carro para a esquina da avenida Richard-Wallace, onde acabou chegando tarde demais para me avisar, uma vez que a polícia já tinha invadido minha casa, mas a tempo de me ajudar a escapar daquela perseguição.

"Essa desconfiança em relação ao senhor, esse ódio aterrorizado, ela me comunicou imediatamente. Durante os vinte minutos que passamos despistando meus agressores, ela me contou rapidamente os meandros do caso, disse-me em poucas palavras a parte predominante que o senhor ocupava, e na mesma hora nós começamos a preparar um contra-ataque para que o senhor passasse a se tornar suspeito como cúmplice. Enquanto eu enviava uma mensagem ao comandante-geral, Florence voltava para casa e escondia, debaixo das almofadas do seu sofá, o pedaço de bengala que eu inadvertidamente mantive comigo. Réplica insuficiente e que falhou em seu propósito. Mas o duelo tinha começado. Mergulhei nele de corpo e alma.

"Senhor, para compreender plenamente as minhas ações, é preciso que o senhor se lembre de quem eu era... um homem de estudos, um solitário, mas também um amante apaixonado. Eu teria vivido toda a minha vida trabalhando, sem pedir mais nada ao destino a não ser ver Marie-Anne à sua janela, à noite, de vez em quando. Mas, desde que começamos a perseguição, um outro homem apareceu em mim, um homem de ação, desajeitado, é claro, e inexperiente, mas determinado a fazer tudo, e que, sem saber como salvar Marie-Anne, não tinha outro objetivo que não fosse aniquilar o inimigo dela, a quem ele tinha o direito de atribuir todos os infortúnios da mulher que amava.

"E essa foi a série de tentativas contra o senhor. Introduzido em seu palácio, escondido no apartamento de Florence, tentei envenená-lo sem que ela soubesse, isso eu posso jurar. As censuras, a revolta de Florence diante de tal ato fizeram eu me acalmar, mas, repito, eu estava louco, sim, absolutamente louco, e sua morte me pareceu ser a própria salvação de Marie-Anne. E uma manhã, no boulevard Suchet, eu o segui e atirei no senhor. E nessa mesma noite, o seu carro o conduziu em direção à morte, assim como o brigadeiro Mazeroux, seu cúmplice.

"Mais uma vez o senhor escapou da minha vingança. Mas um homem inocente, o motorista que conduzia o automóvel, pagou pelo senhor, e o desespero de Florence foi tamanho que tive de ceder às suas súplicas e me desarmar. Eu mesmo, além disso, aterrorizado pelo que tinha feito, obcecado pela lembrança das minhas duas vítimas, mudei meu plano e só pensava em Salvar Marie-Anne, preparando sua evasão.

"Sou rico. Eu depositava dinheiro aos guardas da prisão, mas sem revelar meus planos. Estreitei os laços com os fornecedores e com o pessoal da enfermaria. E, todos os dias, com um cartão de redator judicial que mandei fazer, eu ia ao Palácio de Justiça e ao corredor dos juízes de instrução, onde esperava encontrar Marie-Anne e encorajá-la com um olhar, um gesto ou talvez lhe dizer algumas palavras de conforto.

"O seu martírio continuava, de fato. Por esse misterioso caso das cartas de Hippolyte Fauville, o senhor lhe desferiu um golpe terrível. O que significavam essas cartas? De onde vinham? Não tínhamos o direito de lhe atribuir toda essa maquinação, já que foi o senhor quem as colocou no meio dessa história pavorosa? Florence o vigiava, noite e dia, pode-se dizer. Estávamos à procura de uma pista, uma luz que nos permitisse ver um pouco mais claramente.

"Ontem de manhã, Florence viu o brigadeiro Mazeroux, mas não conseguiu ouvir o que ele lhe confiava. Entretanto, ela surpreendeu o nome do senhor Langernault e o nome de Formigny, o vilarejo onde ele vivia. Langernault. Ela se lembrava de um antigo amigo de Hippolyte Fauville.

Não foi para ele que as cartas foram escritas, e não foi em busca dele que o senhor partiu de carro com o brigadeiro Mazeroux?

"Meia hora depois, ansiosos para fazer também a nossa investigação, pegamos o trem para Alençon. Da estação, um carro nos levou até as proximidades de Formigny, onde fizemos nossa investigação com a maior circunspecção possível. Depois de descobrirmos o que o senhor também deve saber, a respeito da morte do senhor Langernault, decidimos visitar sua residência e conseguimos entrar nela, quando de repente Florence o avistou no parque. Querendo evitar um encontro entre nós dois, ela me arrastou pela relva e por trás dos maciços. Mas o senhor estava nos seguindo, e como avistamos um celeiro, ela empurrou uma das portas, que se abriu e nos deu passagem. Rapidamente, no escuro, conseguimos passar pela confusão e subir, por uma escada com que nos chocamos, até um sótão que nos serviu como refúgio. O senhor entrou nesse exato momento.

"O senhor sabe o que se seguiu. A descoberta dos dois enforcados, sua atenção atraída por um gesto imprudente de Florence, seu ataque ao qual respondi brandindo a primeira arma que o acaso me forneceu, e, finalmente, sob os disparos de seu revólver, nossa fuga através da claraboia. Estávamos livres. Mas à noite, no trem, Florence desmaiou. Ao socorrê-la, reparei que uma das balas que o senhor atirou tinha ferido o ombro dela, uma ferida superficial que não a fez sofrer, mas que agravou a tensão dos seus nervos. Quando o senhor nos viu, na estação de Le Mans, não foi? Ela estava dormindo com a cabeça no meu ombro."

Dom Luís não interrompeu nenhuma vez essa história, contada com uma voz cada vez mais tremida e animada por um fôlego de profunda verdade. Por um esforço de atenção extraordinário, ele registrava em sua mente as menores palavras e os menores gestos de Sauverand. E conforme suas palavras eram pronunciadas e seus gestos eram realizados, ele tinha a impressão de que, ao lado da verdadeira Florence, ele conseguia construir a imagem de uma outra mulher, livre de toda a lama e toda a ignomínia com que ele a havia sujado com base nos acontecimentos.

No entanto, ele ainda não tinha se entregado. Florence inocente, será que era possível? Não, não, o testemunho de seus olhos, o testemunho que sua razão havia julgado eram contrários a tal afirmação. Ele não admitia que Florence de repente pudesse diferir do que era, de fato, para ele: pérfida, dissimulada, cruel, sanguinária, monstruosa. Não, não, esse homem mentia com uma habilidade infernal. Ele apresentava as coisas com tal talento que não se podia mais distinguir o falso do verdadeiro, nem separar a luz das trevas.

Ele estava mentindo! Ele estava mentindo! Mas, ao mesmo tempo, que doce era essa mentira! Como era bela essa Florence imaginária, essa Florence atraída pelo destino para os atos que executou, inocente de todo o crime, sem remorso, humana, piedosa, os olhos claros e as mãos branquinhas. E como era bom se deixar levar por esse sonho quimérico!

Gaston Sauverand espiava a figura do seu antigo inimigo. Bem perto de dom Luís, com a fisionomia iluminada pela expressão de sentimentos e paixões que ele não tentava conter, ele murmurou:

– O senhor acredita em mim, não acredita?

– Não... não... – disse Perenna, que se insensibilizava contra a influência desse homem...

– Mas precisa – exclamou Sauverand com muita energia. – O senhor precisa acreditar na força do meu amor. Ele é a causa de tudo. Marie-Anne é a minha vida. Se ela morrer, só me resta a morte também. Ah! Esta manhã, quando li nos jornais que a infeliz tinha cortado os pulsos! E por sua culpa, como resultado dessas cartas acusatórias de Hippolyte! Ah, já não quero mais matá-lo, mas lhe infligir a mais bárbara das torturas. Minha pobre Marie-Anne, que tortura deve ter que suportar!

"Como o senhor não havia retornado, Florence e eu vagueamos para receber notícias dela, primeiro em torno da prisão, depois perto da Chefatura e do Palácio de Justiça. E foi lá, no corredor de instrução, que eu o encontrei. Naquele momento, o senhor pronunciava o nome Marie-Anne Fauville diante de um grupo de jornalistas. E o senhor lhes dizia que Marie-Anne Fauville era inocente! E estava dando-lhes seu testemunho a favor de Marie-Anne!

"Ah, senhor! Então, de repente, meu ódio desapareceu. Em um segundo o inimigo se tornou aliado, o mestre a quem saudamos de joelhos. O senhor teve a admirável audácia de repudiar todo sua ação e se dedicar à salvação de Marie-Anne! Fugi palpitante de alegria e esperança, e gritei, juntando-me a Florence:

"– Marie-Anne está salva. *Ele* disse que ela é inocente. Quero vê-*lo*. Quero falar com *ele*.

"E voltamos para cá. Florence, que não se desarmava, implorou-me para não pôr em prática o meu projeto até que sua nova postura sobre o caso se confirmasse por ações decisivas. Prometi tudo o que ela exigia. Mas eu estava determinado. Meu desejo foi reforçado depois de ler o jornal que publicou sua declaração. A todo o custo, e sem perder um minuto sequer, eu colocaria em suas mãos o destino de Marie-Anne. Esperei que o senhor retornasse e vim até aqui."

Já não era o mesmo homem que, no início da conversa, demonstrava tanto sangue-frio. Exausto pelo esforço e por uma luta que durava semanas, e onde ele tinha gastado tanta energia em vão, ele agora tremia, e, colado a dom Luís, com um de seus joelhos sobre a poltrona perto da qual estava dom Luís, ele balbuciava:

– Salve-a, eu imploro... o senhor tem o poder de fazer isso... Sim, o senhor tem todos os poderes... Aprendi a conhecê-lo combatendo-o... É mais do que sua genialidade que o defende de mim, é um destino feliz que o protege. O senhor é diferente dos outros homens. Veja, veja, o simples fato de não me matar, desde o início, eu, que o havia perseguido tão ferozmente, o fato de me ouvir e aceitar como admissível essa inconcebível verdade da inocência de nós três, tudo isso já é um milagre extraordinário! E enquanto esperava pelo senhor e me preparava para esta conversa, tive a intuição a respeito de tudo isso! Eu vi claramente que o homem que, sem nenhum guia além da sua razão, gritava pela inocência de Marie-Anne, que somente esse homem poderia salvá-la, e que ele a salvaria. Ah! Salve-a, eu lhe imploro... E salva-a agora. Caso contrário, em poucos dias, Marie-Anne estará morta. É impossível para ela viver na prisão. O senhor entende, ela prefere morrer. Nenhum obstáculo poderá impedi-la. Podemos impedir alguém de se matar? E que horror se ele morrer! Ah, se a justiça precisa de um culpado, confessarei o que quiserem! Aceitarei todas as acusações e zombarei de todas as punições, desde que libertem Marie-Anne! Salve--a. Eu não consegui fazê-lo. Não sei o que fazer... Salve-a da prisão e da morte... Salve-a, eu lhe imploro, salve-a!

Lágrimas escorriam pelo rosto dele, que se retorcia de angústia. Florence também chorava, com o corpo encurvado. E, subitamente, Perenna sentiu brotar nele a mais terrível angústia.

Embora, desde o início da conversa, uma nova convicção o tivesse pouco a pouco invadido, foi como se ele tomasse consciência disso de repente. Subitamente, ele percebeu que sua fé nas palavras de Sauverand não tinha mais restrições e que Florence talvez não fosse a criatura abominável que ele tinha o direito de imaginar, mas uma mulher cujos olhos não mentiam e cuja alma e figura tinham igual beleza. Subitamente, ele descobriu que esses dois seres, bem como Marie-Anne, pelo amor de quem eles lutaram tão desajeitadamente, estavam presos por um círculo de ferro que seus esforços não conseguiriam romper. E esse círculo, desenhado por uma mão desconhecida, era ele, Perenna, que o havia apertado em volta deles com a mais implacável obstinação.

– Oh! – ele disse. – Espero que não seja tarde demais!

Ele vacilou ao choque das sensações e ideias que o atormentavam. Tudo se debatia em seu cérebro com uma violência trágica: certeza, alegria, pavor, desespero, fúria. Ele se debatia sob as garras do pesadelo mais assustador e entrevia a mão pesada de um policial pousar no ombro de Florence.

– Vamos embora! Vamos embora! – ele exclamou em um sobressalto de medo. – É loucura ficar aqui!

– Mas o palácio está cercado – objetou Sauverand.

– E então? O senhor supõe que posso admitir por um segundo... Não, não, ora essa. Temos de lutar juntos. Certamente ainda tenho muitas dúvidas... Mas vocês as esclarecerão e nós salvaremos a senhora Fauville.

– Mas e os agentes que estão nos cercando?

– Passaremos por cima deles.

– E o subchefe Weber?

– Ele não está aqui. E enquanto ele não estiver aqui, eu trato de tudo. Vamos, sigam-me, mas a uma distância segura. Quando eu der um sinal, e só então...

Ele abriu o cadeado e pegou na maçaneta da porta. Neste momento, alguém bateu à porta. Era o mordomo.

– E então – ele disse –, por que estou sendo incomodado?

– O subchefe da Sûreté, senhor Weber, acabou de chegar.

A DEBANDADA

Dom Luís certamente esperava por essa temível eventualidade. O golpe, no entanto, pareceu apanhá-lo desprevenido e ele repetiu várias vezes:

– Ah! Weber está aqui... Weber está aqui...

Todo seu entusiasmo desapareceu diante do obstáculo, como um exército em fuga e quase livre que se encontra cercado pelas encostas íngremes de uma montanha. Weber estava lá, ou seja, o líder, o mestre dos inimigos, aquele que organizaria o ataque e a resistência de tal forma que não havia mais esperança. Com Weber à frente de seus agentes, seria loucura tentar forçar a passagem.

– O senhor autorizou sua entrada? – ele perguntou.

– O senhor não me ordenou que não abrisse.

– Ele está sozinho?

– Não, senhor, o subchefe está acompanhado por seis homens que ele deixou no pátio.

– E ele?

– O subchefe quis subir até o primeiro andar. Ele pensou que encontraria o senhor em seu escritório.

– E agora ele imagina que estou com o senhor Mazeroux e a senhorita Levasseur?

– Sim, senhor.

Perenna pensou por um momento e retomou:

– Diga a ele que não me encontrou e que vai me procurar no apartamento da senhorita Levasseur. Talvez ele o acompanhe. Melhor assim!

E fechou a porta. A tempestade que o tinha abalado não havia deixado vestígios em sua expressão, e agora que era preciso agir e tudo estava perdido, ele recuperava a compostura admirável que nunca o abandonava nos momentos decisivos.

Ele se aproximou de Florence. Ela estava muito pálida e chorava em silêncio.

– Não tenha medo, senhorita. Se me obedecer cegamente, não há nada a temer.

Como ela não respondeu, ele percebeu que ela ainda estava desconfiada e pensou, quase com alegria, que a obrigaria a acreditar nele.

– Ouça – disse ele a Sauverand. – Caso eu não obtenha êxito em meu plano, o que é possível, há ainda vários pontos que precisam ser esclarecidos.

– Quais? – perguntou Sauverand, cuja calma se mantinha intacta.

Reprimindo à ordem e à disciplina, as ideias que se misturavam em seu cérebro, pausadamente, a fim de não esquecer nada e dizer apenas as palavras essenciais, dom Luís perguntou:

– Na manhã do crime, enquanto um homem com uma bengala de ébano e com as mesmas características físicas que o senhor entrava no café do Pont-Neuf seguindo o inspetor Vérot, onde o senhor estava?

– Na minha casa.

– Tem certeza de que não saiu de casa?

– Absoluta. E também tenho certeza de nunca ter ido ao café do Pont-Neuf, cuja existência eu sequer conhecia.

– Muito bem. Outra coisa. Por que, quando soube de toda a história, o senhor não procurou o comandante-geral ou o juiz de instrução? Teria sido mais fácil se entregar e contar toda a verdade em vez de se envolver nessa luta desigual.

– Eu ia fazer isso, mas logo percebi que a intriga tramada contra mim era tão inteligente que o mero relato da verdade não seria suficiente para convencer a justiça. Não teriam acreditado em mim. Que provas eu poderia fornecer? Nenhuma... Ao passo que, ao contrário, as provas que nos oprimiam eram daquelas às quais não podemos responder. As marcas dos dentes não apontaram a culpa inegável de Marie-Anne? E, por outro lado, meu silêncio, minha fuga, o assassinato do inspetor-chefe Ancenis, não eram crimes suficientes? Não, para salvar Marie-Anne, eu precisava ficar em liberdade.

– Mas ela poderia ter falado!

– Contar sobre nosso amor? Além do fato de que um pudor feminino a teria impedido, de que isso adiantaria?

"Pelo contrário, isso daria mais força à acusação. E foi precisamente isso que aconteceu no dia em que as várias cartas de Hippolyte Fauville, lançadas no meio do caso, uma a uma, revelaram à justiça o motivo ainda desconhecido dos crimes que nos eram imputados. *Nós nos amávamos.*"

– E como o senhor explica essas cartas?

– Não tenho nenhuma explicação para elas. Não sabíamos do ciúme de Fauville. Ele guardou segredo. E, por outro lado, por que ele desconfiava de nós? Quem poderia ter posto na cabeça dele a ideia de que queríamos matá-lo? De onde vêm seus terrores, seus pesadelos? Mistério. Ele tinha cartas nossas ou ele escreveu? Que cartas?

– E as marcas dos dentes, as impressões que foram, sem dúvida, deixadas pela senhora Fauville?

– Não sei. Tudo isso é incompreensível.

– O senhor também não sabe o que ela fez ao sair da Ópera, entre a meia-noite e as duas da manhã.

– Não. É óbvio que ela foi atraída para uma armadilha. Mas como? Por quem? E por que ela não diz o que fez? Mistério.

– Naquela noite, na noite do crime, o senhor foi visto na estação de Auteuil. O que o senhor estava fazendo lá?

– Eu fui até o boulevard Suchet e passei debaixo das janelas de Marie-Anne. Lembre-se que era uma quarta-feira. Voltei na quarta-feira seguinte e, ainda sem saber da tragédia e da detenção de Marie-Anne, regressei na quarta-feira subsequente, na mesma noite em que o senhor descobriu meu endereço e me denunciou a Mazeroux.

– Outra coisa. O senhor sabia da herança de Mornington?

– Não, nem Florence, e temos todos os motivos para pensar que Marie-Anne e seu marido também não.

– E o celeiro de Formigny, foi a primeira vez que entraram nele?

– A primeira vez. E nosso estupor diante dos dois esqueletos pendurados na viga foi o mesmo que o do senhor.

Dom Luís ficou em silêncio. Ele procurou por mais alguns segundos se não tinha outra pergunta a fazer. Então ele disse:

– Era tudo o que eu queria saber. De sua parte, tem certeza de que todas as informações necessárias foram ditas?

– Sim.

– O momento é sério. É possível que não possamos voltar a nos ver e o senhor não me apresentou nenhuma prova para suas afirmações.

– Eu lhe disse a verdade. Para um homem como o senhor, a verdade é suficiente. Quanto a mim, estou derrotado. Desisto da luta, ou melhor, submeto-me às suas ordens. Salve Marie-Anne.

– Vou salvar vocês três – disse Perenna. – Amanhã à noite deve aparecer a quarta carta misteriosa, o que nos dará o tempo necessário para nos entendermos e estudarmos o caso minuciosamente. Amanhã à noite, irei até lá e, com os novos elementos que reunirmos, encontrarei a prova da inocência de vocês três. O principal é assistir a essa reunião no dia 25 de maio.

– Pense apenas em Marie-Anne, eu lhe imploro. Sacrifique-me se for preciso. Sacrifique Florence, inclusive. Falo em nome dela e em meu nome.

É melhor nos abandonar do que comprometer a menor possibilidade de sucesso.

– Vou salvar os três – repetiu dom Luís.

Ele entreabriu a porta e, depois de ouvir, disse-lhes:

– Não se mexam. E não abram a porta para ninguém, sob nenhum pretexto, até eu vir buscá-los. Não me demoro.

Ele trancou a porta dando duas voltas na chave e foi para o primeiro andar. Dom Luís não sentia aquela alegria que geralmente o dominava com a aproximação das grandes batalhas. Desta vez, a vida de Florence estava em jogo e as consequências da derrota pareciam piores do que sua própria morte.

Através da janela do patamar, ele avistou os agentes que vigiavam o pátio. Ele contou seis e também viu, numa das janelas do seu escritório, o subchefe que vigiava o pátio e mantinha comunicação com seus agentes.

"Droga", pensou ele, "ele ficou no posto. Vai ser difícil. Ele deve estar desconfiado. Enfim, vamos lá."

Ele atravessou o salão principal e chegou ao seu escritório. Weber o viu. Os dois inimigos estavam frente a frente. Houve alguns segundos de silêncio antes do início do duelo, um duelo que seria rápido, tenso, sem a menor fraqueza e sem a menor distração. Em três minutos tudo estaria terminado.

A figura do subchefe expressava uma certa alegria misturada com uma inquietação. Pela primeira vez ele tinha permissão e ordem para combater o maldito dom Luís, contra quem seu rancor nunca tinha sido saciado. E isso era um prazer ainda maior agora que ele tinha todos os trunfos na mão e que dom Luís, ao defender Florence Levasseur e falsificar seu retrato, tinha assinado sua sentença de culpa. Mas, por outro lado, Weber não se esquecia de que dom Luís não era outro senão Arsène Lupin, e essa constatação lhe inspirava um certo desconforto. Ele visivelmente pensava:

"O menor deslize e estou liquidado". Ele desferiu o primeiro golpe, brincando:

– Pelo que vejo, o senhor não estava no pavilhão da senhorita Levasseur, como seu criado afirmou.

– Meu criado apenas seguiu minhas instruções. Eu estava no meu quarto, lá em cima. Mas antes de descer, tinha algo a fazer.

– E está feito?

– Está feito. Florence Levasseur e Gaston Sauverand estão em minha casa, amarrados e amordaçados. O senhor só precisa buscá-los.

– Gaston Sauverand! – exclamou Weber. – Então foi ele que viram entrar?

– Sim. Ele vivia com Florence Levasseur, de quem é amante.

– Ah! Ah! – disse o subchefe num tom zombeteiro. – Seu amante!

– Sim, e quando o brigadeiro Mazeroux pediu que Florence Levasseur se apresentasse em seu quarto a fim de interrogá-la longe dos criados, Sauverand, antecipando a prisão de sua amante, teve a audácia de se juntar a nós. Ele queria arrancá-la das nossas mãos.

– E o senhor o dominou?

– Sim.

Estava claro que o subchefe não acreditava em uma única palavra da história. Ele sabia, por meio do senhor Desmalions e de Mazeroux, que dom Luís amava Florence, e dom Luís não era o tipo de homem que entregava, mesmo por ciúmes, uma mulher que ele amava. Ele redobrou a atenção.

– Excelente trabalho – disse ele. – Leva-me até o seu quarto. A luta foi difícil?

– Não muito. Consegui desarmar o bandido. Mazeroux, no entanto, foi atingido no polegar por uma facada.

– Nada de grave?

– Oh! Não, ele foi à farmácia fazer um curativo.

O subchefe parou, muito surpreso.

– Como! Mazeroux não está em seu quarto com os dois prisioneiros?

– Eu nunca disse que ele estava lá.

– Não, mas o seu criado...

– Meu criado cometeu um erro. Mazeroux saiu alguns minutos antes da sua chegada.

– É estranho – disse Weber, observando dom Luís –, todos os meus agentes acreditam que ele está aqui. Eles não o viram sair.

– Não o viram sair? – repetiu dom Luís demonstrando certa preocupação. – Mas então onde poderia estar? Ele me disse que precisava fazer um curativo.

O subchefe estava cada vez mais desconfiado. Obviamente, Perenna queria se livrar dele, enviando-o à procura do brigadeiro.

– Vou enviar um dos meus agentes – ele disse. – A farmácia fica perto daqui?

– Bem perto, na rua Bourgogne. Mas nós podemos telefonar.

– Ah! Podemos telefonar – murmurou o subchefe.

Ele não entendia mais nada. Parecia um homem que não sabe o que vai cair sobre sua cabeça. Lentamente, ele caminhou na direção do telefone enquanto bloqueava a passagem para que dom Luís não pudesse escapar.

Dom Luís, portanto, recuou até o aparelho, como se estivesse sendo forçado a fazê-lo, tirou o fone do gancho com uma mão e, enquanto chamava:

– Alô... alô... Saxe 24-09...

Com a outra mão, encostada na parede, ele cortou um dos fios com um pequeno grampo que teve o cuidado de pegar sobre a mesa.

– Alô... 24-09... é o farmacêutico? Alô... o brigadeiro Mazeroux, da Sûreté, está aí, não está? Hein? O quê? O que o senhor está dizendo? Mas isso é horrível! O senhor tem certeza? A ferida está envenenada!

Com um movimento irrefletido, o subchefe empurrou dom Luís e agarrou o fone. Essa ideia de uma ferida envenenada o perturbava.

– Alô... alô... – gritou ele, vigiando dom Luís e ordenando, com um gesto, que ele não se afastasse. – Alô. Muito bem! O quê? É o subchefe Weber, da Sûreté...

"Alô... Então o brigadeiro Mazeroux... Alô... fale logo, Deus do céu!"

De repente, ele largou o aparelho, olhou para os fios, percebeu que estavam rompidos e, virando-se, revelou um rosto que expressava muito claramente este pensamento:

"É isso. Fui enganado."

Perenna estava três passos atrás dele, indolentemente apoiado contra a madeira da baia, e a mão esquerda passava entre suas costas e a madeira.

Ele sorria. Um sorriso gentil, de uma simplicidade cordial.

– Não se mexa! – ele disse, fazendo um gesto com a mão direita.

Weber não se mexeu, mais assustado com esse sorriso do que teria ficado com ameaças.

– Não se mexa – repetiu dom Luís com uma voz inefável. – E, sobretudo, não se preocupe... Ninguém vai lhe fazer mal. Apenas cinco minutos de castigo no escuro para o rapazinho que não se comportou bem. Você está pronto? Um, dois, três, pá!

Ele sumiu por alguns segundos e apertou o botão que controlava a cortina de ferro. A chapa pesada caiu. O subchefe estava encurralado.

– Duzentos milhões que caem do céu – escarneceu dom Luís. – É um belo efeito, mas um pouco caro. Adeus, herança de Mornington! Adeus, dom Luís Perenna! E agora, bravo Lupin, se não quiser que Weber se vingue, saia daí, e rápido. Um, dois, um, dois... palha, feno...

Enquanto falava, ele trancava por dentro a porta dupla que ia do salão principal à antessala do primeiro andar, então, voltando ao seu escritório, fechou a porta que dava acesso à sala de estar.

Nesse momento, o subchefe começou a esmurrar a cortina de ferro com golpes repetidos e a gritar de tal modo que deveria ser possível ouvi-lo do lado de fora, através da janela aberta.

– Ainda não está fazendo barulho suficiente, subchefe – alertou dom Luís.

Ele pegou o revólver e disparou três tiros, um dos quais partiu um azulejo. Então, rapidamente, ele saiu de seu escritório através de uma pequena porta compacta que cuidadosamente trancou. Ele estava em um corredor que contornava os dois cômodos e levava a uma outra porta que dava para a antessala.

Dom Luís abriu essa outra porta, bastante grande, e conseguiu se esconder atrás do batente.

Já atraídos pelas detonações e pelo barulho, os agentes invadiram o vestíbulo e as escadas. Quando chegaram ao primeiro andar e atravessaram a antessala, encontrando a porta da sala de estar fechada, apenas uma saída se oferecia a eles, o corredor no final do qual ecoavam os gritos do subchefe. Os seis se precipitaram.

Quando o último desapareceu depois da curva, dom Luís baixou lentamente a porta que o escondia e a fechou, como tinha feito com as outras. Como o subchefe, os seis agentes tinham sido feitos prisioneiros.

– Encaçapados – murmurou dom Luís. – Eles levarão pelo menos cinco minutos para se dar conta da situação, espancar as portas trancadas e conseguir abrir uma. Em cinco minutos, já estaremos longe.

Ele encontrou dois dos seus criados, o motorista e o mordomo, que vieram correndo, assustados. Então, atirou-lhes duas notas de mil francos e disse ao motorista:

– Ligue o motor, artista. E não quero ninguém em volta do carro atrapalhando meu caminho. Mais dois mil francos para cada um se eu conseguir fugir de carro. Sim, é isso mesmo, não façam essas caras estúpidas. Dois mil francos. Vocês só precisam fazer por onde ganhá-los. Depressa, cavalheiros.

Sem muita pressa, ainda com tudo sob controle, dom Luís subiu até o segundo andar. Mas quando já estava nos últimos degraus, uma alegria enorme o abalou e ele exclamou:

– Vitória! O caminho está livre.

A porta da saleta estava diante dele. Ele a abriu repetindo:

– Vitória! Mas não temos nem um segundo a perder. Sigam-me.

Ele entrou. Um palavrão ficou preso em sua garganta. A sala estava vazia.

– O quê! – ele gaguejou. – O que isso significa? Eles se foram. Florence...

Certamente, por mais improvável que fosse a hipótese, ele até então supunha que Sauverand tinha uma chave falsa da fechadura. Mas como poderiam ambos escapar no meio dos agentes? Ele olhou ao redor e imediatamente compreendeu. No reforço onde a janela estava localizada, a parte inferior da parede, que formava uma espécie de cofre largo abaixo da vidraça, estava com a madeira superior levantada e apoiada contra os azulejos, exatamente como a tampa de uma arca. E, dentro da arca aberta, podia-se ver os primeiros degraus de uma escadaria muito estreita e aberta que descia...

Em um segundo, dom Luís evocou toda a aventura do passado, a avó de seu predecessor, o conde Malonesco, escondida no antigo palácio da família, escapando da busca dos investigadores e vivendo desse modo durante a tempestade revolucionária. Estava tudo explicado. Uma passagem, construída na mesma espessura da parede, conduzia a alguma saída distante. E era assim que Florence entrava e saía do palácio e que Gaston Sauverand entrava e saía em completa segurança. Era assim que ambos podiam entrar em seu quarto e surpreender seus segredos.

"Por que não me disseram nada?", ele se perguntou. "Por desconfiança?"

Mas, na mesa, um papel chamou sua atenção. Com a mão febril, Gaston Sauverand havia traçado estas linhas:

Decidimos fugir para não lhe comprometer. Se formos apanhados, azar. O mais importante é que o senhor fique livre. Toda nossa esperança está depositada no senhor.

Sob essas linhas, havia as seguintes palavras escritas por Florence:

Salve Marie-Anne.

– Ah! – ele murmurou, desconcertado com esse desfecho e sem saber que decisão tomar. – Por que eles não me obedeceram? Agora estamos separados...

Lá embaixo, os polícias estavam demolindo a porta do corredor onde ficaram presos. Antes que conseguissem, talvez ele ainda tivesse tempo de chegar até o carro? Mas preferiu seguir o mesmo caminho de Florence e Sauverand, o que lhe dava a esperança de encontrá-los e socorrê-los em caso de perigo.

Então, saltando a borda da arca, ele pisou no primeiro degrau e desceu. Cerca de vinte degraus o levaram até a metade do primeiro andar. Ali, sob a luz de sua lanterna, ele penetrou em uma espécie de túnel arqueado, muito baixo, cavado, exatamente como ele imaginava, no interior da parede, e tão estreito que só se podia avançar mantendo os ombros enviesados.

Trinta metros mais adiante, havia uma curva em ângulo reto, e então, no final de outro túnel, também comprido, uma escotilha que estava aberta e onde apareceram os degraus de outra escadaria. Ele não tinha dúvida de que os fugitivos tinham passado por ali.

Embaixo, uma claridade o aguardava. Ele tinha chegado a um armário que também estava aberto e cujas cortinas, abertas naquele momento, deviam ficar fechadas em dias normais. Esse armário continha uma cama que quase preenchia o espaço de uma alcova. Depois de atravessar a alcova e chegar à sala da qual ela era separada apenas por uma divisória, para sua surpresa, ele reconheceu a sala de Florence.

Desta vez ele sabia. A passagem, não mais secreta, uma vez que ela dava na praça do Palais-Bourbon, mas muito segura, era a que Sauverand costumava usar quando Florence o introduzia em sua residência. Então Perenna atravessou a antessala, desceu alguns degraus e, um pouco antes do escritório, desabou pela escada que levava às caves do palácio. Na penumbra, era possível identificar a porta baixa usada para a passagem das barricadas, que tinha uma pequena fresta gradeada através da qual a luz do dia era filtrada. Tateando, ele encontrou a fechadura. Feliz por finalmente chegar ao fim de sua expedição, ele abriu.

– Meu Deus do céu! – ele murmurou dando um salto para trás e se agarrando à fechadura, que ele conseguiu fechar.

Dois policiais fardados estavam guardando a saída, dois oficiais que, quando ele apareceu, tentaram agarrá-lo.

De onde vinham aqueles dois homens? Teriam eles impedido a fuga de Sauverand e de Florence? Mas, neste caso, dom Luís teria encontrado os dois fugitivos, uma vez que eles tinham seguido exatamente pelo mesmo caminho.

"Não", pensou ele, "a fuga ocorreu antes da saída ser vigiada. Mas que droga! É a minha vez de fugir e essa situação não é nem um pouco conveniente. Será que vou ser apanhado na toca feito um coelho?"

Ele subiu as escadas da cave com a intenção de apressar as coisas, atravessar o pátio principal pelos corredores, saltar em seu automóvel e forçar a passagem. Mas quando estava prestes a chegar ao corredor, perto da garagem, ele viu quatro dos oficiais da Sûreté que ele havia aprisionado. Eles vigiavam enquanto gesticulavam e gritavam. E ele também percebeu todo um tumulto acontecendo do lado do portão principal e do pavilhão dos porteiros. Muitas vozes masculinas se misturavam. Eles discutiam agressivamente.

Talvez aquela fosse uma oportunidade que ele podia aproveitar para se esgueirar da multidão e fugir. Correndo o risco de ser visto, inclinou a cabeça para a frente e o espetáculo que se ofereceu aos olhos dele o surpreendeu.

Cercado por policiais e agentes da Sûreté, bloqueado contra a parede, insultado, empurrado, Gaston Sauverand estava lá com os pulsos algemados.

Gaston Sauverand prisioneiro! Que drama poderia ter acontecido entre os dois fugitivos e a polícia? Com o coração cerrado de angústia, ele se inclinou um pouco mais, no entanto não viu Florence. A jovem provavelmente tinha conseguido escapar.

A aparição de Weber no alpendre e as palavras do subchefe confirmaram sua esperança. Weber estava furioso. O cativeiro e a humilhação da derrota o exasperavam.

– Ah! – ele reagiu ao ver o prisioneiro. – Pelo menos um! Gaston Sauverand! Uma presa de qualidade. Onde vocês pegaram esse aí, meus amigos?

– Na praça do Palais-Bourbon – disse um dos inspetores. – Vimos quando ele fugia pela porta da cave.

– E sua cúmplice, a jovem Levasseur?

– Nós a perdemos, chefe. Ela já tinha fugido.

– E dom Luís? Não o deixaram sair do palácio, não é? Eu dei as instruções.

– Ele também tentou sair pela porta da cave, cinco minutos depois!

– Quem lhes disse?

– Um dos polícias que estava de guarda do lado de fora.

– E então?

– O tipo voltou para a cave.

Weber soltou um grito de alegria.

– Vamos pegá-lo! E é um mau negócio para ele! Rebelião contra a polícia! Cumplicidade! Enfim. Vamos conseguir desmascará-lo. Avante! Avante, rapazes! Dois homens para vigiar Sauverand, quatro homens na praça Palais-Bourbon com revólver em punho, dois homens nos telhados e os outros venham comigo! Vamos começar pelo quarto da senhorita Levasseur, depois vamos ao quarto dele. Ao trabalho, crianças!

Dom Luís não esperou pela investida dos agressores. Informado sobre as intenções deles, bateu em retirada, sem ser visto, na direção do apartamento de Florence. Como Weber ainda não conhecia o caminho direto que passava pelas áreas comuns, ele teve tempo de confirmar que o mecanismo da escotilha ainda funcionava muito bem e que não havia nenhuma forma de descobrir, no fundo da alcova e atrás das cortinas da cama, a existência de um armário secreto.

Assim que entrou pela passagem, ele subiu o primeiro lance de escadas, seguiu o comprido corredor interno à parede, subiu a escada que levava à antecâmara e, percebendo que a segunda escotilha se ajustava tão perfeitamente à madeira que ninguém poderia suspeitar de nada, fechou-a acima de sua cabeça.

Alguns minutos depois, ele ouviu logo acima o tumulto dos homens que o procuravam.

Assim, no dia vinte e quatro de maio, às cinco da tarde, a situação era a seguinte: Florence Levasseur sob mandato de prisão, Gaston Sauverand na prisão, Marie-Anne Fauville na prisão e recusando qualquer comida, e dom Luís, que acreditava na inocência deles e era o único que poderia salvá-los, estava preso em seu palácio sendo caçado por vinte policiais.

A herança de Mornington já não estava mais em questão, uma vez que o legatário tinha acabado de iniciar uma rebelião aberta contra a sociedade.

– Tudo às mil maravilhas – escarneceu dom Luís. – Eis a vida tal qual a vejo agora. A questão é simples e se expõe de diferentes formas. Como pode um miserável, que não tem um centavo no bolso, fazer fortuna em 24 horas sem sair da sua espelunca? Como pode um general, que já não tem soldados ou munições, ganhar uma batalha que estava perdida? Em suma, como poderei eu, Arsène Lupin, assistir à reunião de amanhã à noite no boulevard Suchet e salvar Marie-Anne Fauville, Florence Levasseur, Gaston Sauverand e, sobretudo, meu excelente amigo, dom Luís Perenna?

Golpes surdos ressoaram em algum lugar. Deviam estar revistando os telhados, deviam estar examinando os muros.

Dom Luís se deitou no chão, de barriga para baixo, escondeu o rosto entre os braços cruzados e, fechando os olhos, murmurou:

– Vamos pensar.

SOCORRO!

Quando, mais tarde, Arsène Lupin me contou esse episódio da trágica aventura, ele me falou, e com certa presunção:

– O que me surpreendia naquele momento, e ainda hoje me surpreende como uma das mais belas vitórias de que tenho o direito de me orgulhar, é que pude admitir de repente, junto com um problema irrevogavelmente resolvido, a inocência de Sauverand e de Marie-Anne. Isso, eu juro, é primordial e excede, em valor psicológico e em mérito policial, as deduções mais famosas dos mais famosos detetives.

"Pois enfim, depois de ponderar, não houve sequer a sombra de um novo fato que me permitisse revisar o processo. As acusações acumuladas contra os dois prisioneiros eram as mesmas e tão graves que nenhum juiz de instrução teria hesitado por um único segundo em assinar seu mandado, e nenhum júri em responder *sim* a todas as questões.

"E, no entanto, por que essa reviravolta repentina se produziu em mim? Por que caminhei na direção contrária a das evidências?

"Por que acreditei em uma verdade inacreditável? Por que admiti o inadmissível?

"Por quê? Ah! Sem dúvida, porque a verdade tem um sotaque que soa aos ouvidos de uma forma bastante peculiar. De um lado, todas as provas, todos os fatos, todas as verdades, todas as certezas; de outro, uma narrativa contada por um dos três culpados, portanto, *a priori*, absurda e mentirosa da primeira à última sílaba, mas uma narrativa com um tom de voz leal, claro, sóbrio, de uma trama concisa que se desdobrava de uma extremidade a outra da aventura, sem complicações ou inconsistências, uma narrativa que não apresentava qualquer solução positiva, mas que, por sua probidade, obrigava qualquer espírito imparcial a repensar a solução encontrada. Eu acreditei na história."

As explicações de Lupin, da forma como ele me dava, não estavam completas.

– E Florence Levasseur? – perguntei.

– Florence Levasseur?

– Sim, o senhor não chegou a nenhuma conclusão sobre ela. Que opinião o senhor tinha a seu respeito? Tudo a acusava, e não só aos seus olhos, pois logicamente ela participava de todas as tentativas de assassinato dirigidas contra o senhor, mas também aos olhos da justiça. Ninguém sabia que ela ia fazer visitas clandestinas a Gaston Sauverand, no boulevard Richard-Wallace? A fotografia dela não tinha sido encontrada na caderneta do inspetor Vérot? E depois... além disso, por fim, suas acusações... suas certezas... Tudo isso mudou com a história contada por Sauverand? Para o senhor, Florence era inocente ou culpada?

Ele hesitou, estava prestes a responder à minha pergunta direta e francamente, mas não conseguiu se decidir e pronunciou:

– Eu queria confiar. Para agir, eu tinha que ter plena e completa confiança, independentemente das dúvidas que ainda pudessem me assaltar e de qualquer treva que ainda pesasse sobre esta ou aquela parte da aventura. Então eu acreditei. E, acreditando, agi de acordo com minha crença.

Agir, para dom Luís Perenna, nesses momentos de imobilidade forçada, consistia unicamente em repetir sem cessar a relação que Gaston Sauverand tinha apresentado sobre os acontecimentos. Ele tentava reconstitui-la em todos os detalhes, encontrar as menores frases e os termos aparentemente mais insignificantes. E essas frases, ele as examinava uma por uma, e esses termos, ele os perscrutava um por um, a fim de extrair a parte de verdade que eles continham.

Pois a verdade estava lá, Sauverand tinha-lhe dito, e dom Luís não duvidava dela. Toda a história sinistra, tudo o que compunha o caso da herança Mornington e o drama do boulevard Suchet, tudo o que poderia lançar uma luz sobre o complô urdido contra Marie-Anne Fauville, tudo o que poderia explicar a fuga de Sauverand e Florence, tudo estava contido na narrativa de Sauverand. Bastava entender e a verdade surgiria, como a moralidade extraída de algum símbolo obscuro.

Nem uma vez dom Luís se desviou do seu método. Se tal objeção se insinuava em sua mente, ele logo respondia:

"Que seja. Pode ser que eu esteja errado e que a história de Sauverand não me traga nenhum elemento capaz de me guiar. Pode ser que a verdade esteja lá fora, mas estou em condições de chegar a essa verdade de outra forma? Como um instrumento de pesquisa e sem considerar excessivamente certos vislumbres que o aparecimento regular das misteriosas cartas me dava sobre o caso, tenho somente a história de Gaston Sauverand. Então não devo usá-la?"

E, mais uma vez, como um caminho que se percorre seguindo os passos de outra pessoa, ele recomeçava a viver a aventura vivida por Sauverand. Ele a comparava com a que tinha imaginado até então. Ambos se opunham um ao outro, mas, do choque de seus contrastes, não poderia surgir uma centelha?

"Foi o que ele disse", pensou, "e foi nisso que eu acreditei. O que significa essa diferença? Isto é o que aconteceu, e isto é o que parece ser. Por que o culpado quis que o acontecimento se mostrasse precisamente sob esse aspecto? Para manter todas as suspeitas longe dele? Mas seria necessário, neste caso, que chegassem precisamente àqueles a quem chegaram?"

E os questionamentos se acumulavam dentro dele. Ele às vezes respondia a eles de maneira aleatória, citando nomes e proferindo palavras ao acaso, como se o nome citado fosse o do culpado, e as palavras pronunciadas, as que continham a invisível realidade.

Logo ele retomava a narrativa, como fazem os alunos com suas tarefas de casa, análise lógica e análise gramatical, onde cada expressão é minuciosamente estudada, cada período deslocado, cada frase reduzida ao seu valor essencial.

Passaram-se horas e horas.

De repente, no meio da noite, ele teve um sobressalto e puxou o relógio. Sob a claridade de sua lanterna, viu que eram onze horas e quarenta e três.

– Então foi às onze horas quarenta e três minutos da noite – disse ele em voz alta – que eu penetrei nas profundezas das trevas.

Ele procurava controlar sua emoção, mas ela era imensa e ele começou a derramar lágrimas, tão abalados estavam seus nervos pela provação. Tinha acabado de vislumbrar, de fato, como se adivinha uma paisagem noturna pela luz de um luar, a formidável verdade.

Não há sensação mais violenta do que esses tipos de clarões que subitamente rebentam no meio da escuridão que tateamos e na qual nos debatemos. Já exausto pelo esforço físico e pela falta de comida que começava a fazê-lo sofrer, ele sentiu tão profundamente esse choque que, sem querer pensar por mais um instante sequer, conseguiu adormecer, ou melhor, mergulhar no sono como se mergulha na água de um banho revigorante.

Quando ele acordou, no início da manhã, disposto apesar do incômodo de seu leito, ele sentiu um arrepio ao pensar na hipótese que ele havia aceitado e seu instinto foi de primeiro a questioná-la. Mas ele não teve tempo, por assim dizer. Todas as provas iam ao encontro de seu pensamento e imediatamente transformavam a hipótese em uma dessas certezas que ele ficaria louco se tentasse controlar. Era isso e mais nada. Como ele havia pressentido, a verdade estava inscrita no relato de Sauverand. Ele também não tinha se enganado ao dizer a Mazeroux que a forma como as misteriosas cartas apareciam o haviam colocado no caminho da verdade.

E essa verdade era assustadora.

Ele sentia, ao evocá-la, o mesmo horror que tinha assustado o inspetor Vérot quando, já torturado pelo veneno, ele balbuciou:

– Ah! Tenho medo... Temo que tudo isso esteja sendo combinado de uma forma muito diabólica!

De fato, muito diabólica! E dom Luís continuava confuso diante da revelação de um plano cuja concepção não parecia ter germinado em um cérebro humano.

Ele dedicou mais duas horas a todo o esforço de seu pensamento para examinar a situação de todos os ângulos. Quanto ao desfecho, ele não se preocupava muito porque, agora dono do terrível segredo, ele só tinha que escapar e ir naquela noite à reunião do boulevard Suchet, onde faria diante de todos a revelação do crime. Mas quando, querendo arriscar suas chances de escapar, ele subiu pelo subsolo e chegou ao topo da escada superior, isto é, ao nível de sua antecâmara, ele ouviu através da escotilha as vozes dos homens que se encontravam nesse cômodo.

"Droga", disse a si mesmo, "o caso está ficando complicado. Para escapar dos esbirros da polícia, tenho de sair da minha prisão, e pelo menos uma destas saídas está condenada. Resta a outra."

Ele retornou ao apartamento de Florence e acionou o mecanismo que consistia em um contrapeso.

O painel do armário deslizou.

Movido pela fome, na esperança de encontrar algumas provisões que lhe permitissem se manter em seu esconderijo sem ser castigado pela fome, ele estava prestes a contornar a alcova, atrás das cortinas, quando o som de passos o fez parar de imediato. Alguém estava entrando no recinto:

– Bem, Mazeroux, você passou a noite aqui. Nenhuma novidade?

Pela voz, dom Luís reconheceu o comandante-geral, e a pergunta que ouviu lhe fez descobrir, primeiro, que Mazeroux tinha sido retirado do depósito onde estava amarrado, depois, que o brigadeiro estava na sala ao lado. Felizmente, o mecanismo do teto tinha funcionado sem fazer o mínimo barulho e dom Luís pôde surpreender a conversa dos dois homens.

– Nada de novo, senhor comandante – respondeu Mazeroux.

– Muito curioso. Esse maldito personagem tem que estar em algum lugar, ou então ele fugiu pelos telhados.

– Impossível, senhor comandante – disse uma terceira voz, que dom Luís reconheceu como a do subchefe Weber. – Impossível. Ontem pudemos constatar que, a não ser que ele tenha asas…

– Então qual é a sua opinião, Weber?

– A minha opinião, comandante, é que ele está escondido no palácio. Esta construção é antiga. É provável que haja algum esconderijo.

– Evidentemente… evidentemente… – considerou o senhor Desmalions, que dom Luís viu, através de uma abertura da cortina, passar diante da baia da alcova. – Evidentemente, o senhor tem razão e vamos pegá-lo em seu covil. Mas isso é mesmo necessário?

– Senhor comandante!

– Sim, o senhor sabe a minha opinião sobre isso, e também a opinião do presidente do conselho. Exumar Lupin é um erro e isso vai cair nas nossas costas. Afinal, ele se tornou um homem honesto, é útil para nós, e não faz nada de mal…

– Nada de mal, o senhor acha mesmo, comandante? – questionou Weber num tom de despeito.

O senhor Desmalions se pôs a gargalhar.

– Ah! Sim, teve o caso de ontem, do telefonema! Admita que é engraçado. O presidente do conselho se contorceu de rir quando lhe contei…

– Juro que não vejo motivo para rir.

– Não, mas de todo modo, o patife sempre se safa. Engraçado ou não, sua audácia é inédita. Desmantelar o fio do telefone diante dos seus olhos e, em seguida, me bloquear atrás de uma cortina de ferro… A propósito, Mazeroux, será necessário, logo de manhã, consertar esse telefone para que você permaneça aqui em comunicação com a Chefatura. O senhor já iniciou as investigações nestes dois cômodos?

– De acordo com as suas ordens, comandante. Já faz uma hora que o subchefe e eu estamos procurando.

– Sim – confirmou o senhor Desmalions –, essa Florence Levasseur me parece uma criatura inquietante. A cumplicidade dela é certa. Mas que relações tinha com Sauverand e que relações tem com dom Luís Perenna? Isso seria importante saber. O senhor não encontrou nada nos documentos dela?

– Nada, senhor comandante – disse Mazeroux. – São só faturas, cartas de fornecedores.

– E o senhor, Weber?

– Eu, senhor comandante, encontrei algo interessante.

Ele disse estas palavras num tom triunfante e, como o senhor Desmalions o interrogava, ele retomou:

– Este volume de Shakespeare, senhor comandante, o volume oito. O senhor vai notar que, ao contrário dos outros volumes, ele está vazio por dentro e a encadernação é apenas a cartonagem de uma caixa secreta usada para esconder papéis.

De fato. E esses papéis?

– Aqui estão eles... são folhas... folhas em branco, exceto três. Uma em que está escrita a lista de datas em que as cartas misteriosas deveriam surgir...

– Oh! Oh! – reagiu o senhor Desmalions. – A acusação é esmagadora contra Florence Levasseur. Além disso, fomos informados de que foi aqui que dom Luís conseguiu essa lista.

Perenna escutava com surpresa: ele havia esquecido totalmente esse detalhe e Gaston Sauverand, em sua narrativa, não tinha feito a menor alusão a ele. Entretanto, era algo muito grave e muito estranho. De quem Florence havia obtido a lista de datas?

– E as outras duas folhas? – perguntou o senhor Desmalions.

Dom Luís redobrou sua atenção. Essas duas outras folhas tinham escapado dele no dia da conversa com Florence, naquela mesma sala.

– Aqui está uma delas – respondeu Weber.

O senhor Desmalions pegou a folha e leu:

Não esquecer que a explosão independe das cartas e acontecerá às três da manhã.

– Ah! Sim – ele reagiu, encolhendo os ombros. – A famosa explosão que dom Luís previu e que deve acompanhar a quinta carta, exatamente como anuncia esta lista de datas. Bah! Temos tempo, já que por enquanto só temos três cartas e esta noite chegará a quarta. Além disso, explodir o palácio do boulevard Suchet não seria nada simples, minha Nossa! Isso é tudo?

– Senhor comandante – disse Weber, que apresentou a última folha –, peço que examine este conjunto de linhas escritas a lápis e que formam um grande quadrado contendo outros menores e retângulos de todas as dimensões. Não parece a planta de uma casa?

– Sim, de fato...

– É a planta do palácio onde estamos – afirmou Weber com uma certa solenidade. – Aqui está o pátio central, os edifícios dos fundos, o pavilhão dos porteiros, e, ali, o pavilhão da senhorita Levasseur. Deste pavilhão, feita com um lápis vermelho, parte uma linha pontilhada que segue em ziguezague para os edifícios ao fundo. O início dessa linha está marcado com uma pequena cruz que designa a sala onde estamos... ou mais exatamente a alcova. Aqui foi desenhada a localização de uma lareira, ou melhor, um armário. Um armário construído atrás da cama e que estaria escondido pelas cortinas.

– Mas então, Weber – murmurou o senhor Desmalions –, esta seria a rota de uma passagem que vai deste pavilhão até os edifícios dos fundos? Veja, na outra ponta dessa linha há também uma pequena cruz vermelha feita com um lápis vermelho.

– Sim, senhor comandante, há uma outra cruz. Que localização ela marca? Descobriremos isso mais tarde com mais certeza. Mas, desde já, e partindo de uma simples hipótese, deixei alguns homens em uma pequena sala do segundo andar, onde aconteceu ontem o conciliábulo supremo entre dom Luís, Florence Levasseur e Gaston Sauverand. E agora, de todo modo, nós já conhecemos o esconderijo de dom Luís Perenna.

Houve um silêncio após o qual o subchefe retomou, com um tom de voz cada vez mais solene:

– Senhor comandante, ontem sofri uma afronta sangrenta desse homem. Meus subordinados foram testemunhas. Os criados não devem ignorar o corrido. Muito em breve, o público será informado. Esse homem ajudou Florence Levasseur a escapar e tentou ajudar na fuga de Gaston Sauverand. É um bandido dos mais perigosos. Senhor comandante, tenho certeza de que não vai me negar a permissão para pegá-lo dentro de seu covil. Caso contrário, senhor comandante, serei forçado a pedir demissão.

– Com um excelente motivo – disse o comandante, rindo. – Decididamente, o senhor não consegue superar o caso da cortina de ferro. Pois continue, então! Azar de dom Luís também. Ele pediu... Mazeroux, assim que o telefone estiver consertado, você enviará notícias à Chefatura. E esta noite, nos encontramos no boulevard Suchet, no palácio Fauville. Lembre-se de que se trata da quarta carta.

– Não haverá uma quarta carta, senhor comandante – declarou Weber.

– Por quê?

– Porque até lá dom Luís já estará preso.

– Ah! Então o senhor também acusa dom Luís de ser o autor...

Dom Luís não ouviu mais nada. Lentamente, ele voltou para o armário, agarrou o painel e o baixou sem fazer barulho.

Então seu esconderijo tinha sido descoberto!

– Macacos me mordam – resmungou –, essa é boa! Agora estou em maus lençóis.

Ele correu até a metade da passagem subterrânea com a intenção de chegar à outra saída. Parou.

"Não vale a pena, já que esta saída está cercada... Então, vamos ver, será que vão me pegar? Vejamos... vejamos..."

De baixo, vindo da alcova, já se ouvia um som de golpes, o som de golpes atingindo o painel e cuja sonoridade peculiar provavelmente tinha atraído a atenção do subchefe. E como Weber não era obrigado a tomar as mesmas precauções que dom Luís, parecia que ele estava demolindo o painel sem perder tempo, buscando o mecanismo de acionamento. O perigo estava próximo.

– Santo Deus, santo Deus! – resmungou dom Luís. – Isso é muito estúpido! O que eu faço? Passo por cima deles? Ah, se eu estivesse em plenas condições!

Mas a falta de comida o estava esgotando. Suas pernas tremiam e seu cérebro começava a perder a lucidez habitual.

Uma repetição de golpes na alcova, no entanto, impulsionou-o para a saída de cima, e, subindo a escada, ele iluminou com sua lanterna as paredes do muro e a madeira da escotilha. Ele tentou até levantar a escotilha com os ombros. Mas, mais uma vez, passos ecoaram acima ele. Os homens ainda estavam lá.

Então, consumido pela raiva, impotente, ele esperava pela chegada do subchefe.

Um estalido ocorreu embaixo e seu eco se espalhou por todo o subsolo. Em seguida, houve um tumulto de vozes.

"É isso", ele pensou, "as algemas, a prisão, a cela... Raios partam, que estupidez! E depois Marie-Anne Fauville vai morrer... Depois Florence..."

Antes de desligar a lanterna, ele projetou a luz à sua volta uma última vez. A dois metros da escada, cerca de três quartos da altura e um pouco afastada, faltava uma pedra, uma grande pedra de cantaria na parede, do lado de dentro da casa, que deixava um buraco de dimensões suficientemente grandes para que alguém pudesse se aninhar ali.

Embora o esconderijo não valesse muito, poderia ser que ninguém tivesse a ideia de inspecioná-lo. Dom Luís, além disso, não tinha escolha. Depois de desligar a lanterna, ele se inclinou na direção da borda do buraco, alcançou-o e conseguiu se instalar nele, dobrando-se ao meio.

Weber, Mazeroux e seus homens estavam chegando. Dom Luís se curvou contra o fundo de seu esconderijo para escapar tanto quanto possível da luz das lanternas cujos primeiros raios ele viu brilhar e uma coisa incrível aconteceu. A pedra contra a qual ele se apoiava, oscilou suavemente, como se tivesse girado sobre um eixo, e Perenna caiu de cabeça para baixo em uma segunda cavidade localizada atrás dessa. Rapidamente ele trouxe suas pernas para dentro dessa cavidade e a pedra se fechou com a mesma lentidão, mas não antes que um calhau, descolado da parede, cobrisse metade de suas pernas.

– Ora, ora – ele tripudiou. – Será que a Providência está se posicionando do lado da virtude e da razão?

Ele ouviu a voz de Mazeroux dizer:

– Ninguém! E chegamos ao fim da passagem. A não ser que tenha fugido com a nossa aproximação… Vejam, pela escotilha no topo desta escada.

E Weber respondeu:

– Dada a inclinação que subimos, é certo que o nível dessa escotilha fica no segundo andar. Então, a segunda cruz da planta marcaria, no segundo andar, a antecâmara contígua ao quarto de dom Luís. Foi o que presumi, e foi por isso que deixei três dos nossos homens de plantão por ali. Se ele tentou fugir daquele lado, ele foi pego.

– Só precisamos bater – disse Mazeroux – e nossos homens vão encontrar a escotilha e abrir para nós. Caso contrário, nós a derrubamos.

Novos golpes soaram. Um bom quarto de hora depois, a escotilha cedeu e outras vozes se misturaram às de Weber e Mazeroux.

Durante esse tempo, dom Luís examinou o esconderijo e constatou sua extrema pequenez. No máximo ele conseguia ficar sentado. Era um corredor, ou melhor, uma espécie de passagem estreita com um metro e meio de comprimento, e que terminava em um orifício ainda mais estreito onde havia tijolos acumulados. As paredes, aliás, eram feitas de tijolos, alguns dos quais estavam faltando, e os escombros de construção que eles deveriam sustentar desmoronavam ao menor impacto. O chão estava cheio deles.

"Droga!, pensou Lupin, "eu não devia ter me agitado tanto! Vou acabar sendo enterrado vivo. Agradável perspectiva!"

Além disso, o medo de fazer barulho o imobilizava. Ele estava, de fato, perto de dois quartos ocupados por agentes, sua antecâmara primeiro, e também seu escritório, uma vez que a antecâmara, como ele sabia, estava localizada na parte de seu escritório reservada para o telefone.

Esse pensamento lhe sugeriu outro. Refletindo e lembrando que às vezes ele se perguntava como a avó do conde Malonesco tinha sido capaz de viver atrás da cortina de ferro quando ela tinha que se esconder, ele entendeu que havia outrora uma comunicação entre a passagem secreta e o que era agora a cabine telefônica. Comunicação muito estreita para ser atravessada, mas que devia servir para a entrada e saída de ar. Como precaução, caso a passagem secreta fosse descoberta, uma pedra ocultava a entrada superior desse conduíte. O barão Malonesco teve de tapar a extremidade inferior com algumas das madeiras do escritório.

Então ele estava preso ali, no interior das paredes, sem outra decisão a não ser a de escapar do cerco da polícia. Passaram-se mais algumas horas.

Aos poucos, torturado pela fome e sede, ele caiu em um sono pesado, atravessado por pesadelos, tão angustiante que ele tentou acordar a todo custo, mas tão profundo que ele não recuperou a consciência antes das oito horas da noite.

Quando acordou, sentiu-se muito cansado e teve subitamente uma percepção assustadora e, ao mesmo tempo, tão precisa da situação que, por uma reviravolta repentina onde havia medo, ele resolveu deixar seu esconderijo e se render. Qualquer coisa seria melhor do que o suplício que ele estava suportando e que os perigos a que ele se expunha insistindo em uma espera mais longa.

Mas, ao se virar para chegar à entrada do seu covil, ele percebeu, primeiro, que a pedra não oscilava com um simples empurrão, e depois, após várias tentativas, que não conseguia encontrar o mecanismo que provavelmente a movimentava. Ele estava obstinado, mas todos os seus esforços foram em vão. A pedra não se mexia.

A cada uma de suas tentativas, alguns escombros se soltavam da parede superior e reduziam ainda mais o espaço em que ele podia se mexer.

Foi preciso uma dose extra de energia para dominar suas emoções e para dizer brincando:

– Perfeito! Serei obrigado a pedir ajuda. Eu, Arsène Lupin! Sim, pedir socorro a esses senhores da polícia. Caso contrário, minhas chances de acabar enterrado só farão aumentar, minuto a minuto.

Ele cerrou os punhos.

– Com mil raios! Preciso me salvar sozinho. Chamar por socorro? Não, mil vezes não!

Com toda sua vontade, ele tentou pensar, mas o seu cérebro exausto só tinha ideias confusas e desconectadas. A imagem de Florence o atormentava, e a de Marie-Anne também.

"É esta noite que devo salvá-las", ele dizia a si mesmo. "E vou salvá-las, pois elas não são criminosas e eu sei quem é o culpado. Mas por que meios vou conseguir fazer isso?"

Ele pensava no comandante-geral, na reunião que ia acontecer no boulevard Suchet, no palácio do engenheiro Fauville. A reunião já tinha começado. A polícia estava vigiando o palácio. E esse pensamento o fez lembrar da folha de papel encontrada por Weber no volume oito de Shakespeare e da frase escrita que o comandante tinha lido.

Não se esqueça de que a explosão independe das cartas e acontecerá às três da manhã.

"Sim", pensou dom Luís, que se ateve ao raciocínio do senhor Desmalions, "sim, em dez dias, já que ainda há apenas três cartas. A quarta carta deve surgir esta noite e a explosão só deve ocorrer com a quinta carta, portanto, em dez dias."

Ele repetiu:

– Em dez dias... com a quinta carta... sim, em dez dias...

E de repente ele tremeu de medo. Uma visão atroz tinha acabado de passar por sua mente, uma visão que tinha toda a aparência de realidade. A explosão aconteceria naquela noite!

E, imediatamente, sabendo o que sabia da verdade, em um retorno de sua habitual clarividência, ele admitiu essa hipótese como certa. Obviamente, apenas três cartas tinham surgido da misteriosa sombra, mas quatro cartas deveriam ter surgido, uma vez que uma delas não tinha surgido na data marcada, mas dez dias depois, e por uma razão que dom Luís sabia. Além do mais, não era disso que se tratava. Não se tratava de buscar a verdade nessa confusão de datas e cartas, nesse imbróglio inextricável onde ninguém podia recorrer à certeza. Não. Apenas uma coisa dominava a situação, esta frase: "*Não se esqueça de que a explosão independe das cartas.*" Ora, como a explosão estava agendada para a noite do dia vinte e cinco para o dia vinte e seis de maio, a explosão ocorreria naquela mesma noite, às três horas da manhã!

– Socorro! Socorro! – ele começou a gritar.

Desta vez, ele não hesitou. Se teve a coragem, até agora, de permanecer na profundidade de sua prisão e aguardar o acontecimento milagroso que viria em seu auxílio, ele preferia, neste momento, enfrentar todos os perigos e sofrer todos os castigos a deixar ao destino que os ameaçava o comandante-geral, Weber, Mazeroux e seus companheiros.

– Socorro! Socorro!

Em três ou quatro horas, o palácio do engenheiro Fauville estava prestes a explodir. Ele tinha a mais pura certeza disso. Com a mesma precisão com que as cartas misteriosas tinham chegado ao seu destino, apesar de todos os obstáculos que estavam no seu caminho, a explosão aconteceria na hora indicada. O artesão infernal da maldita obra assim o desejava. Às três da manhã, não restaria nada do palácio.

– Socorro! Socorro!

Ele encontrou forças para gritar desesperadamente e para fazer sua voz soar para além das pedras e da madeira.

Então, como não parecia que seu chamado estava sendo atendido, ele parou e ouviu por um longo tempo. Nenhum barulho ao redor. Silêncio absoluto.

Depois, uma terrível angústia o cobriu de suor. E se os agentes, renunciando à guarda dos andares superiores, estivessem confinados nos quartos do térreo para passar a noite lá?

Como um louco, ele pegou um tijolo e bateu repetidamente na pedra da entrada, esperando que o barulho se espalhasse através do palácio. Mas logo uma avalanche de escombros descolados pelo choque caiu sobre ele, derrubou-o novamente e o imobilizou.

– Socorro! Socorro! Socorro!

Silêncio. Silêncio completo, implacável.

– Socorro! Socorro!

Ele tinha a impressão de que seus gritos não iam além das paredes que o sufocavam. Além disso, sua voz estava ficando cada vez mais fraca, um gemido rouco, ofegante, que expirava em sua garganta ferida.

Ele se calou e ouviu novamente, com toda a atenção concentrada, o grande silêncio que o envolvia, como camadas de chumbo em volta do caixão de pedra onde estava. Nada. Nenhum barulho. Ninguém viria e ninguém poderia vir em seu socorro.

A imagem e o nome de Florence continuavam a obcecá-lo, e ele também pensava em Marie-Anne, que tinha prometido salvar. Mas Marie-Anne morreria de fome. E como ela, como Gaston Sauverand, e como tantos outros, ele era, por sua vez, vítima desse caso monstruoso.

Um incidente aumentou sua angústia. De repente, a lanterna que ele tinha deixado acesa para dissipar o horror da escuridão se apagou. Eram onze horas da noite.

Vertigens o atordoavam. Ele mal respirava e o ar se tornava insuficiente, já estava viciado. Seu cérebro sofria, além de um mal físico e muito doloroso, o retorno de imagens que pareciam estar incrustadas nele, e eram sempre a bela figura de Florence ou o rosto lívido de Marie-Anne. E, em sua alucinação, enquanto Marie-Anne agonizava, ele ouvia a explosão do palácio Fauville e via o comandante-geral e Mazeroux terrivelmente mutilados, mortos.

Um torpor o entorpeceu. Ele caiu numa espécie de desmaio em que continuava a balbuciar sílabas confusas:

– Florence... Marie-Anne... Marie-Anne...

A EXPLOSÃO NO BOULEVARD SUCHET

A quarta carta misteriosa! A quarta dessas cartas que "o diabo colocava no correio e o diabo distribuía", segundo a expressão de um jornal! Lembremos da extraordinária superexcitação do público à medida que a noite do dia 25 para o dia 26 de maio se aproximava...

E algo novo elevava ao ponto mais alto essa efervescência de curiosidade. Um após o outro, soube-se da prisão de Sauverand, da fuga de sua cúmplice, Florence Levasseur, secretária de dom Luís Perenna, e do inexplicável desaparecimento desse Perenna que, obstinadamente, e por boas razões, era confundido com Arsène Lupin.

Confiante na vitória, mantendo sob suas garras quase todos os autores do drama, a polícia tinha pouco a pouco escorregado em indiscrições, e pelos detalhes revelados para este ou aquele jornalista, sabia-se das reviravoltas em relação a dom Luís, suspeitava-se de seu amor por Florence Levasseur e da verdadeira razão de sua rebelião e se vibrava de emoção com o espetáculo dessa nova luta iniciada por esse surpreendente personagem.

O que ele iria fazer? Se queria livrar das acusações aquela que amava, e libertar Marie-Anne e Sauverand, ele precisava intervir durante aquela mesma noite, participar, de uma forma ou de outra, do acontecimento que estava sendo preparado e, prendendo o invisível mensageiro da quarta carta ou fornecendo explicações irrefutáveis, provar a inocência dos três cúmplices. Enfim, ele tinha de estar lá. Que elemento de interesse!

Além disso, as notícias sobre Marie-Anne não eram boas. Com uma obstinação incansável, ela persistia em seus planos de suicídio. Era preciso alimentá-la por meios artificiais e, na enfermaria de Saint-Lazare, os médicos não escondiam sua preocupação. Dom Luís Perenna chegaria a tempo?

Havia ainda outra coisa, a ameaça de uma explosão que faria o palácio do engenheiro Fauville saltar pelos ares dez dias depois da quarta carta. Uma ameaça realmente impressionante quando se pensava que o inimigo nunca tinha anunciado nada que não tivesse acontecido na hora marcada. E embora ainda faltassem – pelo menos era o que se acreditava – dez dias para o desastre, isso fazia toda a questão parecer cada vez mais sinistra.

Assim, naquela noite, uma verdadeira multidão se dirigiu ao boulevard Suchet, por Muette e por Auteuil, vindo não só de Paris, mas também dos subúrbios e da província. O espetáculo era apaixonante. Todos queriam ver.

Só se podia ver de longe, pois a polícia tinha organizado bloqueios a cem metros à direita e à esquerda do palácio e reprimia de volta para as valas das fortificações aqueles que tinham conseguido subir a encosta oposta.

O céu estava tempestuoso, coberto de nuvens pesadas que podiam ser vistas em intervalos sob a luz de uma lua totalmente branca. Havia relâmpagos e trovões distantes. As pessoas cantavam. Os garotos soltavam gritos como animais. Nos bancos e nas calçadas, as pessoas estavam reunidas em grupos, comendo e bebendo enquanto conversavam.

Parte da noite transcorreu assim, sem que nada parecesse responder à expectativa da multidão, e todos se perguntavam com certa lassidão se não seria melhor ir embora, pois, como Sauverand estava preso, havia uma grande chance de que a quarta carta não surgisse como as outras, no meio da misteriosa escuridão.

No entanto, ninguém ia efetivamente embora: dom Luís Perenna ia chegar!

Desde as dez da noite, o comandante-geral e o secretário-geral da Chefatura, o chefe da Sûreté, o subchefe Weber, o brigadeiro Mazeroux e dois agentes estavam reunidos no salão principal onde o engenheiro Fauville tinha sido assassinado. Quinze outros agentes ocupavam os outros cômodos enquanto cerca de vinte outros vigiavam os telhados, a fachada e o jardim.

Por volta da meia-noite, o senhor Desmalions pediu aos seus agentes para servirem café. Ele mesmo tomou duas xícaras e continuou caminhando de um lado a outro do quarto, subindo as escadas que levavam à mansarda ou indo da antecâmara ao vestíbulo. Preferindo que a vigilância fosse exercida nas condições mais favoráveis, ele deixava todas as portas abertas e todas as luzes acesas.

Mazeroux objetou:

– É preciso escuridão para que a carta chegue. Lembre-se, senhor comandante, a tentativa contrária já foi feita e a carta não foi entregue.

– Vamos recomeçar o teste – respondeu o senhor Desmalions, que, na realidade, e apesar de tudo, temia a intervenção de dom Luís.

No entanto, à medida que a noite avançava, a impaciência dominava os ânimos. Preparados para a luta, todos os homens queriam a oportunidade de usar sua energia exasperada. Eles ouviam e observavam desesperadamente. Por volta da uma hora, houve um alerta que mostrou a que ponto tinha chegado a tensão nervosa deles. Um tiro partiu do primeiro andar, seguido por clamores. Informações levantadas: eram dois agentes que se encontraram durante uma ronda e não se reconheceram. Um deles então disparou no ar para alertar seus camaradas.

Do lado de fora, no entanto, havia menos pessoas, como o senhor Desmalions pôde constatar ao entreabrir a porta para o jardim. As instruções, menos severas, deixavam os curiosos se aproximarem, enquanto as proximidades das calçadas seguiam interditadas.

Mazeroux disse:

– Felizmente a explosão não acontecerá esta noite, senhor comandante. Caso contrário, todas essas boas pessoas morreriam conosco.

– Não haverá explosão em dez dias, nem haverá uma carta esta noite – disse o senhor Desmalions, encolhendo os ombros.

E acrescentou:

– Além disso, nesse dia, as ordens serão inflexíveis.

Eram então duas horas e dez.

Às duas horas e vinte e cinco, quando o comandante-geral acendeu um charuto, o chefe da Sûreté arriscou, rindo:

– Isso é uma coisa de que o senhor terá de se privar da próxima vez, comandante. Seria muito perigoso.

– Da próxima vez – disse o senhor Desmalions –, não vou perder o meu tempo vigiando. Porque começo a acreditar que essa coisa da carta está terminada.

Mazeroux insinuou:

– Já se sabe se…?

Mais alguns minutos passaram… o senhor Desmalions se sentou. Os outros também ocuparam seus lugares. Ninguém mais falava.

E de repente todos eles saltaram, com o mesmo movimento e com a mesma expressão de surpresa. Uma campainha tocou.

Uma campainha. Como era possível?

Eles logo viram de onde ela vinha.

– O telefone – murmurou o senhor Desmalions.

E esse fenômeno o surpreendia infinitamente, e também a todos os assistentes, porque nunca tinham imaginado que o telefone do palácio Fauville ainda funcionasse.

Quando o comandante-geral se aproximou do aparelho, a campainha tocou novamente. Ele considerou:

– Talvez seja da Chefatura. Algum aviso urgente.

Terceiro toque…

Ele tirou o fone do gancho:

– Alô, o que deseja?

Uma voz respondeu, tão distante e tão fraca que ele percebeu apenas sons incoerentes e gritou:

– Fale mais alto! O quê? O que é isso? Quem está falando?

A voz balbuciou algumas sílabas que pareceram deixá-lo estupefato.

– Alô! – ele disse – Não estou entendendo... repita por favor... Alô, quem está falando?

– Dom Luís Perenna – foi a resposta ouvida de modo mais distinto.

– Hein? O quê? Dom Luís... Perenna.

Ele estava prestes a desligar o telefone e resmungou:

– Um trote. Um brincalhão qualquer que está se divertindo.

No entanto, relutante, retomando a comunicação, ele disse num tom rude:

– Mas o que é? É dom Luís Perenna?

– Sim.

– O que o senhor deseja?

– Que horas são?

O comandante teve um gesto de raiva, não tanto por causa dessa pergunta absurda, mas porque ele tinha reconhecido, realmente, sem possibilidade de erro, a voz de dom Luís Perenna.

– Ora! – ele disse, procurando se dominar. – Que história nova é essa? Onde o senhor está?

– No meu palácio, acima da cortina de ferro, no teto do meu escritório.

O comandante repetiu, confuso:

– No teto?

– Sim, e um tanto cansado, admito.

– Nós vamos resgatá-lo – disse o senhor Desmalions, que estava começando a se divertir.

– Mais tarde, senhor comandante. Responda-me primeiro. Rápido... Caso contrário, não sei se terei forças... Que horas são?

– Ah! Essa agora...

– Por favor...

– Vinte para as três.

– Vinte para as três!

Era possível dizer que dom Luís encontrava uma força inesperada em um súbito ataque de medo. Sua voz enfraquecida sobressaiu e, pouco a pouco, desesperada, imperiosa, suplicante, repleta de uma convicção que procurava se impor, ele ordenou:

– Saiam daí, senhor comandante... Vão embora... Saiam do palácio... Às três horas o palácio vai explodir. Sim, eu juro... Dez dias após a quarta carta é hoje, pois a entrega das cartas sofreu um atraso de dez dias... É hoje às três da manhã. Lembre-se do que estava escrito na folha que o subchefe Weber encontrou esta manhã. "A explosão independe das cartas. Ela acontecerá às três da manhã." Às três da manhã, hoje, senhor comandante! Ah! Saiam daí, eu suplico... Ninguém pode ficar no palácio... Vocês precisam acreditar em mim... Eu sei toda a verdade sobre o caso... E nada impedirá que a ameaça seja executada... Saiam, saiam daí! Ah! É horrível. Sinto que o senhor não acredita... E eu não tenho mais forças... Saiam todos...

Ele disse mais algumas palavras que o senhor Desmalions não conseguiu discernir. Então a comunicação foi interrompida, e embora o comandante tenha ouvido gritos, pareceu-lhe que esses gritos estavam distantes, como se o telefone já não estivesse ao alcance da boca que soltava esses gritos.

Ele colocou o telefone de volta no gancho.

– Senhores – disse ele com um sorriso –, faltam dezessete minutos para as três. Daqui a dezessete minutos nós saltaremos pelos ares. Pelo menos é o que afirma nosso bom amigo dom Luís Perenna.

Apesar das piadas que saudaram essa ameaça, havia nele um sentimento de embaraço. O subchefe Weber perguntou:

– Era de fato dom Luís, comandante?

– Em pessoa. Ele se escondeu em algum buraco do palácio, acima do escritório, e as privações e a fadiga parecem tê-lo deixado um pouco perturbado. Mazeroux, vá pegá-lo em seu esconderijo. Se é que isso não é um novo truque dele. O senhor tem o mandado?

O brigadeiro Mazeroux se aproximou do senhor Desmalions. Ele estava pálido.

– Senhor comandante, *ele* disse que vamos explodir?

– Ele acredita que sim. Ele se baseia nessa anotação que Weber encontrou em um volume de Shakespeare. A explosão deve acontecer esta noite.

– Às três da manhã?

– Às três da manhã, isto é, em quinze minutos.

– E vai ficar aqui, senhor comandante?

– Essa é boa, brigadeiro. Acredita que vamos obedecer aos caprichos desse cavalheiro?

Mazeroux cambaleou, hesitou, mas, apesar de toda a sua deferência, incapaz de se conter, exclamou:

– Senhor comandante, isso não é um capricho. Trabalhei com dom Luís. Conheço bem esse homem. Se ele diz uma coisa, é porque ele tem as suas razões.

– Más razões.

– Mas não, senhor comandante! – implorou Mazeroux, que estava cada vez mais exaltado. – Juro que é preciso ouvi-lo... Às três da manhã, ele disse... o palácio vai explodir... Temos alguns minutos... Vamos embora daqui, por favor.

– Ou seja, vamos fugir.

– Não é uma fuga, senhor comandante. É uma simples precaução. Não podemos arriscar. O senhor mesmo, comandante...

– Já chega!

– Mas, senhor comandante, uma vez que dom Luís disse...

– Chega! – o senhor Desmalions repetiu em um tom seco. – Se o senhor tem medo, aproveite a ordem que lhe dei e vá atrás de encontrar dom Luís.

Mazeroux juntou os calcanhares, e, com um gesto de um ex-soldado, fez a saudação militar.

– Eu fico aqui, senhor comandante.

E, dando meia-volta, ele foi ocupar um lugar um pouco distante dali.

Houve um silêncio. O senhor Desmalions começou a andar pela sala com as mãos para trás e então, dirigindo-se ao chefe da Sûreté e ao secretário-geral:

– E então, espero que os senhores concordem comigo.

– Mas é claro, senhor comandante.

– Não é mesmo? Em primeiro lugar, essa suposição não se baseia em nada sério. E depois, ora, estamos protegidos! As bombas não cairiam assim, do nada, sobre nossas cabeças. É preciso que alguém as jogue. Como? Por onde?

– Pelo mesmo meio que as cartas – arriscou o secretário-geral.

– Hein? Então o senhor admite…

O secretário-geral não respondeu e o senhor Desmalions não concluiu sua sentença. Ele mesmo sentia, como os outros, esse desconforto que, pouco a pouco, conforme os segundos passavam, se tornava doloroso, quase intolerável.

"Três da manhã!". Essas poucas palavras não paravam de voltar à sua mente. Ele consultou o relógio duas vezes. Ainda restavam doze minutos. Dez. Será que, de fato, por mero efeito de uma vontade infernal e onipotente, o palácio ia explodir?

– Isso é estúpido! É estúpido! – ele gritou, batendo o pé.

Mas, olhando para os seus companheiros, ele ficou espantado com a contração de seus rostos e sentiu em seu peito o coração apertar estranhamente.

Ele não tinha medo, claro que não, tampouco os outros. Mas todos eles, dos chefes aos meros agentes, estavam sob a influência desse dom Luís Perenna, que eles tinham visto realizar coisas tão extraordinárias e administrar essa tenebrosa aventura com uma assombrosa habilidade. Conscientemente ou não, quer quisessem ou não, todos o consideravam um ser excepcional, dotado de faculdades especiais, um ser em quem era impossível pensar sem evocar diretamente o espantoso Arsène Lupin e sua lendária audácia, sua genialidade e sua clarividência sobre-humana.

E era Lupin quem dizia para eles fugirem. Perseguido, caçado, ele se entregava para avisá-los do perigo. E esse perigo era iminente. Mais sete minutos, mais seis, e o palácio explodiria.

Mazeroux apenas se ajoelhou, fez o sinal da cruz e começou a rezar em voz baixa. O gesto foi tão impressionante que o secretário-geral e o chefe da Sûreté esboçaram um movimento em direção ao comandante de polícia.

O comandante virou a cabeça e continuou a caminhar de um lado para o outro. Mas sua angústia crescia e as palavras ouvidas ao telefone ecoavam em seu ouvido. Toda a autoridade de Perenna, sua súplica ardente, sua convicção enlouquecida, tudo isso o perturbava. Ele tinha visto Perenna em ação. Ninguém tinha o direito, em tal circunstância, de negligenciar a advertência daquele indivíduo.

– Vamos embora daqui – disse ele.

Essas palavras foram proferidas da maneira mais calma possível, e era possível crer que aqueles que as ouviram as consideraram apenas como a conclusão judiciosa de uma situação bastante comum. Partiram sem pressa e sem desordem, não como fugitivos, mas como homens que obedecem voluntariamente a um dever de prudência.

No limiar da porta, abriram passagem ao comandante-geral.

– Não – ele disse –, podem ir, eu os acompanho.

Ele foi o último a sair da sala, deixando a luz acesa.

No vestíbulo, pediu ao chefe da Sûreté que soprasse o apito. Quando todos os agentes foram reunidos, ele ordenou que deixassem o palácio, assim como o porteiro, e fechou a porta atrás de si.

Chamando os oficiais que vigiavam o boulevard, ele ordenou:

– Quero todos distantes daqui, afastem a multidão o máximo possível... e rápido, está bem? Dentro de um quarto de hora, estaremos de volta ao palácio.

– E o senhor, comandante – murmurou Mazeroux –, espero que não pretenda ficar aqui.

– Juro que não – disse ele, rindo. – Já que estou dando ouvidos ao conselho do nosso amigo Perenna, tenho de ir até ao fim.

– Mas só faltam dois minutos.

– Nosso amigo Perenna disse três horas e não dois minutos para as três. Então...

Ele atravessou o boulevard, acompanhado pelo chefe da Sûreté, pelo secretário-geral e por Mazeroux, e escalou o talude oposto.

– Talvez devêssemos nos abaixar – insistiu Mazeroux.

– Abaixemos – disse o comandante, sempre de bom humor. – Mas, na realidade, se não houver explosão, meto um tiro na minha cabeça. Não conseguirei viver depois de me submeter a tal ridículo.

– Haverá uma explosão, senhor comandante – afirmou Mazeroux.

– O senhor deve confiar muito mesmo no nosso amigo dom Luís.

– O senhor tem a mesma confiança, senhor comandante.

Eles se calaram, tensos pela espera e lutando contra a ansiedade que os dominava. Um a um, eles contaram os segundos pelas batidas de seus corações. Era interminável.

Soaram três horas em algum lugar.

– Viram – tripudiou o senhor Desmalions, cuja voz estava exaltada –, não vai acontecer nada. Graças a Deus!

E resmungou:

– Isso é estúpido! É estúpido! Como se fosse concebível que uma coisa dessas acontecesse!

Outro relógio tocou, mais longe, e então, no topo de um palácio próximo, a hora também soou.

Antes que soasse a terceira badalada, eles ouviram uma espécie de estalido e logo ocorreu a explosão, formidável, completa e tão breve que eles só tiveram a visão de um enorme feixe de chamas e fumaça de onde jorravam enormes pedras e escombros, uma espécie de gigantesco buquê de fogos de artifício. E acabou. O vulcão havia entrado em erupção.

– Em frente! – gritou o comandante-geral, precipitando-se. – Alguém telefona! Rápido, acionem os bombeiros...

Ele agarrou Mazeroux pelo braço.

– Corra até meu carro, ele está a uns cem metros daqui. Peça para o levarem até dom Luís, e se o encontrar, liberte-o e traga-o aqui.

– Quer que eu lhe dê voz de prisão, senhor comandante?

– Voz de prisão? O senhor enlouqueceu!

– Mas se o subchefe Weber...

– Weber nos deixará em paz. Eu cuido dele. Suma.

Mazeroux cumpriu a missão, não com mais pressa do que se ele estivesse indo prender dom Luís, pois era um homem que cumpria o dever, mas com uma alegria singular. O combate que ele tinha sido forçado a iniciar contra aquele que ele sempre chamou de chefe muitas vezes o havia feito lamentar a ponto de caírem lágrimas de seus olhos. Desta vez, ele chegava em seu auxílio, talvez até como seu salvador.

Na parte da tarde, renunciando, por ordem do senhor Desmalions, às buscas pelo palácio, já que a fuga de dom Luís era considerada como certa, o subchefe tinha deixado apenas três homens de guarda. Mazeroux os encontrou em uma sala no térreo, onde eles se revezavam na vigilância. Quando interrogados, afirmaram que não tinham ouvido o mínimo barulho.

Ele subiu sozinho, de modo que o encontro com seu chefe não tivesse testemunhas, passou pela sala de estar e entrou no escritório. Lá, uma preocupação o dominou, porque à primeira vista, tendo acendido uma lanterna, ele não viu nada.

– Chefe – ele chamou várias vezes –, chefe, onde o senhor está?

Nenhuma resposta.

“No entanto”, pensou Mazeroux, “quando ele telefonou, só poderia ser daqui.”

De fato, ele notou de longe que o fone estava fora do gancho. Avançou então em direção à cabine e se chocou com pedaços de tijolos e gesso que forravam o tapete. Ele iluminou a cabine e viu acima dele um braço pendurado no teto. Em volta desse braço, o teto estava todo quebrado, mas o ombro não tinha conseguido passar e não era possível reconhecer a cabeça do enclausurado.

Mazeroux pulou em uma cadeira, pegou a mão e a apalpou. O toque quente o tranquilizou.

– É você, Mazeroux? – articulou uma voz que parecia muito distante para o brigadeiro.

– Sim, sou eu. O senhor não está ferido, não é mesmo? Nada grave?

– Não, só zonzo e muito fraco... É a fome... Ouça...

– Estou ouvindo...

– Abra a segunda gaveta à esquerda da minha escrivaninha. Você vai encontrar...

– O que, chefe?

– Um chocolate velho.

– Mas...

– Vai logo Alexandre, estou morrendo de fome.

Com efeito, depois de um momento, dom Luís retomou, em um tom mais alegre:

– Estou melhor. Posso esperar. Vai até a cozinha e me traz pão e água.

– Já volto, chefe.

– Não tão rápido. Volte pelo quarto de Florence Levasseur e pela passagem secreta até a escada que leva à escotilha superior.

E ele mostrou como fazer para deslocar a pedra e entrar na espécie de canal onde tinha pensado que encontraria um fim trágico.

Em dez minutos, a tarefa tinha sido executada. Mazeroux escavou o buraco, conseguiu agarrar dom Luís pelas pernas e o puxou para fora do seu covil.

– Olha, realmente, chefe – ele gemeu cheio de piedade –, que posição horrível! Como o senhor conseguiu fazer isso? Sim, vejo que, daqui, o senhor cavou logo à frente, deitou de bruços e cavou um pouco mais... mais de um metro! Foi preciso coragem, de estômago vazio!

Dom Luís foi instalado em seu quarto, devorou dois ou três pedaços de pão, bebeu um pouco e contou:

– Uma coragem severa, meu parceiro. Droga! Quando a cabeça está girando e o cérebro não funciona mais, palavra de honra, só se pode deixar levar. Mas ainda assim eu continuava cavando, como você viu, eu cavava, semiacordado, como num pesadelo. Olha, meus dedos estão destruídos. É que eu só pensava nessa maldita história da explosão, e queria adverti-los a todo custo e cavava meu túnel! Que experiência! E depois, bam! Senti o vazio, minha mão passou, e depois o braço. Onde é que eu estava? Por Deus, acima do telefone. Percebi imediatamente, apalpando a parede e encontrando os fios. Tive que fazer toda uma manobra, que durou uma meia hora, para alcançar o aparelho. Meu braço não era longo o suficiente.

"Foi com um barbante e um laço que consegui pescar o fone e segurá-lo perto da minha boca, ou pelo menos a uns trinta centímetros da minha boca. E eu gritava para poderem me ouvir! Eu berrava! E estava com dores! E então, no final, meu barbante arrebentou... E depois... e então, eu estava ficando sem forças. Além disso, o que é que tem, vocês foram avisados, cabia a vocês se virarem.

Ele levantou a cabeça na direção de Mazeroux e perguntou, como se nunca tivesse duvidado da resposta:

– A explosão aconteceu, não é mesmo?

– Sim, chefe.

– Às três horas em ponto?

– Sim.

– E, é claro, o senhor Desmalions evacuou o palácio?

– Sim.

– No último minuto?

– No último minuto.

Dom Luís disse, rindo:

– Eu tinha certeza de que ele resistiria e só cederia no último momento. Devem ter sido terríveis quinze minutos, meu pobre Mazeroux, porque, é claro, você me deu razão imediatamente.

Ele não parava de comer enquanto falava e cada mordida parecia lhe devolver um pouco de sua animação habitual.

– A fome é uma coisa engraçada – disse ele. – Como faz diferença! Mas enfim! A barriga está cheia e já tem reserva. Daqui a meia hora ela ficará bem. É o tempo de eu tomar banho e fazer a barba.

Depois de terminar a toilette, ele se sentou diante dos ovos e da carne fria que Mazeroux tinha preparado. Depois, levantando-se:

– Agora vamos!

– Mas não há pressa, chefe. O senhor pode dormir algumas horas. O comandante vai esperá-lo.

– Está louco! E Marie-Anne Fauville, acha que vou deixá-la na prisão, assim como Sauverand? Nem um segundo a perder, meu parceiro.

Dizendo a si mesmo que o chefe ainda não tinha se recuperado totalmente – salvar Marie-Anne e Sauverand, assim, num passe de mágica! Não, isso já ia longe demais! –, Mazeroux acompanhava até o carro do comandante um Perenna novamente alegre, elegante, descansado como se tivesse acabado de sair da cama.

– Muito lisonjeira para o meu amor-próprio – ele disse para Mazeroux –, muito lisonjeira essa hesitação do comandante após meu aviso por telefone e sua obediência no momento decisivo. Preciso ter todos esses senhores nas minhas mãos para que eles tirem suas patas a um sinal meu! "Atenção, cavalheiros, se lhes telefonarem do fundo do inferno, cuidado! Às três horas, bomba. – Mas não! – Mas sim! – Como o senhor sabe? – Porque eu sei. – Mas onde está a prova? – A prova, é que eu estou dizendo. – Oh! Então, se o senhor está dizendo". E às cinco para as três, afastem-se. Ah! se eu não fosse tão modesto!

Eles chegaram ao boulevard Suchet, onde a multidão estava tão espremida que eles tiveram que descer e seguir a pé. Mazeroux atravessou o cordão de agentes que defendiam os arredores do palácio e levou dom Luís até o talude oposto.

– Espere por mim aqui, chefe, vou avisar o comandante-geral.

Do outro lado da rua, sob o céu pálido da manhã onde nuvens negras ainda se deslocavam, dom Luís viu os danos causados pela explosão. Eles eram, em aparência, muito menos consideráveis do que ele imaginava. Apesar do desabamento de algumas partes do teto, cujos escombros podiam ser vistos através do buraco escancarado nas janelas, o palácio permanecia de pé. Até mesmo o pavilhão do engenheiro Fauville parecia ter sofrido pouco, e, estranhamente, a eletricidade, que o comandante-geral tinha deixado acesa antes de sua partida não apagou. No jardim e na calçada, havia uma pilha de móveis ao redor dos quais soldados e agentes estavam de plantão.

– Siga-me, chefe – disse Mazeroux, que voltou para buscar dom Luís e o conduziu ao escritório do engenheiro.

Parte do assoalho estava destruída. As paredes exteriores à esquerda, ao lado da antecâmara, estavam perfuradas e, para sustentar o teto, dois operários erguiam vigas trazidas de um canteiro de construção vizinho. Mas, de um modo geral, a explosão não obteve os resultados esperados por aquele que a preparou.

O senhor Desmalions estava lá, assim como todos que tinham passado a noite nessa sala e várias autoridades importantes da polícia. O subchefe Weber tinha acabado de sair. Ele não queria se encontrar com seu inimigo.

A presença de dom Luís despertou grande comoção. O comandante-geral foi direto ao encontro dele e disse:

– Todo nosso agradecimento, senhor. Sua perspicácia é, acima de tudo, um elogio. O senhor salvou nossas vidas. Estes senhores e eu queremos agradecê-lo da melhor forma. No meu caso, foi a segunda vez.

– Há uma maneira muito simples de me agradecer, senhor comandante. – disse dom Luís. – Autorizar-me a ir até o fim em minha missão.

– Sua missão?

– Sim, senhor comandante. A ação desta noite foi apenas o começo. A conclusão é a libertação de Marie-Anne Fauville e de Gaston Sauverand.

O senhor Desmalions sorriu:

– Oh! Oh!

– É pedir muito, senhor comandante?

– Pedir sempre é possível, porém, o pedido deve ser razoável. Mas não depende de mim decidir se essas pessoas são inocentes.

– Não, mas depende do senhor informá-los de sua inocência quando eu conseguir prová-la.

– Isso com certeza, desde que o senhor possa provar isso de forma irrefutável.

– Irrefutável...

No entanto, e ainda mais do que das outras vezes, a segurança de dom Luís impressionou o senhor Desmalions, que insinuou:

– Os resultados da investigação sumária que fizemos talvez possam ajudá-lo. Tivemos a confirmação de que a bomba foi colocada na entrada desta antecâmara e, muito provavelmente, sob os tacos do piso.

– Isso é inútil, senhor comandante. Estes são apenas detalhes secundários. O essencial, agora, é que o senhor saiba de toda a verdade, e não apenas por meio de palavras.

O comandante se aproximou dele. Magistrados e agentes o cercaram. Suas palavras e gestos foram ouvidos com uma impaciência febril. Seria possível que essa verdade, ainda que tão distante e tão confusa, apesar de toda a importância atribuída às prisões já efetuadas, pudesse finalmente ser descoberta?

O momento era de grande importância, os corações estavam cerrados. O anúncio da explosão, feito por dom Luís, deu às suas previsões um valor de algo realizado, e aqueles que ele tinha salvado da terrível catástrofe não estavam longe de admitir como realidade as declarações mais implausíveis que tal homem pudesse fazer.

Ele disse:

– Senhor comandante, o senhor esperou em vão esta noite pela chegada da quarta carta misteriosa. Por um milagre imprevisto pelo acaso, poderemos assistir à chegada dessa quarta carta, e então o senhor saberá que foi a mesma mão que cometeu todos os crimes... e descobrirá quem os cometeu.

E, dirigindo-se a Mazeroux:

– Brigadeiro, por favor, faça a gentileza de deixar esta sala na máxima escuridão possível. Se não houver persianas, puxe as cortinas e feche as portas. Senhor comandante, é por mero acaso que as luzes estão acesas?

– Sim, por mero acaso. Vamos apagá-las.

– Um instante...

Havia uma vela em um candelabro. Ele pegou o candelabro e acendeu a vela. Depois desligou o interruptor.

Fez-se então uma semiescuridão na qual a chama da vela, agitada por correntes de ar, vacilava. Dom Luís manteve a chama acesa com a ajuda de sua mão e avançou na direção da mesa.

– Acho que não precisaremos esperar por muito tempo – disse ele. – De acordo com as minhas previsões, serão apenas alguns segundos até que os fatos falem por si, e melhor do que qualquer coisa que eu pudesse fazer.

Esses poucos segundos, durante os quais ninguém rompeu o silêncio, estavam entre aqueles de que nunca esquecemos.

O senhor Desmalions contou mais tarde, em uma entrevista na qual ele zomba de si mesmo com grande sagacidade, que seu cérebro, exaltado pelo cansaço dessa noite e por toda aquela encenação, imaginava os mais insólitos acontecimentos, como uma invasão do palácio e um ataque à mão armada, ou o aparecimento de espíritos e fantasmas.

No entanto, ele disse que teve a curiosidade de observar dom Luís. Sentado na borda da mesa, a cabeça um pouco inclinada, os olhos distraídos, dom Luís comia um pedaço de pão e mordiscava uma barra de chocolate. Ele parecia faminto, mas muito tranquilo.

Os outros permaneciam nessa atitude tensa que se tem em momentos de grande esforço físico. Uma espécie de careta se desenhava em seus rostos contraídos. Movidos pela aproximação do que ia acontecer, eles estavam obcecados pela memória da explosão. Nas paredes, a chama desenhava sombras.

Passaram-se mais segundos do que os previstos por dom Luís Perenna, talvez uns trinta ou quarenta, o que lhes pareceu uma eternidade. Então Perenna levantou um pouco a vela que estava segurando e murmurou:

– Aí está.

Quase ao mesmo tempo que ele, aliás, todos viram... eles viam... Uma carta estava descendo do teto. Ela girava lentamente, como a folha que cai de uma árvore e que o vento não move. Ela passou de raspão por dom Luís e pousou sobre o piso, entre dois pés da mesa.

Dom Luís repetiu, pegando o papel e estendendo-o diretamente ao senhor Desmalions:

– Senhor comandante, aqui está a quarta carta que foi anunciada para esta noite.

O QUE ODEIA

O senhor Desmalions olhava para dom Luís sem entender e olhava também para o teto. Perenna disse:

– Não há nenhuma fantasmagoria aqui. Embora ninguém tenha atirado esta carta lá de cima, embora não haja um único buraco no teto, a explicação é muito simples.

– Oh! Muito simples! – reagiu o senhor Desmalions.

– Sim, senhor comandante. Tudo isso assume um aspecto de ilusionismo excessivamente complicado e quase prazeroso. Mas eu afirmo, é muito simples… e ao mesmo tempo terrivelmente trágico. Brigadeiro Mazeroux, por gentileza, abra as cortinas e deixe entrar toda a claridade possível.

Enquanto Mazeroux cumpria suas ordens, enquanto o senhor Desmalions examinava essa quarta carta, cujo conteúdo, aliás, era de pouca importância e era somente uma confirmação das primeiras, dom Luís pegou uma escada dupla que os operários tinham deixado em um canto, colocou-a no meio da sala e subiu.

Sentado com as pernas na barra superior, ele chegou perto do dispositivo eletrônico.

Era uma luminária de teto composta por uma grande cinta de cobre dourado sob a qual haviam pendentes de cristal entrelaçados. No interior, três lâmpadas dispostas nos três ângulos de um triângulo de cobre que escondia os fios.

Ele puxou esses fios e os cortou, e depois começou a desparafusar o dispositivo. Mas, para facilitar a tarefa, teve que demolir o gesso em torno dos garanhões que seguravam o lustre com a ajuda de um martelo que lhe estenderam.

– Uma ajuda aqui, por favor – disse ele a Mazeroux.

Mazeroux subiu a escada. Ambos seguraram o lustre, fizeram-no deslizar lentamente e ele foi colocado sobre a mesa, com certa dificuldade, pois era muito mais pesado do que deveria ser.

De fato, já na primeira observação, descobriram que ela estava sobreposta por uma espécie de caixa metálica em forma de cubo, de uns vinte centímetros de lado, que estava encaixada no teto entre pinos de ferro e que forçou dom Luís a demolir o gesso que a ocultava.

– Que diabos isso significa! – exclamou o senhor Desmalions.

– Abra o senhor mesmo, comandante, há uma tampa – respondeu Perenna.

O senhor Desmalions levantou a tampa. Dentro da caixa havia engrenagens, molas, todo um mecanismo complicado e meticuloso que se assemelhava muito ao movimento de um relógio.

– O senhor me permite, comandante? – perguntou dom Luís.

Ele removeu o mecanismo e descobriu outro por baixo, que estava unido ao primeiro apenas pela engrenagem de duas rodas, e que lembrava esses dispositivos automáticos que desenrolam fitas estampadas.

Na parte inferior da caixa havia uma ranhura semicircular no metal, exatamente onde a parte inferior da caixa raspava no teto. Na borda da ranhura havia uma carta pronta.

– A última das cinco cartas e, sem dúvida, a continuação das denúncias – disse dom Luís. – Repare, senhor comandante, que o lustre original continha uma quarta lâmpada no centro. Ela foi obviamente removida para dar passagem às cartas quando o lustre foi adaptado para essa função.

E, continuando suas explicações, esclareceu:

– Então toda a série de cartas foi colocada ali dentro. O mecanismo engenhoso, controlado pelo movimento de um relógio, pegava uma a uma, na hora certa, empurrava-as até a borda da ranhura escondida entre as lâmpadas e os pendentes do lustre e as lançava no vazio.

Todos estavam em silêncio em torno de dom Luís, e talvez se pudesse notar uma certa desilusão entre os ouvintes. Tudo isso era, de fato, muito engenhoso, mas eles esperavam mais do que truques e acionamentos mecânicos, por mais imprevisíveis que fossem.

– Tenham paciência, meus senhores, eu lhes prometi algo cujo horror excede a imaginação. Os senhores não ficarão desapontados.

– Que seja – disse o comandante-geral –, eu admito que este é o local de onde as cartas partiam. Mas, além de muitos pontos permanecerem obscuros, há um fato em particular que me parece incompreensível. Como é que os criminosos puderam preparar o lustre dessa forma? E, num palácio protegido pela polícia, num cômodo vigiado dia e noite, como poderiam fazer tal trabalho sem serem vistos ou ouvidos?

– A resposta é fácil, senhor comandante. O trabalho foi feito antes do palácio ser protegido pela polícia.

– Ou seja, antes do crime ter sido cometido?

– Antes do crime ter sido cometido.

– E quem prova que foi assim que a coisa toda aconteceu?

– O senhor mesmo disse, comandante, que seria impossível de outra forma!

– Fale logo, senhor! – exclamou o senhor Desmalions, fazendo um gesto de aborrecimento. – Se o senhor tem revelações importantes a fazer, por que está demorando tanto?

– É melhor, comandante, que o senhor chegue à verdade pelo caminho que eu segui. Quando conhecemos o segredo das cartas, essa verdade fica muito mais próxima do que pensamos, e o senhor já teria encontrado o criminoso se a abominação de seu plano não o tivesse eximido de todas as suspeitas.

O senhor Desmalions o observava atentamente. Ele sentia a importância de cada palavra pronunciada por Perenna e experimentava uma real ansiedade.

– Então, na sua opinião – ele disse –, essas cartas acusando a senhora Fauville e Gaston Sauverand foram colocadas lá com o único objetivo de condenar os dois?

– Sim, senhor comandante.

– E como foram colocadas lá antes do crime, isso significa que o complô também antecede o crime?

– Sim, senhor comandante. Quando admitimos a inocência da senhora Fauville e de Gaston Sauverand, somos levados, uma vez que tudo os acusa, a concluir que tudo os acusa como resultado de uma série de circunstâncias premeditadas. A saída da senhora Fauville na noite do crime... maquinação! A impossibilidade dela em dizer como usou seu tempo enquanto o crime era cometido... maquinação! Seu inexplicável passeio nos arredores de la Muette e a caminhada de seu primo Sauverand ao redor do palácio... maquinação! As marcas dos dentes na maçã, correspondentes à arcada da senhora Fauville... maquinação, e a mais infernal de todas! Estou dizendo, tudo foi pensado com antecedência, tudo está preparado, dosado, etiquetado, numerado. Cada acontecimento é realizado no momento prescrito. Nada é deixado ao acaso. É um trabalho meticuloso de ajuste, digno do mais hábil operário, tão sólido que as movimentações externas não foram capazes de o desregular e cuja mecânica funcionou até hoje de maneira exata, precisa, imperturbável. Veja como o movimento do relógio encerrado nessa caixa é de fato o mais perfeito símbolo de aventura e, ao mesmo tempo, a mais justa explicação, pois, antes mesmo do crime as cartas que denunciavam os autores foram enviadas pelos Correios e que, desde então, as entregas foram realizadas nas datas e nos horários previstos.

O senhor Desmalions ficou pensativo por um longo tempo, depois objetou:

– No entanto, nestas cartas escritas por ele, o senhor Fauville acusa sua esposa.

– De fato.

– Então precisamos admitir que, ou ele estava certo em acusá-la, ou as cartas são falsas?

– Elas não são falsas, todos os peritos reconheceram a escrita do senhor Fauville.

– E então?

– Então...

Dom Luís não completou sua resposta, o senhor Desmalions sentiu o sopro da verdade palpitar mais nitidamente à sua volta.

Os outros estavam em silêncio, tão ansiosos quanto ele. Ele murmurou:

– Não entendo...

– Sim, o senhor compreende, senhor comandante. Compreende que se o envio dessas cartas é parte integrante da maquinação urdida contra a senhora Fauville e contra Gaston Sauverand, é porque os textos foram elaborados de modo a condená-los.

– O quê! O quê! O que o senhor está dizendo?

– Estou dizendo o que já disse. Uma vez que eles são inocentes, tudo o que os acusa é um dos atos da maquinação.

Um longo silêncio novamente. O comandante-geral não escondia sua inquietação. Ele pronunciou, muito lentamente, com os olhos fixos nos de dom Luís:

– Quem quer que seja o culpado, não conheço nada mais assustador do que essa obra de ódio.

– É uma obra ainda mais implausível do que o senhor pode imaginar, senhor comandante – disse Perenna, que aos poucos se animava –, e é um ódio cuja violência o senhor ainda não pode medir por ignorar a confissão de Sauverand. Eu pude senti-lo plenamente ao ouvir esse homem, e desde então todos os meus pensamentos foram subjugados pela ideia dominante desse ódio. Quem poderia sentir tanto ódio? A que profanação Marie-Anne e Sauverand tinham sido sacrificados? Quem era o personagem inconcebível cujo talento perverso tinha cercado suas duas vítimas com correntes tão poderosamente forjadas?

"E outro pensamento dominava minha mente, mais antigo ainda, e que mais de uma vez me impressionou, e ao qual aludi diante do brigadeiro Mazeroux. Trata-se do caráter realmente matemático da aparição das cartas. Pensei comigo mesmo que documentos tão sérios não poderiam ser incluídos no debate em momentos fixos sem que uma razão primordial exigisse a precisão desses períodos. Que razão? Se houvesse *intervenção humana*, teria havido uma irregularidade deliberada, especialmente a partir do momento em que a justiça assumiu o caso e cuidou pessoalmente da entrega das cartas. Ora, apesar de todos os obstáculos, as cartas continuavam chegando, *como se não fosse possível elas não chegarem*. E assim a razão para a chegada dessas cartas aos poucos foi fazendo sentido para mim: elas vinham automaticamente, por um processo invisível, regulado de uma vez por todas e funcionando com o estúpido rigor de uma lei física. Não havia mais inteligência e vontade consciente, mas somente necessidade material.

"Foi o choque dessas duas ideias, a ideia do ódio que perseguia os inocentes e a ideia da força mecânica que serviu aos propósitos de quem sentia todo esse ódio, que suscitou a pequena faísca. Em contato uma com a outra, elas se combinaram na minha mente e me trouxeram essa lembrança de que Hippolyte Fauville era um engenheiro!"

As pessoas o ouviam com uma espécie de opressão e desconforto.

O que aos poucos se revelava do drama, em vez de diminuir a ansiedade, exasperava-a a ponto de torná-la dolorosa.

O senhor Desmalions objetou:

– Se as cartas chegavam na data indicada, note que, entretanto, o horário costumava variar.

– Ou seja, variava conforme nossa vigilância era feita ou não na escuridão, e este é precisamente o detalhe que me fornece a palavra do enigma. Se as cartas – indispensável precaução que podemos entender hoje – só chegavam quando estava escuro, é porque algum dispositivo impedia sua passagem quando a energia elétrica estava ligada, e porque, inevitavelmente, esse dispositivo era controlado por um interruptor presente nesta sala. Não há outra explicação possível. Estamos lidando com um dispositivo de distribuição automática que, graças ao movimento semelhante ao do relógio, só emite as cartas de acusação de que é responsável no dia e nos horários estabelecidos antecipadamente, e apenas nos minutos em que a luz elétrica não está acesa. Esse dispositivo está aqui, diante dos senhores. Sem dúvida os especialistas admiram sua engenhosidade e confirmam minhas afirmações. Será que não tenho o direito, uma vez que foi encontrado no teto desta sala, uma vez que continha cartas escritas pelo senhor Fauville, de dizer que ele foi construído pelo senhor Fauville, um engenheiro elétrico?

Mais uma vez se fazia alusão ao nome do senhor Fauville, como uma obsessão, e a cada vez o nome assumia um significado mais determinado. Primeiro o senhor Fauville; depois o senhor Fauville, engenheiro; depois o senhor Fauville engenheiro elétrico. E assim a imagem "daquele que odiava", como costumava dizer dom Luís, aparecia com contornos exatos e causava nesses homens, ainda que acostumados às mais estranhas distorções criminosas, um arrepio de medo. A verdade, agora, já não espreitava à volta deles. Eles lutavam contra ela como se luta contra um adversário que não se vê, mas que o agarra pelo pescoço e o derruba.

E o comandante-geral, resumindo as impressões, retomou com uma voz abafada:

– Então o senhor Fauville teria escrito essas cartas para incriminar sua esposa e o homem que a amava?

– Sim.

– Nesse caso…

– Nesse caso?

– Sabendo, por outro lado, que ele estava sendo ameaçado de morte, ele queria, caso essa ameaça se tornasse realidade, que sua esposa e o amante fossem acusados?

– Sim.

– E para se vingar do amor deles, para satisfazer seu ódio, ele quis que todo o feixe de evidências os designasse como culpados do assassinato do qual ele seria a vítima?

– Sim.

– De modo que… de modo que o senhor Fauville, como parte de seu plano maldito, foi… como eu posso dizer? O cúmplice de seu assassino. Ele estremecia diante da morte… se debatia… Mas se organizava para que sua morte tirasse proveito do seu ódio. É isso, não é? É isso?

– É quase isso, senhor comandante. O senhor está seguindo os mesmos passos que eu e, como eu, hesita diante da última verdade, que dá ao drama todo o seu caráter sinistro e acima de todas as proporções humanas.

O comandante-geral golpeou a mesa com os dois punhos em uma súbita explosão de revolta.

– Disparate! – ele exclamou. – Hipótese estúpida! O senhor Fauville foi ameaçado de morte e combinou a condenação de sua esposa com tamanha perseverança maquiavélica… ora, vamos! O homem que entrou no meu escritório, o homem que o senhor viu, só pensava em uma coisa: não morrer! Só um medo o obcecava, o da morte. Não é nesses momentos que ajustamos mecanismos e montamos armadilhas… especialmente quando essas armadilhas só podem surtir efeito se morrermos assassinados. O senhor consegue imaginar o senhor Fauville trabalhando em seu relógio, colocando cartas que ele teve o cuidado, três meses antes, de escrever a um amigo e interceptar, organizando os acontecimentos de modo que sua esposa parecesse culpada e dizendo: "Pronto, caso eu seja assassinado, estarei tranquilo, pois Marie-Anne será presa." Não, admita, ninguém tem esse tipo de precaução macabra. Ou então… ou então, é porque temos certeza de que seremos assassinados. E aceitamos. Ou seja, por assim dizer, entramos em um acordo com nosso próprio assassino e lhe oferecemos o pescoço. E também porque...

Ele fez uma pausa, como se as frases que tinha acabado de pronunciar o tivessem surpreendido. E os outros também pareciam perplexos. E a partir dessas frases todos eles, sem saber, tiraram delas as conclusões que continham e que eles ignoravam até então.

Dom Luís não tirava os olhos do comandante e esperava pelas palavras inevitáveis.

O senhor Desmalions murmurou:

– Vejamos, o senhor não vai afirmar que ele estava de acordo...

– Não estou afirmando nada – disse dom Luís. – É a inclinação lógica e natural das suas reflexões, senhor comandante, que o leva ao ponto em que agora está.

– Sim, sim, eu sei, mas estou lhe mostrando o absurdo da sua hipótese. Para que ela seja exata, e para que seja possível acreditar na inocência de Marie-Anne Fauville, chegamos a supor essa estranha possibilidade do senhor Fauville ter participação no crime cometido contra ele. É ridículo!

Ele de fato ria, mas um riso constrangido que soava falso.

– Mas o senhor não pode negar que chegamos nesse ponto.

– Não o nego.

– E então?

– Então, o senhor Fauville, como o senhor diz, comandante, participou do crime cometido contra ele.

Isso foi dito da maneira mais tranquila do mundo, mas com tanta certeza que ninguém ousou protestar. Depois do trabalho de inferências e suposições a que ele havia forçado seus interlocutores, todos se encontravam agora no fundo de um beco do qual já não era possível sair sem topar com objeções irredutíveis. A participação do senhor Fauville já não deixava mais dúvidas. Mas em que ela consistia? Que papel ele teria desempenhado nessa tragédia de execução e homicídio? Esse papel, que resultou no sacrifício de sua vida, ele desempenhou de livre vontade ou simplesmente se submeteu a isso? Quem, afinal, havia lhe servido de cúmplice ou carrasco?

Todas essas perguntas se acumulavam na mente do senhor Desmalions e dos assistentes. Só se pensava em como respondê-las, e dom Luís podia ter certeza de que a solução proposta por ele tinha sido aceita de antemão. Bastava-lhe agora, sem temer uma única recusa, dizer o que tinha acontecido. Ele o fez brevemente, à maneira de um relatório em que são considerados somente os pontos essenciais.

– Três meses antes do crime, o senhor Fauville escreveu uma série de cartas a um dos seus amigos, o senhor Langernault, que, o brigadeiro Mazeroux deve ter-lhe dito, senhor comandante, estava morto há vários anos, circunstância que o senhor Fauville não podia ignorar. Essas cartas foram enviadas pelos Correios, mas interceptadas por um meio que pouco importa neste momento. O senhor Fauville apagou os selos, o endereço e inseriu as cartas num aparelho especialmente construído para esse fim. Então ele regulou o mecanismo de modo que a primeira delas fosse emitida quinze dias após a sua morte, e as outras a cada dez dias. Naquela época, é certo que seu plano foi combinado nos menores detalhes. Sabendo do amor de Sauverand por sua esposa, e vigiando os passos de Sauverand, ele obviamente tinha notado que seu abominável rival passava todas as quartas-feiras sob as janelas do palácio e que Marie-Anne Fauville se mostrava à janela. Esse é um fato de suma importância, cuja revelação me foi preciosa, e que irá impressioná-los tanto quanto uma prova material.

"Todas as quartas à noite, repito, Sauverand vagava próximo ao palácio. Agora, notem: 1º o crime preparado pelo senhor Fauville foi cometido numa quarta-feira à noite; 2º foi por um pedido formal do seu marido que a senhora Fauville saiu naquela noite para ir à Ópera e ao baile da senhora Ersinger."

Dom Luís parou por alguns segundos, depois retomou:

– Consequentemente, na manhã dessa quarta-feira, estava tudo pronto, o relógio fatal tinha subido, o preparo da acusação seguia perfeitamente, as provas futuras confirmavam as provas imediatas que o senhor Fauville mantinha guardadas. De todo modo, o senhor tinha recebido dele, senhor comandante, uma carta na qual ele denunciava a conspiração contra ele e na qual implorava, na manhã seguinte, isto é, *após a sua morte*, por sua ajuda! Portanto, tudo levava a crer que as coisas iriam acontecer de acordo com a vontade "daquele que odiava" quando ocorreu um incidente que quase perturbou seus planos: o inspetor Vérot entrou em cena, nomeado pelo senhor, comandante, para levantar informações sobre os herdeiros de Cosmo Mornington. O que aconteceu entre os dois homens? Provavelmente, ninguém jamais saberá. Ambos estão mortos e o segredo não ressuscitará. Mas pelo menos podemos afirmar, primeiro, que o inspetor Vérot veio aqui e trouxe de volta a barra de chocolate, onde, pela primeira vez, vimos as marcas dos dentes do tigre; segundo, que o inspetor Vérot conseguiu, por uma série de circunstâncias que não saberemos, descobrir os projetos do senhor Fauville. E isso nós sabemos porque o inspetor Vérot disse com suas próprias palavras, e com que angústia! Foi por ele que soubemos que o crime ia acontecer na noite seguinte, uma vez que ele tinha registrado suas descobertas numa carta que lhe foi roubada. E isso, o engenheiro Fauville também sabia pois, a fim de se livrar do temível inimigo que frustraria seus planos, ele o envenenou. Como o veneno tardou a agir, usando um disfarce que lhe dava a aparência de Gaston Sauverand e um dia faria com que as suspeitas recaíssem sobre seu rival, ele teve audácia e presença de espírito de seguir o inspetor Vérot até o café do Pont-Neuf, roubar a carta com a explicação que o inspetor Vérot escreveu para o senhor, substituí-la por uma folha de papel em branco e, em seguida, perguntar a um transeunte, que poderia se tornar uma testemunha contra Sauverand, qual era o caminho da estação do metrô que ia a Neuilly. A Neuilly, onde Sauverand vivia! Esse é o homem, senhor comandante.

Dom Luís falava com uma força crescente, com o ardor que a convicção dá, e seu requisitório, lógico e rigoroso, parecia evocar a própria realidade.

Ele repetiu:

– Aí está o homem, senhor comandante, eis o bandido. E essa era a situação em que se encontrava, tal era o medo que lhe inspiravam as possíveis revelações do inspetor Vérot, que, antes de realizar o ato terrível que tinha planejado, foi à Chefatura se assegurar de que sua vítima tinha efetivamente perdido a vida e que ela não tinha conseguido denunciá-lo. Lembre-se da cena, senhor comandante, da agitação, do medo do personagem: "Proteja-me, senhor comandante... Estou sendo ameaçado de morte. Amanhã, serei atingido...". Amanhã, sim, era para o dia seguinte que ele implorava por sua ajuda, porque ele sabia que tudo iria acabar naquela mesma noite e que no dia seguinte a polícia estaria diante de um crime, diante dos dois culpados contra os quais ele tinha acumulado provas, diante de Marie-Anne Fauville, a quem, por assim dizer, ele havia acusado antecipadamente.

"E é por isso que a visita do brigadeiro Mazeroux e a minha, às nove da noite, ao seu palácio, o deixaram visivelmente incomodado. Quem eram aqueles intrusos? Seriam capazes de destruir seu plano? A reflexão o tranquilizou, tanto que nossa insistência o obrigou a ceder. Afinal, o que lhe importava? Suas providências tinham sido tão bem tomadas que nenhuma vigilância poderia destruí-las ou até mesmo percebê-las. O que estava para acontecer aconteceria na nossa presença e sem o nosso conhecimento. A morte, convocada por ele, faria o seu trabalho.

"E a comédia, ou melhor, a tragédia, se desenrolou. A senhora Fauville, que ele enviou à Ópera, veio se despedir dele. Em seguida, seu criado lhe trouxe para comer, entre outras coisas, um cesto de maçãs. Então houve um ataque de fúria, a angústia do homem que vai morrer e a quem a morte assusta, e toda uma cena de mentiras em que ele nos mostrou seu cofre e o caderno de capa cinza que supostamente continha a narrativa do complô.

"A partir de então, estava tudo pronto. Mazeroux e eu nos retiramos para a antecâmara, a porta se fechou e Fauville ficou sozinho e livre para agir. Nada poderia impedir sua vontade. Às onze da noite, a senhora Fauville – a quem, sem dúvida, no curso do dia, ele tinha enviado, imitando a escrita de Sauverand, uma dessas cartas que rasgamos tão logo a recebemos, e por meio da qual Sauverand pedia à infeliz mulher que lhe encontrasse no Ranelagh – deixaria a Ópera e, antes de ir para o jantar na casa da senhora Ersinger, passaria uma hora nas imediações do palácio. Por outro lado, a quinhentos metros de distância, e no lado oposto, Sauverand faria sua habitual peregrinação de quarta-feira. Enquanto isso, o crime seria executado. Seria possível que os dois indicados como suspeitos à polícia, quer pelas alusões do senhor Fauville, quer pelo incidente no café do Pont-Neuf, e ambos incapazes, além disso, de fornecer um álibi ou explicar sua presença nas imediações do palácio, não fossem acusados e condenados pelo crime?

"No caso inadmissível de que o acaso os protegesse, provas irreconciliáveis estavam ali, à mão, plantadas pelo senhor Fauville: a maçã onde estavam marcados os dentes de Marie-Anne Fauville! E então, algumas semanas depois, manobra suprema e decisiva, a chegada misteriosa, a cada dez dias, das cartas de denúncia.

"Então tudo foi resolvido. Os menores detalhes foram planejados com uma lucidez infernal. Lembra-se, senhor comandante, daquela turquesa que caiu do meu anel e foi encontrada no cofre? Apenas quatro pessoas poderiam tê-la pegado. Entre elas, o senhor Fauville. Ora, foi justamente ele que nós descartamos de imediato, e foi ele, no entanto, que, a fim de me transformar em suspeito e excluir, de antemão, uma intervenção que ele imaginava que seria perigosa, aproveitou a oportunidade e introduziu a turquesa no cofre!

"Desta vez, o trabalho estava terminado. O destino se cumpriria. Entre 'o que odeia' e suas presas havia apenas a distância de um gesto. Esse gesto foi executado. O senhor Fauville morreu."

Dom Luís ficou em silêncio. Um longo silêncio seguiu suas palavras e ele teve certeza de que o extraordinário relato que acabava de terminar tinha recebido a mais absoluta aprovação dos seus ouvintes. Ninguém discutia, apenas acreditava. No entanto, aquela era a verdade mais inacreditável na qual ele pedia que eles acreditassem.

O senhor Desmalions fez uma última pergunta:

– O senhor estava naquela antecâmara com o brigadeiro Mazeroux. Do lado de fora, havia agentes. Admitindo que o senhor Fauville sabia que morreria naquela noite, e naquele exato horário, quem poderia tê-lo matado e quem poderia ter matado o seu filho? Não havia ninguém entre essas quatro paredes.

– Havia o senhor Fauville.

Um clamor de protestos foi ouvido. De repente, o véu foi rasgado e o espetáculo que dom Luís apresentava provocou, ao mesmo tempo que o horror, uma inesperada explosão de descrença e uma espécie de revolta contra a atenção demasiado benevolente que havia sido dada a tais explicações.

O comandante-geral resumiu o sentimento de todos exclamando:

– Chega de palavras! Chega de suposições! Por mais lógicas que pareçam, elas levam a conclusões absurdas.

– Absurdas na aparência, senhor comandante, mas quem garante que o ato inaudito do senhor Fauville não pode ser explicado por razões bastante naturais? Obviamente, não se morre voluntariamente, pelo simples prazer de se vingar. Mas quem garante que o senhor Fauville, cuja extrema magreza e lividez os senhores também devem ter notado, não foi acometido por alguma doença mortal e que, sabendo que já estava condenado...

– Basta de palavras, eu disse – exclamou o comandante –, o senhor só se baseia em suposições. O que eu estou lhe pedindo são provas. Uma prova, apenas uma. Ainda estamos à espera dela.

– Aqui está ela, senhor comandante.

– Hein! O que o senhor está dizendo?

– Senhor comandante, quando soltei o lustre do gesso que o sustentava, encontrei sobre a caixa de metal, do lado de fora dela, um envelope lacrado. Como o lustre se encontrava acima da mansarda ocupada pelo filho do senhor Fauville, é óbvio que o senhor Fauville podia, levantando os tacos do chão dessa mansarda, chegar à parte superior do mecanismo instalado por ele. Assim, durante a última noite, ele colocou lá este envelope lacrado onde, inclusive, ele escreveu a data do crime: "Trinta e um de março, onze horas da noite", e sua assinatura: "Hippolyte Fauville".

O senhor Desmalions abriu apressadamente o envelope. Passando os olhos sobre as páginas escritas que o envelope continha, ele sobressaltou:

– Ah! O miserável, o miserável – disse ele. – É possível que existam monstros como ele? Oh! Que abominação!

Com a voz entrecortada, que o estupor deixava ainda mais abafada, ele leu:

"O objetivo foi alcançado, minha hora chegou. Adormecido por mim, Edmond morreu sem que o ardor do veneno o despertasse de seu inconsciente. Agora começa minha agonia. Sofro todas as torturas do inferno. É com dificuldade que minha mão consegue traçar estas últimas linhas. Estou sofrendo, estou sofrendo. Entretanto, minha felicidade é imensa!

"Essa felicidade existe desde a viagem que fiz a Londres, com Edmond, há quatro meses. Até então, eu suportava a mais horrível existência, dissimulando meu ódio contra aquela que me odiava e que amava outro. A saúde debilitada, sentindo-me já corroído por um mal implacável e vendo meu filho débil e lânguido. À tarde, consultei um importante médico e não restou mais nenhuma dúvida: um câncer me consumia. E eu também sabia que Edmond, meu filho, assim como eu, estava a caminho do túmulo, irremediavelmente perdido, tuberculoso.

"Naquela mesma noite, a magnífica ideia de vingança nasceu em mim.

"E que vingança! Uma acusação, a mais formidável das acusações, feita contra um homem e uma mulher que se amam. A prisão! O tribunal! A prisão! O cadafalso! E nenhuma ajuda possível, nenhum debate, nenhuma esperança! As provas acumuladas, provas tão extraordinárias que o próprio inocente duvida da sua inocência e se cala, oprimido, indefeso. Que vingança! Que expiação! Ser inocente e lutar em vão contra os fatos que o acusam, contra a própria realidade que clama que você é culpado!

"E foi com alegria que preparei tudo. Cada descoberta, cada invenção provocava em mim gargalhadas. Deus, como eu estava feliz! Vocês pensam que um câncer faz mal? Não, claro que não. É possível que o corpo sofra quando a alma treme de alegria? Acham que neste momento eu sinto a queimação atroz do veneno?

"Estou feliz. A morte a que me submeto é o início do suplício deles. Então, qual é o sentido de viver e esperar por uma morte natural que seria para eles o início da felicidade? E já que Edmond ia morrer, por que não o poupar de uma agonia lenta e por que não lhe dar uma morte que duplicará o grave crime de Marie-Anne e Sauverand?

"É o fim! Precisei me interromper, dominado pela dor. Um pouco de calma agora... Como tudo está silencioso! Dentro e fora do palácio, os enviados da polícia vigiam meu crime. Não muito longe daqui, Marie-Anne, convocada pela carta que escrevi, corre ao encontro de seu amado, que não virá. E o amado vagueia sob as janelas onde sua beleza não aparecerá. Ah! As marionetes cujos fios eu manipulo. Dancem! Pulem! Meu Deus, como elas são divertidas! A corda no pescoço, senhor e senhora, sim, a corda no pescoço. Não foi o senhor quem, pela manhã, envenenou o inspetor Vérot e o seguiu até ao café do Pont-Neuf, com sua bela bengala de ébano? Sim, claro que foi o senhor! E à noite, é a bela senhora quem envenena a mim e ao enteado. A prova? Bem, esta maçã, senhora, a maçã que a senhora *não mordeu*, mas na qual, no entanto, serão *encontradas as marcas de seus dentes!* Que comédia! Pulem! Dancem!

"E as cartas! O sucesso das cartas enviadas ao falecido Langernault!

"Essa é minha mais admirável proeza. Ah, a alegria que senti com a invenção e a construção do meu pequeno mecanismo! Está bem montado? Não é uma maravilha de arranjo e de precisão? No dia previsto, zás, a primeira carta! E então, dez dias depois, zás, a segunda carta! Vamos, meus pobres amigos, não há nada a fazer, vocês estão arruinados. Dancem! Pulem!

"E o que me diverte, pois estou rindo agora, é pensar que ninguém vai entender nada. Marie-Anne e Sauverand culpados, sem que haja a menor dúvida. Mas, para além disso, o mistério absoluto. Ninguém sabe de nada e jamais saberá. Em poucas semanas, quando a ruína de dois culpados estiver irrevogavelmente consumada, quando as cartas estiverem nas mãos da justiça, no dia 25, ou melhor, 26 de maio, às três horas da manhã, uma explosão irá apagar todos os vestígios da minha obra. A bomba está em seu lugar. Um movimento, completamente independente do lustre, vai fazê-lo explodir no momento previsto. Ao lado dele, acabei de enterrar o caderno de capa cinza onde supostamente escrevi meu diário, as garrafas que contêm o veneno, as agulhas que me serviram, uma bengala de ébano, duas cartas do inspetor Vérot, enfim, tudo o que pudesse salvar os culpados. Então, como seria possível descobrir? Ninguém sabe de nada e jamais saberá.

"A menos que... a menos que algum milagre aconteça... A menos que a bomba deixe as paredes de pé e o teto intacto. A menos que um prodígio de inteligência e intuição, um homem engenhoso, desenredando os fios que eu entrelacei, penetre no coração do enigma e consiga, depois de meses e meses de buscas, encontrar esta carta suprema.

"É para esse homem que escrevo, sabendo bem que ele não pode existir. Mas, afinal de contas, o que isso importa! Marie-Anne e Sauverand já estarão no fundo do abismo, mortos, sem dúvida, ou pelo menos separados para sempre. E não arrisco nada deixando ao acaso este testemunho do meu ódio.

"Pronto, está terminado, só preciso assinar. Minha mão está cada vez mais trêmula. O suor escorre pela minha testa. Sofro como um condenado e estou divinamente feliz! Ah, meus amigos, vocês estavam à espera da minha morte! Ah, você, Marie-Anne, imprudente! Você deixava adivinhar nos seus olhos, que me espiavam discretamente, toda sua alegria em me ver doente! E vocês dois estavam tão seguros do futuro que tiveram a coragem de se manter virtuosos! Aqui está ela, a minha morte. Aqui está ela e aqui estão vocês reunidos sobre a minha sepultura, ligados pelos anéis das algemas. Marie-Anne, seja a esposa do meu amigo Sauverand. Sauverand, entrego-lhe minha mulher. Unam-se. É o juiz de instrução quem redigirá o contrato, e é o carrasco quem rezará a missa. Ah, que volúpia!

Estou sofrendo... Que volúpia! O bom ódio, que torna a morte adorável... Estou feliz por morrer... Marie-Anne está na prisão... Sauverand chora em sua cela de condenado... Abrem a porta... Oh, o horror! Homens vestidos de preto se aproximam de seu leito... "Gaston Sauverand, seu apelo foi negado. Tenha coragem." Ah! A manhã fria... o cadafalso! Agora é sua vez, Marie-Anne, sua vez! Você sobreviveria sem seu amante? Sauverand está morto. Agora é sua vez! Aqui está uma corda. Ou você prefere o veneno? Morra então, libertina... Morra entre as chamas... como eu, que a odeio... odeio... odeio..."

O senhor Desmalions se calou diante do estupor de todos. Ele tinha lido as últimas linhas com grande dificuldade, pois, aproximando-se do final, a escrita ia ficando disforme e ilegível.

Ele disse em voz baixa com os olhos colados no papel:

– "Hippolyte Fauville..." é exatamente a assinatura dele... O desgraçado encontrou forças para assinar claramente. Ele temia que sua ignomínia pudesse ser questionada. Na verdade, como poderiam supor...?

E acrescentou, olhando para dom Luís:

– Para alcançar o objetivo, era preciso uma visão verdadeiramente excepcional e dons aos quais devemos prestar homenagem, aos quais eu presto homenagem. Todas as explicações dadas por esse louco foram planejadas da forma mais precisa e desconcertante.

Dom Luís se curvou e, sem responder ao elogio, disse:

– O senhor tem razão, comandante, ele era um louco, e da espécie mais perigosa, o louco lúcido que persegue uma ideia que ninguém consegue fazê-lo abandonar. Ele perseguiu a sua com uma tenacidade prodigiosa e de acordo com os próprios recursos de sua mente meticulosa, escravizada às leis da mecânica. Outro teria matado imediatamente e com brutalidade. Ele se empenhou em matar a longo prazo, como um experimentador que entrega ao tempo a tarefa de provar a excelência de sua invenção. E foi bem-sucedido nisso, já que a justiça caiu na armadilha e a senhora Fauville talvez morra.

O senhor Desmalions tomou uma decisão. Toda história agora não passava de um fato decorrido sobre o qual as investigações tratariam de lançar a luz necessária. Apenas um fato importava no presente, a salvação de Marie-Anne Fauville.

– Isso mesmo – disse ele –, não temos um só minuto a perder. A senhora Fauville deve ser informada o quanto antes. Ao mesmo tempo, convocarei o juiz de investigação e é certo que a absolvição será imediata.

Rapidamente ele deu ordens para que as investigações continuassem e para que todas as hipóteses de dom Luís fossem verificadas. Depois, dirigindo-se a ele:

– Venha, senhor, é justo que a senhora Fauville agradeça ao seu salvador. Mazeroux, venha também.

A reunião em que dom Luís deu, da forma mais brilhante, a medida de sua genialidade, estava terminada. Numa luta, seria possível dizer que, com poderes do além, ele obrigaria a morte a revelar seu segredo. Ele desvendou, como se tivesse assistido a ela, a vingança abominável concebida nas trevas e realizada no túmulo.

Por seu silêncio e por certos sinais com a cabeça, o senhor Desmalions deixou transparecer toda sua admiração. E Perenna saboreava com gosto o que lhe parecia estranho: a polícia que horas antes o perseguia agora o convidava a seguir com ela em seu automóvel, lado a lado com o próprio chefe do caso. Não havia nada melhor para destacar o domínio com que ele havia conduzido o caso e a importância que havia sido atribuída aos resultados obtidos. O preço da sua colaboração foi tal que todos queriam esquecer os incidentes dos últimos dois dias. Os rancores do subchefe Weber não surtiam mais efeito contra dom Luís Perenna.

O senhor Desmalions, no entanto, começou a rever brevemente as novas soluções e concluiu, ainda discutindo alguns pontos:

– Sim, é isso... Não resta a menor dúvida... estamos de acordo... Foi isso que aconteceu e não pode ter sido nenhuma outra coisa. No entanto, algumas coisas permanecem obscuras. Em primeiro lugar, as marcas dos dentes. Esse é um fato contra a senhora Fauville que, apesar da confissão do marido, não podemos ignorar.

– Acho que a explicação é muito simples, senhor comandante. E eu lhe darei quando for possível que ela venha acompanhada das provas necessárias.

– Que seja. Outra coisa. Como é possível que Weber tenha encontrado, ontem de manhã, no quarto da senhorita Levasseur, esta folha de papel relacionada com a explosão?

– E como é possível – acrescentou dom Luís, rindo –, que eu tenha encontrado a lista das cinco datas correspondentes à entrega das cartas?

– Então – disse o senhor Desmalions – o senhor concorda comigo? A participação da senhorita Levasseur é, no mínimo, suspeita.

– Acredito que tudo será esclarecido, senhor comandante, e que basta agora o senhor interrogar a senhora Fauville e Gaston Sauverand para que a luz dissipe essas últimas trevas e para que a senhorita Levasseur esteja a salvo de qualquer suspeita.

– Mas há ainda mais um fato que me parece estranho – insistiu o senhor Desmalions. – Em sua confissão, Hippolyte Fauville nem sequer menciona a herança Mornington. Por quê? Ele não sabia? Devemos supor que não há qualquer relação entre a série de crimes e essa herança e que a coincidência é inteiramente fortuita?

– Quanto a isso, estou inteiramente de acordo com o senhor, senhor comandante. O silêncio de Hippolyte Fauville em relação a essa herança me confunde um pouco, admito. Mas, mesmo assim, atribuo a isso apenas uma importância relativa. O principal é a culpabilidade do engenheiro Fauville e a inocência dos prisioneiros.

A alegria de dom Luís não se confundia e não admitia restrições. Em sua opinião, a aventura sinistra terminava com a descoberta da confissão escrita pelo engenheiro Fauville. O que não encontrava a devida explicação nessas linhas estaria nos esclarecimentos prestados pela senhora Fauville, por Florence Levasseur e por Gaston Sauverand. Para ele, isso já não oferecia qualquer interesse.

Saint-Lazare... A velha prisão lamentável e sórdida em que a picareta ainda não tocou.

O comandante saltou do carro.

A porta foi imediatamente aberta.

– O diretor está? – ele perguntou ao porteiro. – Chame-o, rápido. É urgente.

Mas, imediatamente, incapaz de esperar, ele se precipitou pelos corredores que levavam à enfermaria e estava prestes a chegar ao patamar do primeiro andar quando encontrou com o diretor.

– A senhora Fauville? – ele disse sem preâmbulo. – Eu gostaria de vê-la.

Ele parou bruscamente diante do ar de angústia do diretor.

– O que aconteceu? O que o senhor tem?

– Como, senhor comandante – gaguejou o oficial –, o senhor não sabe? No entanto, telefonei à Chefatura...

– Então fale! O quê? O que está acontecendo?

– Acontece, senhor comandante, que a senhora Fauville morreu esta manhã. Ela conseguiu se envenenar.

O senhor Desmalions agarrou o braço do diretor e correu para a enfermaria, seguido por Perenna e Mazeroux. Num dos quartos, clc viu a jovem deitada.

Manchas marrons marcavam seu rosto pálido e seus ombros, semelhantes às observadas nos cadáveres do inspetor Vérot, de Hippolyte Fauville e de seu filho Edmond.

Perturbado, o comandante murmurou:

– Mas... de onde veio o veneno?

– Encontramos este pequeno frasco e esta seringa debaixo do travesseiro dela, comandante.

– Debaixo do travesseiro? Mas como eles foram para lá? Como ela os conseguiu? Quem lhe deu isso?

– Ainda não sabemos, senhor comandante.

O senhor Desmalions olhou para dom Luís. O suicídio de Hippolyte Fauville não colocava um ponto-final na série de crimes. Sua ação não só causou a perda de Marie-Anne, como também determinou o envenenamento da jovem infeliz! Como era possível? Devia-se admitir que a vingança do morto prosseguia da mesma forma, automática e anônima? Ou então… ou então, haveria outra vontade misteriosa que dava prosseguimento, nas sombras, com a mesma audácia, ao trabalho diabólico do engenheiro Fauville?

No dia seguinte, outra reviravolta. Gaston Sauverand foi encontrado agonizando em sua cela. Ele teve a coragem de se estrangular com o lençol. Tentaram em vão trazê-lo de volta à vida.

Perto dele, sobre a mesa, havia meia dúzia de recortes de jornal que algum desconhecido lhe trouxe.

Todos relatavam a morte de Marie-Anne Fauville.

O HERDEIRO DOS DUZENTOS MILHÕES

Na quarta noite após esses trágicos acontecimentos, um velho condutor de carruagem, disfarçado sob um longo casaco, veio tocar a campainha do palácio Perenna e pediu que uma carta fosse entregue a dom Luís. O homem foi imediatamente conduzido ao escritório do primeiro andar. Chegando lá, e mal tendo tempo para se livrar de seu casaco, ele correu para dom Luís:

– Desta vez é pra valer, chefe. Não é mais brincadeira, o senhor precisa fazer as malas e sair daqui, e imediatamente.

Dom Luís, que fumava calmamente, afundado em sua larga poltrona, respondeu:

– O que você prefere, Mazeroux, um charuto ou um cigarro?

Mazeroux se indignou:

– Ora, chefe, o senhor não lê os jornais?

– Infelizmente sim!

– Neste caso, a situação deve estar tão clara para o senhor como está para mim e para todo mundo! Há três dias, desde o duplo suicídio, ou melhor, desde o duplo assassinato de Marie-Anne Fauville e de seu primo, Gaston Sauverand, não há um único jornal em que não se leia esta frase ou algo próximo disso: "*E agora que o senhor Fauville, seu filho, sua esposa e seu primo, Gaston Sauverand, estão mortos, nada separa dom Luís Perenna da herança de Cosmo Mornington*".

"O senhor entende o que significa todo esse falatório, chefe? Certamente estão falando da explosão do boulevard Suchet e das revelações póstumas do engenheiro Fauville, e estão revoltados contra o abominável Fauville e louvando a habilidade do senhor. Mas há um fato que domina todas as conversas e discussões. Se os três ramos da família Roussel foram abolidos, quem resta? Dom Luís Perenna. Na ausência de herdeiros naturais, quem herda tudo? Dom Luís Perenna."

– Que sortudo!

– É isso que estão falando, chefe. Estão dizendo que essa série de crimes e atrocidades não pode ser resultado de coincidências fortuitas, mas que, ao contrário, ela indica a existência de uma intenção premeditada que teve início com o assassinato de Cosmo Mornington e terminará na captação dos duzentos milhões. E, para dar um nome a essa "intenção", estão recorrendo ao que têm em mãos, ou seja, ao personagem extraordinário, glorioso e mal afamado, suspeito e misterioso, onipotente e onipresente, que, amigo íntimo de Cosmo Mornington, rege os acontecimentos desde o início, combina, acusa, absolve, faz prender, faz escapar. Em suma, manobra toda essa história de herança, no final da qual, em última instância, se ele chegar onde seu interesse quer, ele põe as mãos nos duzentos milhões. E o personagem é dom Luís Perenna, que é o mesmo que dizer o estimável Arsène Lupin, em quem seria louco não pensar quando estamos diante de um caso tão colossal.

– Obrigado!

– É o que estão dizendo, chefe, eu repito. Enquanto a senhora Fauville e Gaston Sauverand estavam vivos, pouco se pensou nos seus títulos de legatário universal e herdeiro de reserva. Mas agora ambos morreram. Então, não se pode deixar de notar a obstinação de fato surpreendente com que o acaso trata os interesses de dom Luís Perenna. O senhor se lembra do axioma em questões jurídicas: *is fecit cui prodest*. Quem se beneficia com o desaparecimento de todos os herdeiros de Roussel? Dom Luís Perenna.

– O bandido!

– “O bandido”, é o que Weber grita nos corredores da Chefatura e da Sûreté. O senhor é o bandido e Florence Levasseur é a sua cúmplice. E ninguém ousa protestar. O comandante-geral? Ele pode se lembrar de que lhe deve a vida duas vezes e que o senhor prestou serviços inestimáveis à justiça, e será o primeiro a afirmar isso. Ele poderá se dirigir ao presidente do Conselho, Valenglay, que o protege, como se sabe... Mas não há apenas o comandante-geral! Não há só o presidente do Conselho! Há a Sûreté, a Procuradoria, o juiz de instrução, os jornais e, sobretudo, a opinião pública, a quem é necessário dar satisfação, e é ela quem espera, quem exige um culpado. Esse culpado é o senhor ou Florence Levasseur. Ou melhor, é o senhor *e* Florence Levasseur.

Dom Luís não reagiu. Mazeroux esperou mais um minuto. Então, sem receber uma resposta, fez um gesto desesperado:

– Chefe, sabe o que o senhor me obriga a fazer? Trair o meu dever. Pois bem, ouça. Amanhã de manhã, o senhor receberá uma intimação do juiz de instrução. No final do interrogatório, e seja lá o que for esse interrogatório, o senhor será levado diretamente à prisão. O mandado está assinado. Eis o que seus inimigos conseguiram.

– Raios!

– E isso não é tudo. Weber, que arde de desejo de se vingar, pediu permissão para monitorar seu palácio desde agora, para que o senhor não possa se safar, como fez Florence Levasseur. Dentro de uma hora, ele estará aqui com os homens dele. O que me diz, chefe?

Sem alterar sua postura indolente, dom Luís acenou para Mazeroux.

– Brigadeiro, veja o que está debaixo do sofá, entre as duas janelas.

Dom Luís estava sério. Instintivamente, Mazeroux obedeceu. Debaixo do sofá havia uma mala.

– Brigadeiro, em dez minutos, quando eu dispensar meus criados, você vai levar essa mala à rua Rivoli, número 14-bis, onde eu mantenho um pequeno apartamento, sob o nome de senhor Lecocq.

– O que significa isso, chefe?

– Significa que, há três dias, sem ter ninguém a quem confiar essa mala, eu espero pela sua visita.

– Ah, essa! Mas… – balbuciou Mazeroux, confuso.

– Ah, essa! O que é?

– O senhor tinha a intenção de fugir?

– Por Deus! Mas por que me atormentar? Se consegui um cargo para você na Sûreté, foi para descobrir o que estão tramando contra mim. Como há perigo, eu me vou.

E, batendo no ombro de Mazeroux, que olhava para ele cada vez mais perplexo, disse com firmeza:

– Percebe, brigadeiro, que não era necessário se vestir como um cocheiro nem trair seu dever? Nunca se deve trair seu dever, brigadeiro. Questione sua consciência, tenho certeza de que ela o julga como você merece.

Dom Luís disse a verdade. Reconhecendo que a morte de Marie-Anne e Sauverand mudava a situação, ele achou prudente se esconder. Se não havia feito antes, era porque esperava receber notícias de Florence Levasseur, quer por carta, quer por telefone. Como a jovem persistia em se manter em silêncio, não havia razão para dom Luís arriscar uma prisão que a sequência dos acontecimentos mostrava como infinitamente provável.

E, de fato, suas previsões estavam certas. No dia seguinte, Mazeroux chegou todo contente ao pequeno apartamento da rua Rivoli.

– O senhor escapou por pouco, chefe. Já esta manhã, Weber soube que o pássaro tinha voado. Ele não consegue se acalmar. Admitamos, afinal, que a situação está cada vez mais confusa. Na Chefatura, ninguém entende nada.

Nem sequer sabem se devem continuar as buscas por Florence Levasseur. Ah, o senhor deve ter lido nos jornais. O juiz de instrução afirma que se Fauville cometeu suicídio e matou seu filho Edmond, Florence Levasseur não tem nada a ver com a história. Para ele, o caso está encerrado desse ponto de vista. Esse juiz de instrução tem cada uma! Não é claro como o dia em que Florence participou do assassinato de Gaston Sauverand, assim como de todo o resto? Não foi na casa dela, num volume de Shakespeare, que foram encontrados documentos relacionados com os planos feitos pelo senhor Fauville em relação às cartas e à explosão? E ainda...

Mazeroux interrompeu sua fala, intimidado pelo olhar de dom Luís e entendendo que o chefe se preocupava mais do que nunca com a jovem. Culpada ou não, ele sentia por ela a mesma paixão.

– Entendido – ele disse –, não vamos falar mais sobre isso. O futuro vai provar que tenho razão, o senhor vai ver.

E os dias passaram. Mazeroux vinha com a máxima frequência possível, ou telefonava a dom Luís para contar todos os detalhes sobre a dupla investigação em Saint-Lazare e na Santé.

Uma investigação inútil, como se sabe. As afirmações de dom Luís sobre o lustre e sobre a distribuição automática das cartas misteriosas foram comprovadas, mas as investigações a respeito do duplo suicídio falharam. No máximo, foi definido que, antes de sua prisão, Sauverand havia tentado, por intermédio de um fornecedor da enfermaria, entrar em contato com Marie-Anne. Não seria possível supor que o frasco de veneno e a seringa tinham seguido o mesmo caminho? Impossível provar, assim como, por outro lado, também é impossível descobrir como os recortes dos jornais que relatavam o suicídio de Marie-Anne tinham sido introduzidos na cela de Gaston Sauverand.

Além disso, o mistério inicial ainda permanecia: o mistério insondável dos dentes impressos na fruta! A confissão póstuma do senhor Fauville inocentava Marie-Anne. No entanto, eram de fato os dentes de Marie-Anne que haviam deixado suas marcas na maçã! Aquilo a que chamavam de *os dentes do tigre*, eram realmente os dela! Então...?

Em suma, como dizia Mazeroux, todos patinavam. Tanto que o comandante-geral, que tinha a missão de reunir os herdeiros de Mornington até três meses depois da morte do testador, e no máximo quatro meses depois, de repente decidiu que essa reunião aconteceria durante a semana seguinte, isto é, no dia 9 de junho. Ele esperava acabar com um caso exasperante sobre o qual a justiça só demonstrava incerteza e desordem. Dependendo das circunstâncias, seria tomada uma decisão sobre a herança e então, dariam a missão por encerrada. Gradualmente silenciariam sobre a monstruosa hecatombe dos herdeiros de Mornington e o mistério dos dentes do tigre seriam pouco a pouco esquecidos...

Fato peculiar, esses últimos dias, agitados e febris como são aqueles que precedem grandes batalhas – porque era esperado que essa reunião suprema fosse uma grande batalha –, dom Luís os passou tranquilamente em uma poltrona instalada em sua varanda da rua Rivoli, fumando charutos ou fazendo bolhas de sabão que o vento levava para o jardim Tuileries.

Mazeroux não conseguia acreditar.

– Chefe, o senhor me deixa perturbado. Como parece calmo e despreocupado!

– E estou, Alexandre.

– Mas como! O caso já não lhe interessa mais? O senhor renuncia a vingar a senhora Fauville e Sauverand? O senhor está sendo abertamente acusado e está fazendo bolhas de sabão?

– Nada é mais excitante, Alexandre.

– Quer que eu lhe diga, chefe? Pois bem, as pessoas pensariam que o senhor sabe a resposta do enigma...

– Quem sabe, Alexandre?

Nada parecia comover dom Luís. Algumas horas se passaram, e mais outras, e ele continuava na varanda. Agora os pardais vinham comer as migalhas de pão que ele lhes jogava. Era possível afirmar que, também para ele, o caso tinha chegado ao fim e que tudo caminhava às mil maravilhas.

Mas no dia do encontro, Mazeroux entrou trazendo uma carta na mão e tinha um olhar assustado:

– É para o senhor, chefe. Estava endereçada a mim, mas trazia dentro um envelope em seu nome. Como o senhor explica isso?

– É fácil, Alexandre. O inimigo conhece nossas relações cordiais, e ignorando minha morada...

– Que inimigo?

– Eu lhe direi esta noite.

Dom Luís abriu o envelope e leu estas palavras, escritas a tinta vermelha:

Ainda está em tempo, Lupin. Retire-se da batalha. Caso contrário, você também encontrará a morte. Quando acreditar que atingiu seu objetivo, quando sua mão se levantar sobre mim e você gritar palavras de vitória, então o abismo irá se abrir sob seus pés. O local da sua morte já foi escolhido. A armadilha está pronta. Tome cuidado, Lupin.

Dom Luís sorriu:

– No momento certo, surgem os contornos nítidos.

– O senhor acha, chefe?

– Mas sim, claro que sim. Quem entregou esta carta a você?

– Ah! Agora, pela primeira vez, estamos em uma maré de sorte, chefe! O agente da Chefatura a quem a carta foi entregue mora em Ternes, numa casa vizinha à do emissário da carta. Ele conhece esse tipo muito bem. O senhor precisa admitir que é muita sorte.

Dom Luís sobressaltou. Estava radiante de alegria.

– O que você está dizendo? Desembucha! Tem alguma informação?

– O indivíduo é funcionário de uma clínica que fica na avenida Ternes.

– Vamos lá. Não temos nem um minuto a perder.

– No momento certo, chefe. Do contrário, vão acabar encontrando o senhor.

– Ora, por Deus! Enquanto não havia nada para fazer, esperei por esta noite e descansei, porque prevejo que a luta será terrível. Mas, uma vez que o inimigo finalmente cometeu um erro, uma vez que há uma pista, ah! Então, chega de esperar. Eu tomo a dianteira. Para cima do tigre, Mazeroux!

Era uma hora da tarde quando dom Luís e Mazeroux chegaram à clínica de Ternes. Um criado os recebeu. Mazeroux cutucou dom Luís com o cotovelo.

Era, sem dúvida, o portador da carta. Respondendo às questões do brigadeiro, o homem não hesitou em afirmar que tinha estado na Chefatura pela manhã.

– Sob ordens de quem? – perguntou Mazeroux.

– Por ordem da superiora.

– A superiora?

– Sim, a clínica também inclui uma casa de saúde, que é dirigida por freiras.

– É possível falar com a superiora?

– Claro, mas não agora, ela não se encontra.

– E ela volta logo?

– Oh! A qualquer momento.

O criado os acompanhou até a sala de espera, onde eles aguardaram por mais de uma hora. Estavam muito intrigados. O que significava a intervenção dessa freira? Qual seria o papel dela no caso?

Pessoas entravam e eram levadas até os pacientes em tratamento. Outras saíam. Havia também irmãs que iam e vinham em silêncio e enfermeiras cobertas com seus longos jalecos brancos acinturados.

– Nós vamos mofar aqui, chefe – sussurrou Mazeroux.

– Por que a pressa? Está pensando em sua amada?

– Estamos perdendo tempo.

– Eu não estou perdendo o meu. O encontro com o comandante-geral é só às cinco horas.

– Hein! O que o senhor está dizendo, chefe? O senhor não está falando sério! Não pretende mesmo participar...

– Por que não?

– Como! Mas o mandado...

– O mandado? Uma porcaria de papel...

– Uma porcaria que se tornará realidade se o senhor forçar a justiça a agir. Sua presença será considerada uma provocação...

– E minha ausência, uma confissão. Um cavalheiro que herda duzentos milhões não se esconde no dia de receber a fortuna. Sob pena de ser destituído dos meus direitos, tenho de ir a essa reunião. E irei.

– Chefe...

Um grito abafado ecoou diante deles, e imediatamente uma mulher, uma enfermeira que atravessava a sala, se pôs a correr, levantou uma cortina e desapareceu.

Dom Luís havia se levantado, hesitante, perplexo, e de repente, após quatro ou cinco segundos de indecisão, correu em direção à cortina, seguiu por um corredor e se deparou com uma grande porta forrada de couro que tinha acabado de ser fechada e em torno da qual, estupidamente, com as mãos trêmulas, ele perdeu mais alguns segundos.

Ao abrir, percebeu que estava no fundo de uma escada de serviço. Deveria subir? À direita, a mesma escada levava ao subsolo. Ele desceu, entrou em uma cozinha e, agarrando uma cozinheira pelo braço, disse-lhe num tom furioso:

– Alguma enfermeira passou por aqui?

– A senhorita Gertrude? A nova...

– Sim... sim... sim... rápido. Estão à procura dela lá em cima...

– Quem?

– Ah! Por tudo o que é mais sagrado, para onde ela foi?

– Por aqui… por esta porta…

Dom Luís se precipitou, atravessou um pequeno vestíbulo e correu para fora, na avenida Ternes.

– Muito bem, vai ser uma boa perseguição – gritou Mazeroux, que se juntou a ele.

Dom Luís observava a avenida. Em uma pequena praça vizinha, Saint--Ferdinand, um ônibus estava de partida.

– Ela está lá – disse ele –, desta vez ela não me escapa.

Ele chamou um táxi.

– Motorista, siga o ônibus a uma distância de cinquenta metros.

Mazeroux disse:

– É Florence Levasseur?

– Sim.

– Essa era difícil de imaginar! – murmurou o brigadeiro.

E, com uma súbita fúria:

– Mas, chefe, o senhor não percebeu ainda? Ora, ninguém é tão cego assim!

Dom Luís não respondeu.

– Mas chefe, a presença de Florence Levasseur nessa clínica prova, por $a + b$, que foi ela quem deu ordem ao criado para me entregar a carta com as ameaças contra o senhor. Então, não restam dúvidas! Florence Levasseur está por trás de tudo! E o senhor sabe disso tão bem quanto eu, admita! Nos últimos dez dias, por amor a essa mulher, o senhor pode tê-la considerado inocente, apesar de todas as provas acumuladas contra ela. Mas hoje a verdade está escancarada diante dos seus olhos. Eu sinto isso, tenho certeza. Estou certo, chefe? O senhor enxerga isso claramente?

Desta vez dom Luís não protestou. O rosto contraído, os olhos fixos, ele observava o ônibus que, naquele momento, parava na esquina do boulevard Haussmann.

– Alto! – ele gritou ao motorista.

A jovem estava desembarcando. Com seu uniforme de enfermeira, era fácil reconhecer Florence Levasseur. Ela examinou os arredores, como uma pessoa que se certifica de que não está sendo seguida, depois entrou em um carro e foi conduzida, pelo boulevard e pela rua Pépinière, à estação Saint-Lazare.

De longe, dom Luís a viu subir as escadas que levam à *cour de Rome*, e ainda podia vê-la no final do átrio, em frente a um guichê.

– Rápido, Mazeroux – disse ele –, pegue seu cartão da Sûreté e pergunte à moça do guichê que bilhete ela acabou de emitir. Depressa antes que outro viajante chegue.

Mazeroux se apressou, interrogou a bilheteira e, voltando-se para dom Luís:

– Uma passagem de segunda classe para Rouen.

– Compre uma também.

O brigadeiro obedeceu. Pedindo informações, descobriram que um trem rápido estava saindo naquele exato momento. Quando chegaram à plataforma, Florence entrava em um dos vagões do meio.

O trem apitou.

– Suba – disse dom Luís, que tentava ao máximo dissimular suas intenções. – Envie-me um telegrama de Rouen e eu o encontrarei esta noite. Sobretudo, fique de olhos bem abertos. Não a deixe escapar por entre os dedos. Ela é muito esperta, você sabe.

– Mas e o senhor, chefe, por que não vem? Seria muito melhor...

– Impossível. Não há nenhuma parada antes de chegar em Rouen, e eu só poderia voltar esta noite. No entanto, a reunião na Chefatura está marcada para as cinco horas.

– E o senhor insiste em participar?

– Mais do que nunca. Vai, embarca.

Ele o empurrou para dentro do último vagão. O trem sacudiu e logo desapareceu sob o túnel.

Então dom Luís se atirou em um banco, em uma das salas de espera, e permaneceu ali por duas horas, fingindo ler os jornais, mas com o olhar e a mente obcecados por essa questão angustiante que o dominava mais uma vez, e com imensa precisão: "Florence é culpada?"

Eram exatamente cinco horas quando o gabinete do senhor Desmalions se abriu diante do comandante conde d'Astrignac, do senhor Lepertuis e do secretário da embaixada americana. Neste exato momento, alguém entrou na antessala dos oficiais de justiça e apresentou seu cartão.

O oficial que estava em serviço olhou para cartão, virou-se rapidamente para um grupo de pessoas que conversavam ao lado e depois perguntou ao recém-chegado:

– O senhor não tem uma intimação?

– Desnecessário. Anuncie que está aqui dom Luís Perenna.

Houve uma espécie de choque elétrico entre as pessoas do grupo, e um deles deu um passo a frente. Era o subchefe Weber.

Os dois homens se olharam fixamente por um momento. Dom Luís sorria gentilmente. Weber estava lívido, um tremor agitava seus lábios e era possível ver todos os esforços que ele fazia para se conter.

Próximos a ele estavam dois jornalistas e quatro agentes da Sûreté.

"Droga! Estes senhores estão aqui por minha causa", pensou dom Luís. "Mas a perplexidade deles prova que ninguém imaginava que eu teria coragem de vir. Será que vão me prender?"

Weber não se moveu, mas seu rosto passou a expressar um certo contentamento como se pensasse: "Você, meu caro, está em minhas mãos. Desta vez você não escapa".

O oficial de justiça voltou e, sem dizer uma palavra, mostrou o caminho a dom Luís.

Dom Luís passou por Weber e o cumprimentou do modo mais afável. Fez também um pequeno sinal amigável para os agentes e entrou.

Imediatamente, o comandante conde d'Astrignac se dirigiu até ele com a mão estendida, mostrando que todo falatório em nada havia alterado a estima que ele tinha pelo legionário Perenna. Mas a postura reservada do comandante-geral foi significativa. Ele continuou a folhear o arquivo que estava examinando e a conversar a meia-voz com o secretário da embaixada e com o notário.

Dom Luís refletiu:

"Meu bom Lupin, há alguém que vai sair daqui com as argolas de ferro nos pulsos. Se não for o verdadeiro culpado, será você, meu velhote. Para bom entendedor..."

E se lembrou do início da aventura, quando estava no escritório do palácio Fauville, em frente aos magistrados, e, sob pena de prisão imediata, precisava entregar o criminoso à justiça. Assim, do início ao fim da luta, enquanto lutava contra o inimigo invisível, ele precisou se render aos ataques da justiça, sem que fosse possível se defender, a não ser por vitórias indispensáveis. Sucessivamente, assediado por ataques, sempre em perigo, ele tinha atirado Marie-Anne e Sauverand no abismo; inocentes sacrificados pelas cruéis leis da batalha. Será que ele finalmente teria o verdadeiro inimigo em suas mãos, ou sucumbiria no último minuto?

Ele esfregou as mãos num movimento tão feliz que não passou despercebido pelo senhor Desmalions. Dom Luís tinha o ar desabrochado de um homem que experimenta uma alegria da mais puras e que se prepara para saborear outras muito mais vívidas.

O comandante-geral permaneceu em silêncio por um momento, como se perguntasse a si mesmo o que poderia deleitar aquele diabo de homem. Então voltou a folhear seu arquivo e acabou por pronunciar:

– Estamos aqui reunidos novamente, cavalheiros, como fizemos há dois meses, para tomar as decisões finais sobre o testamento de Cosmo Mornington. O senhor Cacérès, adido da embaixada do Peru, não virá. Segundo um telegrama que acabo de receber da Itália, ele está gravemente doente. Sua presença, de todo modo, não era indispensável. Por isso, não falta mais ninguém, a não ser aqueles a quem, infelizmente, esta reunião consagraria os direitos, ou seja, os herdeiros de Cosmo Mornington.

– Ainda falta uma pessoa, senhor comandante.

O senhor Desmalions levantou a cabeça. Era dom Luís quem tinha acabado de falar. O comandante hesitou, mas decidiu enfim indagá-lo:

– Quem? Quem é essa pessoa?

– O assassino dos herdeiros de Mornington.

Uma vez mais, dom Luís desviava a atenção, e, apesar da resistência que lhe impunham, forçou os assistentes a considerar sua presença e sofrer sua influência. A todo custo, seria preciso discutir com ele como um homem que expressa coisas inconcebíveis, mas possíveis, uma vez que ele as expunha.

– Senhor comandante – disse ele –, posso expor os fatos tais como eles emergem da situação atual? Esta será a continuação e a conclusão natural da conversa que tivemos após a explosão no boulevard Suchet.

O silêncio do senhor Desmalions deixou claro para dom Luís que ele podia falar. Ele imediatamente retomou:

– Serei breve, senhor comandante, e por duas razões: em primeiro lugar, porque a confissão do engenheiro Fauville segue confirmada e sabemos definitivamente do papel monstruoso que ele desempenhou no caso; em segundo lugar, porque, além disso, a verdade, por mais complicada que possa parecer, é, no fundo, muito simples. Ela está por trás da objeção que o senhor me fez, comandante, na saída do palácio do boulevard Suchet em ruínas:

"Como explicar que, em sua confissão, Hippolyte Fauville nem sequer menciona a herança de Cosmo Mornington?"

"Está tudo explicado, senhor comandante. Hippolyte Fauville não disse uma palavra sobre a herança. E se ele não disse nada sobre isso é porque, claramente, ele não sabia. E se Gaston Sauverand me contou toda sua história trágica sem fazer qualquer menção a essa herança, é porque essa herança não tinha nenhuma função na história de Gaston Sauverand. Antes desses acontecimentos, ele ignorava sua existência, assim como Marie-Anne Fauville e Florence Levasseur.

"Fato inegável, a vingança, somente a vingança guiou Hippolyte Fauville. Caso contrário, por que ele o teria feito, já que os milhões de Cosmo Mornington lhe pertenciam por direito? Além disso, se ele quisesse aproveitar esses milhões, não teria começado por se matar.

"Portanto, uma coisa é certa: a herança não tem nada a ver com as decisões ou ações de Hippolyte Fauville.

"Entretanto, sucessivamente, com uma inflexível regularidade e como se tudo tivesse acontecido na exata ordem dos que seriam considerados herdeiros de Mornington, morreram Cosmo Mornington, depois Hippolyte Fauville, depois Edmond Fauville, depois Marie-Anne Fauville, depois Gaston Sauverand! Primeiro o detentor da fortuna, depois todos aqueles que ele instituiu como seus herdeiros, e, repito, *na mesma ordem em que o testamento lhes permitiria herdar a fortuna!*

"Não é estranho? E como não supor que havia, em tudo isso, um pensamento norteador? Como não admitir que o formidável debate seja dominado por essa herança e que, acima dos ódios e ciúmes do imundo Fauville, haja um ser dotado de uma energia ainda mais formidável, perseguindo um objetivo tangível e levando à morte, como vítimas numeradas, os atores inconscientes do drama cujos fios ele atou e cujos fios ele desata?

"Senhor comandante, o instinto popular está tão de acordo comigo, uma parte da polícia, o subchefe Weber encabeçando, raciocina de uma forma tão idêntica à minha que a existência desse ser se afirma prontamente em todas essas mentes. Seria preciso alguém que fosse o guia desse plano, que tivesse a vontade e a energia para tal façanha. Esse alguém sou eu. Por que não, afinal? Não tinha eu a condição indispensável para desejar a realização desses crimes, como herdeiro de Cosmo Mornington?

"Não vou me defender. É possível que tenham havido estranhas intervenções, é possível que as circunstâncias o obriguem, senhor comandante, a adotar medidas injustificadas contra mim, mas eu não vou cometer a afronta de acreditar, por um segundo, que o senhor supõe ser capaz de tais perversidades o homem de cujas ações o senhor é testemunho há pelo menos dois meses.

"Entretanto, o instinto popular tem razão para me acusar, senhor comandante. Além do engenheiro Fauville, há fatalmente um culpado, e fatalmente esse culpado é herdeiro de Cosmo Mornington. Como não sou eu, então há outro herdeiro de Cosmo Mornington. E é ele quem eu acuso, senhor comandante.

"Não há na sinistra aventura que se desenrola diante de nós, como pudemos ter acreditado por um momento, apenas a vontade de um homem morto. Não foi contra um homem morto que lutei o tempo todo, e mais de uma vez senti o próprio sopro da vida me batendo na cara. E mais de uma vez senti os dentes do tigre tentando me rasgar. O morto fez muito, mas não fez tudo. E, mesmo o que ele fez, será que foi o único a fazer? O ser de que falo foi unicamente o executor das suas ordens, ou foi também o cúmplice que o ajudou na sua empreitada? Não sei. Mas foi ele, com toda certeza, quem deu continuidade a uma obra que ele talvez tenha inspirado, e que, em todo caso, desviou em seu próprio benefício, completou resolutamente e levou aos últimos limites. *E suspendeu porque conhecia o testamento de Cosmo Mornington.*

"E é ele quem eu acuso, senhor comandante.

"Acuso-o pelo menos da perversidade e pelos crimes que não podem ser atribuídos a Hippolyte Fauville.

"Acuso-o de ter arrombado a gaveta da mesa onde o senhor Lepertuis, o notário de Cosmo Mornington, tinha guardado o testamento do seu cliente.

"Acuso-o de ter invadido o apartamento de Cosmo Mornington e substituído uma das ampolas de cacodilato de soda, que seriam usadas por Cosmo Mornington para suas picadas, por uma ampola cheia de um licor tóxico.

"Eu o acuso de ter desempenhado o papel do médico que veio confirmar a morte de Cosmo Mornington e que emitiu um atestado falso.

"Acuso-o de ter fornecido a Hippolyte Fauville o veneno que, sucessivamente, matou o inspetor Vérot, depois Edmond Fauville e depois o próprio Hippolyte Fauville.

"Acuso-o de ter armado e dirigido contra mim a mão de Gaston Sauverand que, seguindo o seu conselho e suas indicações, três vezes atentou contra minha existência e, finalmente, causou a morte do meu motorista.

"Acuso-o de, aproveitando os contatos que Gaston Sauverand tinha feito na enfermaria para se comunicar com Marie-Anne Fauville, ter passado a Marie-Anne Fauville o frasco de veneno e a seringa que seriam usados pela infeliz mulher para executar seus planos de suicídio.

"Acuso-o de, por um processo que ignoro e prevendo o resultado inevitável do seu ato, ter dado a Gaston Sauverand os recortes dos jornais que relatavam a morte de Marie-Anne.

"Acuso-o, em suma, e sem levar em conta sua participação nos outros crimes, o assassinato do inspetor Vérot, o assassinato do meu motorista, de ter matado Cosmo Mornington, Edmond Fauville, Hippolyte Fauville, Marie-Anne Fauville, Gaston Sauverand, enfim, todos aqueles que estavam entre os milhões e *ele*.

"E estas últimas palavras, senhor comandante, confirmam claramente o meu pensamento. Se um homem liquida cinco de seus companheiros para tocar uma certa quantia em milhões, é porque ele está convencido de que essas mortes lhe garantirão, fatalmente e matematicamente, a posse desses milhões. Em suma, se um homem suprime um milionário e os seus quatro herdeiros sucessivos, é porque ele é o quinto herdeiro desse milionário. Dentro de poucos instantes, esse homem estará aqui."

– O quê!

A exclamação do comandante-geral foi espontânea. Ele esqueceu toda a argumentação, tão poderosa e tão concisa, de dom Luís Perenna e só pensava na assombrosa aparição anunciada por dom Luís. E este replicou:

– Senhor comandante, essa visita é a conclusão rigorosa das acusações que faço. Lembre-se de que o testamento de Cosmo Mornington é formal:

os direitos de um herdeiro só serão válidos se esse herdeiro comparecer à reunião de hoje.

– E se essa pessoa não vier? – exclamou o comandante, provando assim que a convicção de dom Luís expunha algumas dúvidas.

– Ele virá, senhor comandante. Caso contrário, esta história não teria mais nenhum sentido. Reduzida aos crimes e atos do engenheiro Fauville, ela poderia ser considerada a obra absurda de um louco. Prolongada até a morte de Marie-Anne Fauville e de Gaston Sauverand, ela exige como desfecho inevitável o aparecimento de uma personagem que, última descendente da família Roussel, de Saint-Étienne e, portanto, herdeira em toda a dimensão do termo, e antes de mim, de Cosmo Mornington, virá reclamar os duzentos milhões que conquistou com tamanha audácia.

– E se essa pessoa não vier? – exclamou novamente o senhor Desmalions, agora com mais veemência.

– Então, senhor comandante, isso significa que eu sou o culpado e o senhor só precisará me prender. Entre as cinco e as seis de hoje, o senhor deve ver nesta sala, à sua frente, o ser que matou os herdeiros de Mornington. É humanamente impossível que isso não aconteça. Por conseguinte, em todo caso, a justiça será feita. Ele ou eu, o dilema é simples.

O senhor Desmalions estava em silêncio. Ele remexia seu bigode com um ar preocupado e caminhava em torno da mesa, no círculo estreito formado pelos assistentes. Havia visivelmente objeções em sua mente contra tal suposição. No final, ele murmurou, como se falasse para si mesmo:

– Não, não é possível… por que esse homem esperaria até agora para reclamar os seus direitos?

– Talvez por mero acaso, senhor comandante… ou por algum obstáculo… ou então… como saber? Pela perversa necessidade de uma emoção mais forte. Lembre-se, senhor comandante, com que rigor, com que sutileza todo esse caso foi tramado. Cada evento foi desencadeado no minuto definido pelo engenheiro Fauville. Não se pode admitir que seu cúmplice foi influenciado até o fim por esse método e que só se revelará no minuto supremo?

Com uma espécie de raiva, o senhor Desmalions exclamou:

– Não, não, mil vezes não, não é possível! Se houver um ser monstruoso o suficiente para cometer uma série de assassinatos, esse ser não será estúpido a ponto de se entregar.

– Ao vir aqui, senhor comandante, ele ignora o perigo que o ameaça, já que ninguém nem sequer considerou a hipótese da sua existência. Além disso, que risco ele corre?

– Que risco? Mas se ele realmente cometeu essa série de assassinatos...

– Ele não os cometeu, senhor comandante, ele induziu alguém a cometê-los, o que é diferente. E agora o senhor compreenderá em que consiste a força imprevisível desse homem: ele não age! Desde o dia em que a verdade surgiu para mim, consegui descobrir pouco a pouco os meios com que ele agia, revelando as engrenagens que ele comanda e os truques que utiliza. Ele não age! Eis o procedimento dele. O senhor verá que isso é idêntico em toda a série de assassinatos. Aparentemente, Cosmo Mornington morreu como resultado de uma picada mal aplicada, mas, na realidade, foi o outro quem fez a picada se tornar mortal. Aparentemente, o inspetor Vérot foi morto por Hippolyte Fauville, mas, na realidade, foi o outro quem planejou o crime, provou a necessidade dele para Fauville e, por assim dizer, dirigiu sua mão. E da mesma forma, aparentemente, Fauville matou seu filho e cometeu suicídio, Marie-Anne cometeu suicídio e Gaston Sauverand cometeu suicídio; mas, na realidade, era o outro quem queria a morte deles, os impulsionou ao suicídio e lhes forneceu meios para morrer. Esse é o seu procedimento, senhor comandante, e esse é o homem.

E, em voz baixa, com uma espécie de apreensão, acrescentou:

– Confesso que nunca antes, durante toda uma vida fértil em encontros, deparei-me com um personagem mais terrível, agindo com uma virtuosidade mais diabólica e uma psicologia mais perspicaz.

Suas palavras despertavam naqueles que o escutavam uma emoção crescente. Eles começavam a imaginar o ser invisível, que tomava forma na imaginação deles. Todos estavam à espera dele. Duas vezes, dom Luís se virou para a porta e se pôs a ouvir. E mais do que tudo, esse gesto evocava aquele que estava para chegar.

– Se ele agiu sozinho ou fez alguém agir, assim que a justiça o detiver, ela vai conseguir...

– A justiça terá dificuldades para fazer isso, senhor comandante! Um homem desse calibre deve ter previsto tudo, até mesmo sua prisão, até mesmo as acusações que lhe fariam; e não se pode levantar contra ele apenas acusações morais, sem nenhuma evidência.

– E então?

– Então, senhor comandante, acredito que devemos aceitar as explicações dele como naturais e não desconfiar delas. O mais importante é conhecê-lo. Mais tarde, e isso não vai demorar, o senhor conseguirá desmascará-lo.

O comandante-geral continuou a andar em volta da mesa. O comandante d'Astrignac examinava Perenna, cujo sangue-frio o espantava. O notário e o secretário da embaixada pareciam muito agitados. E, na verdade, nada era mais perturbador do que o pensamento que os dominava. O abominável assassino ia se apresentar diante deles?

– Silêncio – disse o comandante-geral, parando. Alguém atravessava a antecâmara.

Bateram à porta.

– Entre!

O oficial de justiça entrou. Ele tinha uma bandeja na mão. Sobre a bandeja havia uma carta e também uma dessas folhas impressas em que escrevem o nome e o objetivo da visita.

O senhor Desmalions se precipitou.

No momento de pegar a folha, ele teve uma pequena hesitação. Estava muito pálido, e então, vividamente, ele decidiu:

– Oh! – ele fez, com um sobressalto.

Ele virou os olhos para dom Luís, pensou, e depois, pegando a carta, disse ao oficial de justiça:

– Essa pessoa está aqui?

– Na antessala, senhor comandante.

– Assim que eu autorizar, traga-a aqui.

O oficial de justiça se retirou.

Em pé diante de sua mesa, o senhor Desmalions não se mexia. Uma segunda vez, dom Luís encontrou seu olhar e uma desordem o invadiu. O que estava acontecendo?

Com um movimento seco, o comandante-geral abriu o envelope que tinha na mão, desdobrou a carta e começou a ler.

Todos espreitavam cada um de seus gestos e as menores expressões do seu rosto. As previsões de Perenna iam se tornar realidade? Um quinto herdeiro reivindicava seus direitos?

Já nas primeiras linhas, o senhor Desmalions levantou a cabeça e, dirigindo-se a dom Luís, murmurou:

– O senhor tinha razão, estamos diante de uma reivindicação.

– De quem, senhor comandante? – curioso, dom Luís não pôde deixar de perguntar.

O senhor Desmalions não respondeu. Ele terminou a leitura silenciosa. Em seguida, recomeçou lentamente a leitura, com a atenção de um homem que pesa todas as palavras. Finalmente, leu em voz alta:

Senhor comandante,

O acaso de uma correspondência revelou-me a existência de um herdeiro desconhecido da família Roussel.

Só hoje consegui obter os documentos necessários à sua identificação, e é no último momento, em razão de obstáculos inesperados, que consigo enviá-los ao senhor por meio da pessoa em questão. *Respeitosa de um segredo que não me pertence, e desejando ficar fora de um caso em que eu só estive envolvida por acidente, peço-lhe, senhor comandante, que me desculpe por acreditar que não devo colocar a minha assinatura no final desta carta.*

Assim, Perenna tinha previsto claramente e os acontecimentos justificavam sua profecia. No prazo indicado, alguém se apresentava. A reivindicação tinha sido feita em tempo hábil e a maneira como as coisas aconteciam, no momento exato, lembrava a estranha precisão mecânica que comandava toda a aventura.

A questão suprema permanecia: quem era esse desconhecido, possível herdeiro, e, portanto, cinco ou seis vezes assassino? Ele estava à espera na sala ao lado. Apenas uma parede o escondia dos olhares. Ele estava chegando. Todos iam vê-lo. Todos iam conhecê-lo.

O comandante convocou a pessoa em questão.

Passaram-se alguns segundos angustiantes. Estranhamente, o senhor Desmalions não tirava os olhos de Perenna.

Este permanecia absolutamente controlado, mas, no fundo, estava preocupado e incomodado.

A porta foi empurrada.

O oficial de justiça deu passagem a alguém.

Era Florence Levasseur.

WEBER SE VINGA

Dom Luís ficou perplexo. Florence aqui, Florence, que ele tinha deixado no trem sob a vigilância de Mazeroux, e a quem, materialmente, era impossível retornar a Paris antes das oito horas da noite!

Imediatamente, e apesar da derrota do seu cérebro, ele compreendeu. Sabendo que estava sendo perseguida, Florence os atraiu à estação Saint-Lazare e desembarcou pelo outro lado do vagão enquanto o bondoso Mazeroux, levado pelo trem, vigiava a viajante ausente.

Mas de repente a situação se esclareceu com todo o horror que a acompanhava. Florence estava lá para reivindicar a herança, e essa reivindicação, como ele mesmo disse, era a prova da mais assustadora culpa.

De um salto, sob o impulso de um sentimento irresistível, dom Luís se aproximou da jovem, agarrou-a pelo braço, e disse-lhe com uma violência quase odiosa:

– O que a senhorita veio fazer aqui? O que vem fazer aqui? Por que não me avisou?

O senhor Desmalions interveio. Mas dom Luís, sem recuar, exclamou:

– Ora! Senhor comandante, não vê que tudo isso é um grande equívoco? A pessoa por quem esperamos, a quem me referi, não é esta. A outra continua se escondendo. É impossível que Florence Levasseur...

– Não tenho nenhuma ressalva em relação à senhorita – disse o comandante-geral com uma voz imperiosa. – Mas o meu dever é interrogá-la sobre as circunstâncias que determinam sua visita. Não vou abrir mão...

Ele libertou a jovem e a convidou a se sentar. Ele também se sentou, atrás de sua mesa, e foi fácil ver o quanto a presença da jovem o surpreendia. Essa presença ilustrava, por assim dizer, a argumentação de dom Luís. A entrada em cena de uma nova pessoa tendo direitos à herança era, sem dúvida, para qualquer mente lógica, a entrada em cena de uma criminosa que apresentava pessoalmente as evidências de seus crimes. Dom Luís percebeu isso claramente e, a partir de então, não tirou mais os olhos do comandante-geral.

Florence olhava para ambos como se para ela tudo aquilo fosse o mais insolúvel dos enigmas. Os seus lindos olhos negros conservavam a habitual expressão de serenidade. Ela já não vestia sua roupa de enfermeira e o vestido cinza, muito simples, sem ornamentos, ressaltava sua cintura harmoniosa. Ela estava séria e tranquila, como era habitual.

O senhor Desmalions disse:

– Explique-se, senhorita.

Ela respondeu:

– Não tenho nada a explicar, senhor comandante. Venho vê-lo encarregada de uma missão que cumpro sem saber seu significado exato.

– Como assim, sem saber seu significado?

– A situação é seguinte, senhor comandante. Alguém em quem confio totalmente, e por quem tenho o mais profundo respeito, pediu-me para lhe entregar alguns papéis. Parece que eles estão relacionados com a questão que é objeto da reunião de hoje.

– A questão da atribuição da herança de Cosmo Mornington?

– Sim, senhor comandante.

– A senhorita sabe que se essa reivindicação não tivesse surgido durante esta sessão, ela teria perdido sua validade?

– Vim assim que os papéis me foram entregues.

– Por que não lhe entregaram uma hora ou duas mais cedo?

– Eu não estava aqui. Tive de sair apressadamente da casa em que vivo atualmente.

Perenna não duvidou de que foi ele quem, por sua intervenção, perturbou os planos do inimigo, provocando a fuga de Florence.

O comandante continuou:

– Então a senhorita ignora por que lhe deram estes papéis?

– Sim, senhor comandante.

– E, evidentemente, ignora sumariamente também de que modo eles lhe dizem respeito?

– Eles não me dizem respeito, senhor comandante.

O senhor Desmalions sorriu e pronunciou claramente, com os olhos colados aos de Florence:

– De acordo com a carta que os acompanha, eles lhe dizem respeito diretamente. Eles estabelecem, de fato, da forma mais segura, ao que parece, que a senhorita descende da família Roussel e que, portanto, tem todos os direitos à herança de Cosmo Mornington.

– Eu!

O grito foi espontâneo, um grito de espanto e protesto. E, imediatamente, insistindo:

– Eu tenho direitos sobre essa herança! Nenhum, senhor comandante, não tenho nenhum. Nunca conheci o senhor Mornington. Que história é essa? Há aqui um mal-entendido.

Ela falava com tamanha animação e com tão aparente franqueza que teria impressionado qualquer um, a não ser o comandante-geral. Mas será que ele poderia esquecer os argumentos de dom Luís e a acusação feita antecipadamente à pessoa que compareceria à reunião?

– Entregue-me esses papéis – ele disse.

Ela retirou de uma maleta um envelope azul que não estava selado, e dentro do qual havia várias folhas amareladas, gastas nas dobras e rasgadas em alguns lugares.

Em meio a um grande silêncio, o comandante examinou essas folhas, percorreu todo o conteúdo com os olhos, estudou-as em todas as direções, decifrou com uma lupa as assinaturas e os selos e disse:

– Eles apresentam todos os sinais de autenticidade, os selos são oficiais.

– Então, senhor comandante...? – articulou Florence com a voz tremida.

– Então, senhorita, devo dizer que sua ignorância não me parece crível.

E, voltando-se ao notário, pronunciou:

– Aqui está, em resumo, o que estes documentos contêm e provam. Gaston Sauverand, herdeiro da quarta linhagem de Cosmo Mornington, tinha, como sabem, um irmão mais velho do que ele, chamado Raoul, e que vivia na República Argentina. Esse irmão, antes de morrer, enviou para a Europa, sob os cuidados de uma velha enfermeira, uma criança de cinco anos que era sua filha, uma filha natural dele com a senhorita Levasseur, professora de francês que vivia em Buenos Aires. Aqui está a certidão de nascimento. Aqui, a certidão de inteiro teor assinada pelo pai. Aqui, o atestado emitido pela velha babá. Aqui, o testemunho de três amigos, comerciantes notórios de Buenos Aires. E aqui estão as certidões de óbito do pai e da mãe. Todos estes documentos foram autenticados e trazem os carimbos do consulado da França. Até nova ordem, não tenho motivos para suspeitar deles e devo considerar que Florence Levasseur é filha de Raoul Sauverand e sobrinha de Gaston Sauverand.

– A sobrinha de Gaston Sauverand... sua sobrinha... sua sobrinha... – balbuciou Florence.

A evocação de um pai que ela não conhecia não a comoveu. Mas ela começou a chorar ao se lembrar de Gaston Sauverand, a quem tanto amava e a quem estava então unida por laços tão estreitos de parentesco.

Lágrimas sinceras? Ou lágrimas de uma atriz que sabe interpretar seu papel até nas menores nuances? Esses fatos eram realmente revelados a ela pela primeira vez, ou ela simulava os sentimentos que a revelação desses fatos deveria produzir nela?

Mais do que observar a jovem, dom Luís observava também o senhor Desmalions e tentava ler o pensamento secreto daquele que iria tomar as decisões. E de repente ele percebeu com tanta certeza que a prisão de Florence estava decidida, como seria a prisão do criminoso mais monstruoso, que ele se aproximou da jovem e lhe disse:

– Florence.

Ela dirigiu seus olhos chorosos para ele e nada respondeu. Então ele falou devagar:

– Para se defender, Florence, porque, certamente sem saber disso, a senhorita deve se defender, é preciso que compreenda a terrível situação em que os acontecimentos a colocam. Florence, o senhor comandante foi levado, pela própria lógica desses acontecimentos, à convicção definitiva de que a pessoa que entraria nesta sala, e cujos direitos à herança seriam óbvios, é a mesma pessoa que matou os herdeiros de Mornington. Foi a senhorita quem entrou, Florence, e a senhorita é a herdeira de fato de Cosmo Mornington.

Ele a viu estremecer dos pés à cabeça e ficar pálida como uma defunta. No entanto, ela não disse sequer uma palavra de protesto e não fez nenhum gesto.

Ele retomou:

– A acusação é sumária. A senhorita não vai responder?

Ela permaneceu um bom tempo em silêncio, depois declarou:

– Não tenho nada a responder. Tudo isso é incompreensível. O que querem que eu responda? São coisas tão obscuras!

Diante dela, dom Luís estremecia de angústia. Ele balbuciou:

– Isso é tudo? A senhorita aceita…?

Um instante depois, ela disse a meia-voz:

– Explique-se, eu imploro. O senhor quer dizer que se eu não responder, é porque aceito a acusação…

– Sim.

– E então?

– É a detenção, a prisão…

– Prisão!

Ela parecia sofrer terrivelmente. O medo desfigurava sem belo rosto. A prisão, para ela, devia representar as torturas sofridas por Marie-Anne e Sauverand. Devia significar o desespero, a vergonha, a morte, todas aquelas coisas horríveis que Marie-Anne e Sauverand não conseguiram evitar e das quais ela agora seria vítima…

Uma imensa prostração a abateu e ela gemeu:

– Como estou cansada! Sinto que não há nada a fazer! As trevas me sufocam… Ah, se eu pudesse ver e entender!

Um longo silêncio novamente. Inclinado sobre ela, o senhor Desmalions também a estudava com toda sua atenção. No final, como ela permanecia em silêncio, ele estendeu a mão, pegou o sino e tocou três vezes.

Dom Luís não se mexeu. Tinha os olhos perdidamente colados em Florence. No fundo do seu peito havia uma batalha suprema entre todos os instintos de amor e a generosidade que o levavam a acreditar na jovem, e a razão, que o forçava a desconfiar dela. Inocente? Culpada? Ele não sabia. Tudo estava contra ela. E por que então ele não tinha deixado de amá-la?

Weber entrou, seguido por seus homens. O senhor Desmalions falou com ele designando Florence. Weber se aproximou dela.

– Florence – chamou dom Luís.

Ela olhou para ele e olhou para Weber e seus homens, e de repente, compreendendo o que estava prestes a acontecer, recuou, vacilou, tonta, cambaleante, e caiu nos braços de dom Luís:

– Ah! Salve-me! Salve-me! Eu imploro.

E havia nesse gesto tal abandono, e nesse grito tal angústia, que permitiam sentir o pavor da inocência e fizeram dom Luís ter um súbito estalo. Uma fé ardente o motivou. Suas dúvidas, suas reservas, suas hesitações, seus tormentos, tudo isso foi substituído pelo ataque de uma certeza que o varria como uma onda indomável. E ele exclamou:

– Não, não, isso não pode acontecer! Senhor comandante, há coisas que são inadmissíveis...

Ele se inclinou sobre Florence, segurando-a tão fortemente em seus braços que ninguém conseguiria separá-los. Os olhares deles se encontraram. O rosto dele estava bem colado ao dela. Ele tremeu de emoção ao senti-la palpitante, tão fraca e tão desamparada, e ele lhe disse apaixonadamente, com a voz tão baixa que só ela poderia ouvi-lo:

– Eu a amo... eu a amo... Ah, Florence, se soubesse o que se passa dentro de mim! O que eu sofro, e como estou feliz... Ah! Florence, Florence, eu a amo...

A um sinal do comandante, Weber se afastou.

O senhor Desmalions queria testemunhar o inesperado encontro desses dois seres misteriosos, dom Luís Perenna e Florence Levasseur.

Dom Luís soltou os braços e sentou a jovem numa poltrona. Depois, colocando as duas mãos nos ombros dela, ficando frente a frente, ele pronunciou:

– Talvez você ainda não compreenda, Florence, mas eu começo a compreender muitas coisas e quase enxergo em meio à escuridão que a assusta. Florence, ouça-me... Não é a senhorita quem age, não é mesmo? Há um outro alguém por trás disso, acima disso. E é ele quem a controla, não é? Mas a senhorita ignora aonde ele a está conduzindo, não é?

Ninguém me controla! O quê? Explique-se.

– Sim, a senhorita não está sozinha nisso. Há muitos atos que a senhorita realiza porque lhe pedem, e acredita que eles são corretos, e a senhorita ignora as consequências... Responda... A senhorita é completamente livre? Não está sob nenhuma influência?

A jovem parecia estar recuperada e seu semblante retomava um pouco da calma que lhe era habitual. Entretanto, era possível afirmar que a questão de dom Luís a impressionava.

– Mas não – ela disse –, nenhuma influência... Não, eu tenho certeza.

Ele insistiu, com um ardor crescente:

– Não, a senhorita não tem certeza, não diga isso. Alguém a domina, e sem que o saiba. Pense... A senhorita é herdeira de Cosmo Mornington... herdeira de uma fortuna que lhe é indiferente, eu sei, eu afirmo. Bem, essa fortuna, se não é a senhorita que a deseja, então quem é? Responda... Há alguém que tenha interesse ou que pensa ter interesse de que a senhorita fique rica? Tudo depende disso. A sua existência está ligada à de outra? A senhorita é amiga dessa pessoa? É sua noiva?

Ela teve uma explosão de revolta.

– Oh! Nunca! Aquele de quem o senhor fala seria incapaz...

– Ah! – ele exclamou, abalado pelo ciúme. – A senhorita admite... Existe, portanto, o tal alguém de quem estou falando! Ah, eu juro que o miserável...

Ele se voltou para o senhor Desmalions, a figura convulsionada de ódio, sem procurar se conter.

– Senhor comandante, estamos chegando ao objetivo. Conheço o caminho que nos levará até ele. O animal feroz será caçado esta noite... no mais tardar amanhã... Senhor comandante, a carta que acompanha esses documentos, a carta não assinada que a senhorita lhe entregou, essa carta foi escrita pela madre superiora que dirige uma clínica localizada na avenida Ternes. Realizando uma investigação imediata nessa clínica, interrogando a superiora, confrontando-a com a senhorita, chegaremos ao culpado. Mas não devemos perder um só minuto, senão será tarde demais, o animal feroz terá fugido.

Seu arrebatamento era irresistível. Sua convicção se impunha com uma força contra a qual não se podia lutar.

O senhor Desmalions objetou:

– A senhorita pode nos informar...

– Ela não falará, ou pelo menos não falará até esse homem ser desmascarado diante dela. Ah! senhor comandante, peço-lhe que confie em mim como das outras vezes. Todas as minhas promessas não foram cumpridas? Tenha confiança, senhor comandante, não duvide mais. Lembre-se de que todas as cargas, e as mais pesadas, sobrecarregaram Marie-Anne Fauville e Gaston Sauverand, e que eles sucumbiram apesar de sua inocência. Será que a justiça quer que Florence Levasseur seja sacrificada como eles dois? Além disso, o que peço não é a libertação dela, mas o meio para defendê-la... isto é, uma hora ou duas de prazo. O subchefe Weber pode ficar responsável por ela. Os seus agentes podem vir conosco. Esses, e outros também, porque não serão em demasia para capturar o abominável assassino.

O senhor Desmalions não respondeu. Depois de um momento, ele chamou Weber de lado e conversou com o subchefe por alguns minutos. Na realidade, o senhor Desmalions não parecia muito favorável ao pedido de dom Luís. Mas ouviram Weber dizer:

– Não tenha medo, senhor comandante, não corremos nenhum risco.

E o senhor Desmalions cedeu.

Alguns momentos depois, dom Luís Perenna e Florence entravam em um automóvel com Weber e dois inspetores. Outro carro os acompanhou cheio de agentes.

A casa de saúde foi literalmente invadida pela polícia e Weber tomou as precauções de manter um cerco em boa posição.

O comandante-geral, que veio ao seu encontro, foi acompanhando pelo criado até a antessala e depois à sala de espera. A superiora, notificada imediatamente, veio ter com ele. Na presença de dom Luís, Weber e Florence, ele começou a interrogá-la sem preâmbulo.

– Minha irmã – disse ele –, aqui está uma carta que me entregaram na Prefeitura e que anunciava a existência de certos documentos a respeito de uma herança. De acordo com as informações que recebi, essa carta não assinada, e cuja caligrafia está disfarçada, teria sido escrita pela senhora. Isso procede?

De figura enérgica, de aparência determinada, a superiora respondeu sem embaraço:

– Acontece o seguinte, senhor comandante. Como tive a honra de lhe escrever, preferi, por razões que são fáceis de compreender, que meu nome não fosse pronunciado. Além disso, só o envio dos documentos importava. Mas, como foi possível chegar até mim, estou pronta para responder.

O senhor Desmalions retomou, olhando para Florence:

– Minha primeira pergunta, irmã, é se a senhora conhece esta jovem.

– Sim, senhor comandante. Florence passou seis meses conosco, trabalhando como enfermeira, há alguns anos. Eu era tão feliz com a presença dela aqui que fiquei feliz por recebê-la de volta há oito dias. Conhecendo sua história através dos jornais, pedi-lhe apenas para mudar de nome. Os funcionários da casa eram novos. Então, este era um refúgio seguro para ela.

– Mas a senhora não ignora, já que acompanhou os jornais, as acusações contra ela?

– Essas acusações são irrelevantes para quem conhece Florence, senhor comandante. Ela é uma das almas mais elevadas e uma das mais nobres consciências que já conheci.

O comandante continuou:

– Vamos falar dos documentos, irmã. De onde vêm?

– Ontem, senhor comandante, encontrei no meu quarto um recado em que se ofereciam para me entregar papéis importantes para a senhorita Florence Levasseur…

– Como alguém poderia saber – interrompeu o senhor Desmalions – que ela estava nesta casa?

– Eu ignoro. Disseram-me apenas que os papéis estariam em determinado dia – ou seja, esta manhã – em Versalhes, e que seriam postados em meu nome. Pediram-me que não contasse a ninguém sobre os documentos e que os entregasse a Florence Levasseur esta tarde, às três horas, com a missão de os levar imediatamente ao comandante-geral. Também fui instruída a enviar uma carta ao brigadeiro Mazeroux.

– Ao brigadeiro Mazeroux! Que estranho.

– O envio dessa carta, ao que parece, dizia respeito ao mesmo caso. Gosto muito de Florence. Então enviei a carta, e esta manhã fui a Versalhes. Não me enganaram: os papéis estavam lá. Quando voltei, Florence tinha saído. Só pude entregar os papéis a ela quando voltou, perto das quatro horas.

– Eles foram expedidos de que cidade?

– De Paris. O envelope tinha o carimbo da avenida Niel, que é precisamente o escritório dos Correios mais próximo daqui.

– E o fato de encontrar tudo isso no seu quarto não lhe pareceu estranho?

– Com certeza, senhor comandante, mas não mais estranho do que todos os outros episódios desse caso.

– No entanto... no entanto... – retomou o senhor Desmalions, que examinava a pálida figura de Florence –, no entanto, quando a senhora viu que as instruções que lhe foram dadas vinham daqui, desta casa, e que elas diziam respeito justamente à pessoa que residia nesta casa, a senhora não imaginou que essa pessoa...

– A ideia de que Florence tinha entrado no meu quarto sem meu conhecimento para realizar tal tarefa? – exclamou a superiora. – Ah, senhor comandante, Florence seria incapaz!

A jovem estava em silêncio, mas sua figura contraída demonstrava os sentimentos de pavor que a perturbavam.

Dom Luís se aproximou dela e disse:

– As trevas estão se dissipando, não estão, Florence? E isso a magoa. Quem deixou a carta no quarto da madre superiora? A senhorita sabe quem foi, não sabe? E sabe quem lidera esta história toda?

Ela não respondeu. Em seguida, dirigindo-se ao subchefe, o comandante solicitou:

– Weber, por favor, vistorie o quarto ocupado pela senhorita.

E como a freira protestou:

– É essencial que possamos esclarecer as razões que fazem a senhorita manter esse obstinado silêncio – ele declarou.

A própria Florence apontou o caminho. Mas, assim que Weber fez menção de sair, dom Luís exclamou:

– Cuidado, subchefe!

– Cuidado? Por quê?

– Eu não sei explicar – disse dom Luís que, de fato, não poderia dizer por que a conduta de Florence o preocupava –, eu não sei... mas estou advertindo.

Weber encolheu os ombros e, acompanhado pela superiora, se retirou. Ao passar pela antecâmara, pediu que dois de seus homens o acompanhassem. Florence caminhava na frente. Ela subiu um andar e seguiu por um longo corredor repleto de salas, que, após uma curva, levava a um pequeno corredor extremamente estreito e que tinha uma porta no final.

Era onde ela vivia.

A porta se abria para fora do quarto. Florence então puxou-a para si, forçando Weber a recuar também. Ela aproveitou a oportunidade para entrar num pulo e fechar a porta atrás dela com tamanha rapidez que o subchefe, querendo segurar o batente da porta, encontrou apenas o vazio.

Ele fez um movimento de raiva.

– Que marota! Ela vai queimar os papéis.

E, dirigindo-se à irmã:

– Esse quarto não tem outra saída?

– Nenhuma, senhor.

Ele tentou abrir, mas a porta estava trancada. Então ele deu lugar a um dos homens, um colosso, que, com um soco, destruiu um dos painéis.

Weber voltou para a dianteira, escorregou seu braço através da fenda, puxou a fechadura, manuseou a chave e entrou.

Florence não estava mais no quarto.

Na frente, uma pequena janela aberta mostrou o caminho seguido.

– Santo Deus! – ele exclamou. – Ela fugiu.

E, voltando às escadas, ordenou com uma voz de trovão:

– Cerquem todas as saídas! Agarrem-na pelo pescoço!

O senhor Desmalions veio correndo. Cruzando com o subchefe, ele recebeu explicações e se dirigiu ao quarto de Florence. A janela aberta se abria sobre um pequeno pátio interior, uma espécie de poço através do qual certas salas do edifício eram ventiladas. Alguns canos desciam até o fundo. Florence deve ter descido agarrada neles. Mas que sangue-frio e que indomável vontade demonstrava tal evasão!

Os agentes já tinham se espalhado por todos os lados para bloquear a passagem da fugitiva. Não demorou para descobrirem que Florence, cujo rasto era procurado no térreo e no subsolo, havia entrado pelo pátio no quarto logo abaixo dele, que era justamente o quarto da madre superiora, que ela havia colocado um hábito de freira e que, sob esse disfarce, tinha passado despercebido no meio das pessoas que a perseguiam!

Todos correram para fora, mas já havia anoitecido. Como é que as buscas não seriam em vão naquele bairro populoso?

O comandante-geral não escondeu seu descontentamento. Dom Luís, também muito desapontado com essa fuga que contrariava seus planos, não deixou de enfatizar a inabilidade de Weber:

– Eu avisei, subchefe, que era preciso tomar cuidado! A postura da senhorita Levasseur era bastante previsível. É óbvio que ela conhece o culpado, e que queria encontrá-lo, pedir-lhe explicações e, quem sabe?, salvá-lo, se ele a convencer. E o que acontecerá entre eles? Sabendo que foi descoberto, o bandido é capaz dc tudo.

O senhor Desmalions interrogou novamente a superiora e não demorou muito para descobrir que Florence Levasseur, oito dias antes, e antes de se refugiar na clínica, tinha vivido por 48 horas em um pequeno hotel mobiliado na Île Saint-Louis.

Por mais vaga que fosse a indicação, não se podia ignorá-la. O comandante-geral, que conservava todas as suas dúvidas sobre Florence e que dava extrema importância à captura da jovem, ordenou a Weber e seus homens que seguissem essa pista sem mais delongas. Dom Luís acompanhou o subchefe.

Imediatamente, o acontecimento deu razão ao comandante-geral. Florence tinha se refugiado no hotel mobiliado da Île Saint-Louis, onde tinha reservado um quarto sob nome falso. Mas mal tinha chegado quando um menino apareceu no saguão do hotel, perguntou por ela e a levou com ele.

Subiram até o quarto e encontraram um pacote embrulhado num jornal contendo um hábito de freira. Então, não havia possibilidade de erro.

Mais tarde, Weber conseguiu encontrar o garotinho. Era o filho de uma zeladora que morava no bairro. Para onde ele tinha levado Florence? Quando questionado, ele respondeu que por nada no mundo trairia a senhora que tinha confiado nele e que o abraçara aos prantos. A mãe implorou. O pai lhe bateu. Ele foi inflexível.

De todo modo, era possível concluir do incidente que Florence não tinha deixado a Île Saint-Louis ou o entorno imediato dela.

Procuraram obstinadamente durante toda a noite. Weber tinha estabelecido sua sede em um cabaré onde as notícias eram centralizadas e para onde os oficiais retornavam de vez em quando para receber as ordens. Além disso, ele permaneceu em constante comunicação com a Chefatura.

Às dez e meia, um pelotão de agentes enviados pelo comandante-geral veio se colocar à disposição do subchefe. Mazeroux, que tinha chegado de Rouen, furioso com Florence, tinha se juntado a esse pelotão.

As buscas continuaram. Pouco a pouco, dom Luís assumiu o comando, e, por assim dizer, era sob suas indicações que Weber tocava uma determinada campainha ou interrogava esta ou aquela pessoa.

Às onze horas, a caça seguia infrutífera.

Uma ansiedade violenta irritava dom Luís.

Mas, pouco depois da meia-noite, um apito estridente reuniu todos os homens na extremidade oriental da ilha, no final do cais d'Anjou. Lá, dois agentes estavam à espera deles, rodeados por um grupo de transeuntes. Eles souberam que, mais adiante, no cais Henri-IV, ou seja, fora da ilha, um carro alugado tinha estacionado em frente a uma casa, ouviu-se uma discussão e, em seguida, o carro partiu seguindo na direção de Vincennes.

Todos correram para o cais Henri-IV. A casa foi imediatamente designada. No térreo, uma porta se abria diretamente para a calçada. O táxi estacionou por alguns minutos diante da porta. Duas pessoas saíram de dentro da casa, incluindo uma mulher que a outra pessoa acompanhava. Quando a portinhola do automóvel foi fechada, uma voz masculina gritou lá de dentro:

– Motorista, boulevard Saint-Germain. Passe pelos cais... e depois pegue o caminho para Versalhes.

Mas as informações da zeladora foram mais precisas. Intrigada com o inquilino do térreo, locatário que ela só tinha visto uma vez, à noite, e que pagava seu aluguel por meio de ordens de pagamento assinadas por um tal Charles e só vinha para casa após longos períodos de ausência, ela tinha aproveitado o fato de que seu cubículo ficava ao lado do apartamento para ouvir a conversa. O homem e a mulher discutiam. A certa altura, o homem gritou mais alto:

– Venha comigo, Florence, eu ordeno. Amanhã de manhã eu lhe darei todas as provas da minha inocência. E, se ainda assim você se recusar a ser minha esposa, eu me rendo. Todas as providências foram tomadas.

E, um pouco depois, ele começou a rir e disse bem alto:

– Medo de que, Florence? De que eu a mate? Não, não, fique tranquila...

A zeladora não conseguiu ouvir mais nada. Mas isso não era suficiente para justificar todos os medos?

Dom Luís agarrou o subchefe pelo braço:

– Vamos! Eu sabia, esse homem é capaz de tudo. É o tigre! Ele vai matá-la!

Ele correu, conduzindo o subchefe na direção dos dois carros da Chefatura que estavam estacionados a quinhentos metros de distância. Mazeroux, no entanto, tentou protestar:

– Seria melhor revistar a casa, recolher pistas...

– Ora! – exclamou dom Luís dobrando sua velocidade. – A casa, as pistas, nós encontraremos tudo isso enquanto ele toma distância e leva Florence... e ele vai matá-la... É uma emboscada, tenho certeza disso...

Ele gritava durante a madrugada e arrastava os dois homens com uma força irresistível.

Estavam perto do carro.

– Em marcha! – ele ordenou assim que os automóveis foram vistos. – Eu dirijo.

Ele quis se sentar o banco do motorista, mas Weber o empurrou para a parte de trás, objetando:

– É inútil, esse chofer conhece o caminho. Chegaremos mais rápido com ele na direção.

Dom Luís, o subchefe e dois policiais entraram no carro e Mazeroux tomou seu lugar ao lado do motorista.

– Siga para Versalhes! – ordenou dom Luís.

O carro se agitou e ele continuou:

– Vamos pegá-lo! Os senhores compreendem que a oportunidade é única. Ele deve estar em alta velocidade, mas sem forçar muito, já que sabe que está sendo perseguido. Ah, o bandido! Isso vai fazer barulho... Mais depressa, motorista! Mas por que diabos estamos tão pesados? Nós dois já seríamos suficientes, subchefe. Ei, Mazeroux, você vai descer e entrar no outro carro! Claro que sim, não é, subchefe, é um absurdo...

Ele se interrompeu, e como estava na parte de trás do veículo, entre o subchefe e um agente, inclinou-se na direção da portinhola e murmurou:

– Ah, essa! Mas para onde esse imbecil está nos levando? Não é esse o caminho. Ora, vamos, o que significa isso?

Uma explosão de riso foi a resposta. Era Weber que tripudiava de alegria. Dom Luís abafou um xingamento e, fazendo um esforço enorme, tentou saltar do carro. Seis mãos se estenderam para cima dele e o imobilizaram. O subchefe o segurava pelo pescoço. Os agentes imobilizaram seus braços. O carro, muito apertado, não permitia que ele se debatesse, e ele sentiu, em sua têmpora, o frio de um revólver.

– Sem alarido – ralhou Weber –, ou eu apago você, meu velhote. Ah! Ah! Por essa você não esperava, hein! A vingança do Weber!

E como Perenna se debatia, ele acrescentou, com uma voz ameaçadora:

– Azar o seu se continuar. Vou contar até três... um... dois...

– Mas o que é, afinal? O que está acontecendo? – gritou dom Luís.

– Ordem do comandante, recebida mais cedo.

– Que ordem?

– Levá-lo ao Dépôt caso a tal Florence escapasse novamente.

– Você tem um mandado?

– Tenho o mandado.

– E depois?

– Depois, nada. A Santé... a Instruction...

– Mas, que raios. O tigre está aproveitando esse tempo para fugir. Não, não, é preciso ser muito estúpido para isso! Que imbecis vocês são! Ah, mas que droga!

Ele espumava de raiva quando percebeu que estavam entrando no pátio do Dépôt. Ele se retesou, desarmou o subchefe e estonteou um dos agentes com um soco.

Mas dez homens cercavam a portinhola. Qualquer resistência era inútil. Ele compreendeu isso e sua fúria se intensificou.

– Bando de idiotas! – ele proferiu enquanto o cercavam e empurravam-no para dentro do cartório. – Cambada de desajustados! Sabotadores! Não se põe a perder um caso como esse! Eles têm o bandido nas mãos, mas prendem o homem honesto... E o bandido se safa... E o bandido vai cometer um massacre. Florence... Florence...

Sob a luz das lâmpadas, cercado pelos policiais que o seguravam, ele estava esplendoroso com sua impotência e sua energia.

Levaram-no. Com uma espantosa força, ele se endireitou, sacudiu os homens agarrados a ele como uma matilha sobre a carne de algum animal agonizante e, indomável, livrou-se de Weber, e, interpelando Mazeroux, tratando-o com a soberba informalidade de uma autoridade, quase calmo de tanto que parecia dominar a raiva que fervilhava dentro dele, ordenou, em pequenas frases ofegantes, breves como comandos militares:

– Mazeroux, corra até o comandante-geral! Que ele telefone a Valenglay... Sim, o ministro, o presidente do Conselho. Quero vê-lo, avisem-no. Digam que sou eu... eu, o homem que enganou o Kaiser. Meu nome? Ele sabe. E se ele não se lembrar, é só dizê-lo. Eis o meu nome.

Ele fez uma pausa de alguns segundos. Então, mais calmo, declarou:

– Arsène Lupin! Digam ao telefone essas duas palavras e esta simples frase: "Arsène Lupin deseja falar com o presidente do Conselho sobre assuntos muito sérios". Telefonem e digam isso imediatamente. O presidente do Conselho ficaria muito insatisfeito se soubesse mais tarde que meu pedido foi negligenciado. Vai, Mazeroux, e depois encontre os rastos do bandido.

O diretor do Dépôt abriu o registro de admissão.

– Escreva o meu nome, senhor diretor – disse dom Luís. – Escreva: Arsène Lupin.

O diretor sorriu e respondeu:

– Eu ficaria muito envergonhado se tivesse que registrar outro. É esse nome que está registrado no mandado que lhe diz respeito: *Arsène Lupin, também conhecido como dom Luís Perenna.*

Dom Luís teve um pequeno frisson ao ouvir essas palavras. Preso como Arsène Lupin, ele estava em uma situação singularmente mais perigosa.

– Ah! – ele disse. – Então foi decidido...

– Meu Deus, sim! – disse Weber, triunfante. – Decidiram atacar o touro pelos chifres e acertar Lupin em cheio. Uma grande audácia, não é? Bah! Você verá muitas outras.

Dom Luís não reagiu. Voltando-se para Mazeroux, ele repetiu:

– Não se esqueça das minhas instruções, Mazeroux.

Mas outro golpe estava reservado para ele. O brigadeiro não respondeu ao seu pedido.

Dom Luís o observava com mais atenção, e, novamente, estremeceu. Ele tinha acabado de notar que Mazeroux também estava cercado por homens e preso por muitas mãos. E o infeliz brigadeiro, imóvel, silencioso, chorava.

A felicidade de Weber redobrou.

– Você precisará desculpá-lo, Lupin. O brigadeiro Mazeroux é seu companheiro, se não em uma cela, pelo menos de Dépôt.

– Ah! – exclamou dom Luís se retesando – Mazeroux está detido?

– Ordem do comandante. Mandado dentro da lei.

– E sob que alegação?

– Cúmplice de Arsène Lupin.

– Ele, meu cúmplice. Ora, vamos! Ele, o homem mais honesto do mundo!

– O homem mais honesto do mundo, de fato. No entanto, era a ele que endereçavam as cartas que precisavam chegar até você. Prova de que ele conhecia seu esconderijo. Além de muitas outras coisas que lhe serão explicadas, Lupin. Você vai se divertir muito.

Dom Luís murmurou:

– Meu pobre Mazeroux!

E em voz alta:

– Não chore, meu amigo. Isso é assunto para uma só noite. Mas sim, vou trazê-lo para o meu lado e vamos derrubar o rei dentro de algumas horas. Não chore, eu reservo uma situação muito mais bonita, mais honrada e, acima de tudo, mais lucrativa para você. Eu cuido do seu caso. Ou você acha que também não previ tudo isso! Você me conhece muito bem! Então, amanhã, estarei livre e o governo, depois de soltar você, vai nomeá-lo rapidamente com algum cargo tipo de coronel, com salário de marechal. Não chore, Mazeroux.

Depois, dirigindo-se a Weber, ele lhe disse no tom de um chefe que dá uma instrução e que sabe que essa instrução nem sequer será discutida:

– Senhor, peço-lhe que cumpra a missão de confiança que eu tinha dado a Mazeroux: em primeiro lugar, informar ao comandante-geral que tenho uma comunicação da maior importância para fazer ao senhor presidente do Conselho; em seguida, encontrar em Versalhes, e ainda esta noite, os vestígios do tigre. Conheço os seus valores, senhor, e confio inteiramente em seu zelo e em sua diligência. Nos encontramos amanhã, ao meio-dia.

E, sempre como um chefe que comunicava suas ordens, deixou-se levar para sua cela.

Eram dez para a uma da manhã. Durante cinquenta minutos, o inimigo dirigia pela estrada principal, levando Florence como uma presa que agora parecia impossível alguém tirar dele.

A porta foi trancada. Dom Luís pensou:

"Admitindo que o comandante-geral concorde em telefonar para Valenglay, ele não tomará a decisão esta manhã. Então, até eu estar livre, serão oito horas de vantagem dadas ao bandido. Oito horas... Maldição!"

Ele pensou mais um pouco, então encolheu os ombros com ar de alguém que por ora não tem nada melhor para fazer do que esperar, e se atirou em seu beliche sussurrando:

– Naninha, Lupin.

ABRE-TE, SÉSAMO!

Apesar de toda sua habitual disposição para dormir, dom Luís dormiu apenas três horas. Muitas preocupações o torturavam e, ainda que seu plano de conduta tenha sido elaborado com rigor matemático, ele não podia deixar de prever todos os obstáculos que poderiam impedir sua realização. Claro que Weber falaria com o senhor Desmalions. Mas o senhor Desmalions telefonaria para Valenglay?

– Ele vai telefonar – afirmou dom Luís, batendo o pé no chão. – Isso não o compromete em nada. Ademais, seria muito arriscado ele não fazer nada. Especialmente porque Valenglay teve de ser consultado sobre minha detenção e necessariamente deve estar sendo informado de tudo o que acontece... Então... então...

Então ele se perguntava o que Valenglay, uma vez avisado, decidiria fazer. Pois, afinal, era plausível supor que o chefe do governo, o presidente do conselho de ministros se daria ao trabalho de cumprir as injunções e servir aos projetos de Arsène Lupin?

– Ele virá! – ele exclamou com a mesma fé obstinada. – Valenglay não dá a mínima para o protocolo e para toda essa parvoíce. Ele virá! Nem que seja só por curiosidade... para saber o que eu tenho a dizer. Além disso, ele me conhece, ora! Não sou do tipo que incomoda todo mundo sem motivo. Há sempre algum benefício em manter uma conversa comigo. Ele virá!

Mas imediatamente outra questão surgiu. A vinda de Valenglay não implicava qualquer consentimento à negociação que Perenna queria propor. E se, novamente, dom Luís conseguisse convencê-lo, haveria ainda mais perigo! E tantos pontos duvidosos! E tantas possíveis decepções! Weber perseguiria o automóvel do fugitivo com suficiente rapidez e ousadia? Ele encontraria a pista do fugitivo? E, depois de encontrá-la, não a perderia?

E também, e também... admitindo que todas as circunstâncias eram favoráveis, não seria tarde demais? Estavam perseguindo a besta feroz. Ela seria vencida, que seja. Mas ela já não teria matado sua presa? Sentindo-se derrotado, será que um ser desse tipo hesitaria em adicionar mais um crime à sua lista de perversidades?

E isso, para dom Luís, era o horror supremo. Depois de toda a série de obstáculos que, na sua imaginação teimosamente confiante, ele conseguia superar, ele terminava com esta horrível visão: Florence sacrificada, Florence morta!

– Oh! Que suplício! – ele balbuciou. – Eu sou o único que poderia impedi-lo, e eles me tiraram de circulação.

Ele mal procurava as razões pelas quais o senhor Desmalions tinha de repente mudado de ideia, consentindo em sua prisão, e assim ressuscitar esse embaraçoso Arsène Lupin com quem a justiça não tinha se preocupado até então. Não, ele não estava nem um pouco interessado nisso. Só Florence importava. E os minutos passaram, e cada minuto perdido aproximava Florence ainda mais do pavoroso precipício.

Ele se lembrou da situação análoga quando, alguns anos antes, esperava que a porta de sua masmorra se abrisse e o imperador alemão aparecesse. Mas o momento presente era muito mais solene! Naquela época, tratava-se, no máximo, de sua liberdade. Agora era a vida de Florence que o destino lhe ofereceria ou negaria.

– Florence! Florence! – ele repetia em desespero.

Ele já não duvidava que ela era inocente. Tampouco duvidava que o outro a amava e a tinha raptado, não como a promessa de uma fortuna cobiçada, mas como um despojo de amor que se destrói se não se pode ter.

– Florence! Florence!

Ele atravessou abatimento extraordinário. Sua derrota parecia irremediável. Ir atrás de Florence? Apanhar o assassino? Isso estava fora de questão. Ele estava na prisão, sob o nome de Arsène Lupin, e todo o problema consistia em saber quanto tempo ele permaneceria ali. Meses ou anos!

Foi então que teve a noção exata da dimensão de seu amor por Florence. Ele percebeu que ela ocupava em sua vida todo o espaço que suas paixões do passado já não ocupavam mais, tampouco seus apetites de luxo, suas necessidades de autoridade, suas alegrias de lutador, suas ambições, seus rancores. Há dois meses, ele lutava apenas para conquistá-la. A busca da verdade e o castigo do culpado eram apenas formas de salvar Florence dos perigos que a ameaçavam. Se Florence morresse, se fosse tarde demais para salvá-la do inimigo, seria melhor continuar na prisão. Arsène Lupin em cana até o fim de seus dias, não seria o desfecho que convinha à existência perdida de um homem que nem sequer tinha sido capaz de ser amado pela única mulher que ele realmente amou?

Crise passageira. Em contraste muito violento com o caráter de dom Luís, ela desapareceu de repente, e em um estado de absoluta confiança onde não havia mais a menor parcela de preocupação ou dúvida. O sol tinha se levantado. A cela estava preenchida pela claridade crescente e dom Luís se lembrou de que Valenglay chegava ao seu ministério na praça Beauvau às oito da manhã.

A partir de então, ele se sentiu absolutamente calmo. Os acontecimentos que estavam por vir se apresentaram a ele de uma forma completamente diferente, como se tivessem, por assim dizer, mudado de direção. A luta parecia fácil, a realidade, sem complicações. Ele entendeu, tão claramente como se os atos tivessem sido executados, que sua vontade não podia ser obedecida. Fatalmente, o subchefe teve que apresentar um relatório fiel ao comandante-geral. Fatalmente, o comandante-geral teve que transmitir o pedido de Arsène Lupin para Valenglay pela manhã.

Fatalmente, Valenglay se daria o prazer de uma conversa com Arsène Lupin. Fatalmente, Arsène Lupin obteria, durante essa conversa, o consentimento de Valenglay. Não eram suposições, mas certezas, não eram problemas a serem resolvidos, mas problemas resolvidos. Dado o ponto de partida A, se passarmos pelos pontos B e C, chegamos, queiramos ou não, ao ponto D.

Dom Luís começou a rir.

"Vejamos, meu velho Arsène, pense que você trouxe o senhor Hohenzollern do fundo dos degraus de Brandemburgo. Valenglay não vive tão longe assim, diabos! E se for necessário, pode se dar ao trabalho. Isso mesmo, concordo em dar o primeiro passo.

"Serei eu a visitar o senhor de Beauvau. Senhor presidente, minhas respeitosas saudações."

Alegremente, ele caminhou em direção à porta, fingindo acreditar que ela estava aberta e que ele só precisava atravessá-la para aproveitar seu momento de falar.

Ele repetiu essa infantilidade por três vezes, saudando muito baixo e longamente, como se tivesse na mão uma pena de plumas, e murmurando:

– Abre-te, Sésamo.

Na quarta vez, a porta se abriu. Um guarda apareceu.

Ele lhe disse, num tom cerimonioso:

– Não fiz o senhor presidente do Conselho esperar muito?

Havia quatro inspetores no corredor.

– Esses senhores são da escolta? – ele perguntou. – Vamos. Anunciem Arsène Lupin, o grande da Espanha, primo de Sua Majestade, muito católica. Cavalheiros, eu os acompanho. Senhor caixa, vinte escudos pelo bom serviço prestado, meu amigo.

Ele parou no corredor.

– *Per Cristo*, nem um par de luvas, e minha barba está por fazer!

Os inspetores o cercaram e o empurravam com certa rudez. Ele agarrou dois pelo braço. Eles gemeram.

– Para bom entendedor, meia palavra basta – ele disse. – Os senhores não têm ordem para me agredir, certo? Nem para me algemar? Nesse caso, comportem-se, rapazes.

O diretor estava no vestíbulo. Ele lhe disse:

– Excelente noite, meu caro diretor. Os seus quartos "Touring Club" são bastante recomendáveis. Um ponto alto do hotel do Dépôt. Quer minha avaliação em seu livro de admissões? Não? Talvez espere que eu retorne? Que pena, meu caro diretor, não conte com isso! Algumas tarefas importantes...

No pátio, um automóvel estacionava. Ele e os quatro agentes entraram.

– Praça Beauvau – disse ele ao motorista.

– Rua Vineuse – corrigiu um dos agentes.

– Oh! Oh! – ele reagiu. – Sim, na residência particular de Sua Excelência. Sua Excelência prefere que minha visita seja secreta. É um bom sinal. A propósito, queridos amigos, que horas são?

Sua pergunta permaneceu sem resposta. E, como os agentes tinham fechado as cortinas, ele não podia consultar os relógios públicos.

Foi apenas na residência de Valenglay, no pequeno pátio do térreo onde vivia o presidente do Conselho, ao lado do Trocadero, que ele viu um pêndulo.

– Sete e meia – ele exclamou. Perfeito. Não perdemos muito tempo. A situação está melhorando.

O escritório de Valenglay dava acesso a uma varanda com vista para um jardim repleto de pássaros. A sala estava cheia de livros e pinturas.

Sob um sinal, os agentes saíram, liderados pela velha empregada que os tinha feito entrar.

Dom Luís ficou sozinho.

Sempre calmo, ele sentia, entretanto, uma certa inquietude, uma necessidade física de agir e lutar, e seus olhos voltavam insistentemente para o mostrador do relógio. O ponteiro grande parecia animado por uma vida sobrenatural.

Finalmente alguém entrou, precedendo uma outra pessoa. Ele reconheceu Valenglay e o comandante-geral.

– Pronto – ele pensou –, eu consegui.

Ele compreendia isso pelo tipo de simpatia confusa que podia ser lida no rosto ossudo e magro do velho presidente. Não havia qualquer sinal de soberba. Nada que levantasse uma barreira entre o ministro e a personagem equívoca que ele recebia. Apenas alegria, uma curiosidade evidente e simpatia. Sim, uma simpatia que Valenglay nunca tinha escondido, e da qual ele até se vangloriava quando, após a morte simulada de Arsène Lupin, ele falava do aventureiro e das estranhas conexões que eles tiveram juntos.

– O senhor não mudou – disse ele depois de considerá-lo longamente. – Pele mais bronzeada, têmporas um pouco mais grisalhas, mas é só.

E ele perguntou, num tom brusco, como um homem que vai direto ao ponto:

– E então do que precisa?

– Em primeiro lugar, de uma resposta, senhor presidente do Conselho. O subchefe Weber, que me levou ao Dépôt esta noite, encontrou o rasto do automóvel que levou Florence Levasseur?

– Sim, o carro parou em Versalhes. As pessoas que o ocupavam alugaram outro carro que deve conduzi-los a Nantes. Além dessa resposta, o que mais o senhor deseja?

– A liberdade, senhor presidente.

– Imediatamente, é claro? – observou Valenglay, que começou a rir.

– Em quarenta ou cinquenta minutos, no máximo.

– Às oito e meia, certo?

– Limite final, senhor presidente.

– E por que a liberdade?

– Para encontrar o assassino de Cosmo Mornington, do inspetor Vérot e da família Roussel.

– Então só o senhor é capaz de encontrá-lo?

– Sim.

– Mas a polícia está no encalço dele. O telégrafo funciona. O assassino não sairá da França. Ele certamente não nos escapará.

– Os senhores não conseguirão encontrá-lo.

– Nós conseguiremos sim.

– Então ele vai matar Florence Levasseur. Será a sétima vítima do bandido. Os senhores terão participação nisso.

Valenglay fez uma pequena pausa, e então retomou:

– De acordo com o senhor, ao contrário de todas as aparências, e ao contrário das suspeitas altamente motivadas do senhor comandante-geral, Florence Levasseur é inocente?

– Oh! Completamente inocente, senhor presidente.

– E acha que ela corre perigo?

– Ela corre o risco de morrer.

– O senhor ama Florence Levasseur?

– Amo.

Valenglay teve um pequeno arrepio de satisfação. Lupin apaixonado! Lupin agindo por amor e confessando seu amor! Que aventura extremamente emocionante!

Ele disse:

– Eu acompanhei o caso Mornington, dia após dia, e nenhum detalhe me é desconhecido. O senhor fez milagres. É óbvio que sem o senhor este caso nunca teria emergido da escuridão do início. No entanto, devo notar que há algumas falhas. E essas falhas, que me surpreenderam de sua parte, são explicadas mais facilmente quando sabemos que o amor era o princípio e o propósito de suas ações. Por outro lado, e apesar da sua afirmação, a conduta de Florence Levasseur, o seu título de herdeira, a sua fuga inesperada da casa de saúde, deixam-nos poucas dúvidas sobre o papel que ela desempenha.

Dom Luís apontou para o pêndulo.

– Senhor presidente, o tempo está passando.

Valenglay começou a rir:

– Que original! Dom Luís Perenna, lamento não ser um soberano onipotente. O senhor seria o chefe da minha polícia secreta.

– Esse é um cargo que o antigo imperador da Alemanha já me ofereceu.

– Ah, ora!

– E eu recusei.

Valenglay riu ainda mais, mas o relógio marcava sete horas e quarenta e cinco. Dom Luís estava preocupado. Valenglay sentou-se e, sem mais demoras, entrando no cerne do assunto, disse com uma voz séria:

– Dom Luís Perenna, desde o primeiro dia em que reapareceu, ou seja, no momento dos crimes do boulevard Suchet, o comandante-geral e eu estávamos de olho na sua identidade. Perenna era Lupin. Não tenho dúvidas de que não compreendeu as razões pelas quais não queríamos ressuscitar o morto que era, e por que lhe concedemos uma espécie de proteção. O comandante-geral concordava totalmente comigo. O trabalho que o senhor estava realizando era um trabalho de salubridade e justiça e sua cooperação era demasiado preciosa para não procurarmos poupá-lo de problemas. Então, como dom Perenna liderava o bom combate, deixamos Arsène Lupin na sombra. Infelizmente...

Valenglay fez uma nova pausa e declarou:

– Infelizmente, o senhor comandante-geral recebeu ontem, durante a noite, uma denúncia muito detalhada, com provas, acusando-o de ser Arsène Lupin.

– Impossível! – exclamou dom Luís. – Esse é um fato que ninguém no mundo pode materialmente provar. Arsène Lupin está morto.

– Que seja – Valenglay concordou –, mas isso não prova que dom Luís Perenna esteja vivo.

– Dom Luís Perenna existe e leva uma vida absolutamente legal, senhor presidente.

– Talvez. Mas estão contestando.

– Quem? Só um ser teria esse direito, mas ao acusar-me, ele se entregaria. Suponho que ele não seja tão estúpido.

– Tão estúpido, não, mas muito astuto.

– Trata-se do senhor Cacérès, adido da embaixada do Peru?

– Sim.

– Mas ele está viajando!

– Ele está, na verdade, fugindo depois de ter desviado dinheiro do caixa da embaixada. Mas, antes de fugir para o estrangeiro, ele assinou uma declaração que chegou até nós ontem à noite, e pela qual ele afirma ter produzido um estatuto civil em nome de dom Luís Perenna. Aqui está sua correspondência com ele, e aqui estão todos os documentos que estabelecem a verdade das suas alegações. Basta examiná-los para se convencer de que: 1º o senhor não é dom Luís Perenna; 2º o senhor é Arsène Lupin.

Dom Luís teve um gesto de raiva.

– Esse canalha do Cacérès é apenas um instrumento – disse rangendo os dentes. – É o *outro* que está por trás dele, que lhe pagou e o fez agir. É o próprio bandido. Reconheço a mão dele. Mais uma vez, e no momento decisivo, ele tentou se livrar de mim.

– Eu acreditaria de bom grado – disse o presidente do Conselho. – Mas como todos estes documentos, de acordo com a carta que os acompanha, são apenas fotografias, e se o senhor não for preso esta manhã, os originais serão entregues esta noite a um grande jornal em Paris, temos de averiguar a denúncia.

– Mas, senhor presidente – exclamou dom Luís –, uma vez que Cacérès está no exterior e que o bandido que lhe comprou os documentos também teve de fugir antes de executar sua ameaça, não há o que temer, já que os documentos serão entregues aos jornais!

– Como o senhor sabe? O inimigo deve ter tomado suas precauções. Ele pode ter cúmplices.

– Ele não tem.

– Como o senhor sabe?

Dom Luís olhou para Valenglay e disse:

– Onde o senhor quer chegar, senhor presidente?

– Nisto. Apesar de termos sido pressionados pelas ameaças do senhor Cacérès, o senhor comandante, ansioso por esclarecer o papel de Florence Levasseur, não interrompeu sua expedição de ontem à noite.

"Como a expedição não foi bem-sucedida, ele quis pelo menos aproveitar que dom Luís tinha se colocado à nossa disposição para deter Arsène Lupin. Se o libertarmos, os documentos serão provavelmente divulgados, e o senhor percebe a situação absurda e ridícula em que isso nos colocará perante o público? É precisamente neste momento que o senhor pede a libertação de Arsène Lupin, uma libertação ilegal, arbitrária e inadmissível. Por isso, sou obrigado a recusar o pedido. E o recuso."

Ele ficou em silêncio. Então, após alguns segundos, acrescentou:

– A não ser que...

– A não ser? – perguntou dom Luís.

– A não ser que, e é onde eu queria chegar, o senhor me proponha, em troca, algo tão extraordinário e formidável que eu concorde em assumir o risco dos aborrecimentos que a absurda libertação de Arsène Lupin pode me trazer.

– Mas, senhor presidente, parece-me que se eu lhe trouxer o verdadeiro culpado, o assassino de...

– Não preciso do senhor para isso...

– E se eu lhe der a minha palavra de honra, senhor presidente, de retornar imediatamente após ter cumprido com meu trabalho, e me entregar como prisioneiro?

Valenglay encolheu os ombros.

– E depois?

Houve um silêncio. O jogo esquentava entre os dois adversários. Era óbvio que um homem como Valenglay não se contentaria com palavras e promessas. Ele precisava de benefícios precisos e palpáveis.

Dom Luís retomou:

– Talvez, senhor presidente, o senhor possa permitir que sejam levados em consideração alguns dos serviços que prestei ao meu país?

– Explique-se.

Dom Luís, depois de dar alguns passos pela sala, voltou a ficar diante de Valenglay e disse:

– Senhor presidente, em maio de 1915, ao entardecer, três homens estavam na margem do Sena, no cais de Passy, ao lado de um monte de areia. A polícia procurava há meses por uma certa quantia de sacos contendo trezentos milhões de ouro, recolhidos pacientemente na França pelo inimigo e prestes a serem despachados. Dois desses homens se chamavam Valenglay e Desmalions. O terceiro, que os tinha convidado para essa reunião, pediu a Valenglay para afundar sua bengala no monte de areia. O ouro estava lá. Alguns dias depois, a Itália, que havia pedido um adiantamento de quatrocentos milhões em ouro, aliou-se à França.

Valenglay parecia muito surpreso.

– Ninguém jamais soube dessa história. Quem contou ao senhor?

– A terceira personagem.

– E como se chamava essa terceira pessoa?

– Dom Luís Perenna.

– O senhor! O senhor! – exclamou Valenglay. – Foi o senhor quem descobriu o esconderijo? Era o senhor que estava lá?

– Eu mesmo, senhor presidente. O senhor então me perguntou como podia me recompensar. Pois hoje eu reivindico minha recompensa.

A resposta não demorou muito. Ela foi precedida por uma pequena gargalhada cheia de ironia.

– Hoje? Ou seja, quatro anos depois? É tarde demais, senhor. Tudo isso está resolvido. A guerra acabou. Não vamos desenterrar as histórias antigas.

Dom Luís parecia um pouco desconcertado. No entanto, ele continuou:

– Em 1917, uma terrível aventura aconteceu na ilha de Sarek. O senhor a conhece, senhor presidente. Mas certamente ignora a intervenção de dom Luís Perenna e os projetos que este…

Valenglay bateu com o punho na mesa, e, inflando a voz, apostrofando seu interlocutor com uma familiaridade em que não faltava estilo:

– Vamos lá, Arsène Lupin, jogue limpo. Se você realmente quer ganhar o jogo, pague o que for preciso! O senhor me fala dos serviços passados ou futuros. É assim que se compra a consciência de Valenglay quando nosso nome é Arsène Lupin? Mas que diabo! Pense que depois de todas as suas histórias, e especialmente depois dos incidentes desta noite, Florence Levasseur e o senhor serão – e já são – para o público os autores responsáveis pelo drama. Como posso dizer? Os verdadeiros e únicos culpados. E assim que Florence desaparece do mapa o senhor me pede a liberdade! Que seja, mas pelo amor de Deus, dê o seu preço e não barganhe!

Dom Luís voltou a caminhar. Uma luta final se apresentava em sua mente. No momento de descobrir seu jogo, uma hesitação suprema o retinha. Finalmente, parou de novo. A decisão estava tomada. Se era necessário pagar: ele pagaria.

– Eu não sou um comerciante, senhor presidente – disse dom Luís com postura e expressão de lealdade. – O que tenho a lhe oferecer é certamente muito mais extraordinário e formidável do que imagina. Mas seria ainda mais extraordinário e formidável do que se espera, uma vez que a vida de Florence Levasseur está em perigo. No entanto, eu tinha o direito de procurar uma negociação menos desvantajosa. Suas palavras tiram minha esperança. Portanto, vou colocar todas as minhas cartas na mesa, como o senhor exige, e como eu já estava determinado a fazer.

O velho presidente exultava. Algo formidável e extraordinário! O que isso poderia ser de fato? Que propostas poderiam merecer tais epítetos?

– Fale, senhor.

Dom Luís Perenna se sentou de frente para Valenglay, como um homem que lida com outro de igual para igual.

– Isso será breve. Uma única frase, senhor presidente, resumirá o acordo que proponho ao chefe do governo do meu país.

– Uma única frase?

– Uma só frase – afirmou dom Luís.

E, mergulhando os olhos nos olhos de Valenglay, lentamente, sílaba por sílaba, disse:

– Contra vinte e quatro horas de liberdade, não mais, contra o compromisso de honra de voltar aqui amanhã de manhã, e com Florence, para lhe apresentar todas as provas da minha inocência, ou sem ela para me fazer prisioneiro, ofereço-lhe...

Ele demorou um pouco e completou em voz baixa:

– Ofereço-lhe um reino, senhor presidente do Conselho.

A frase era enorme, burlesca, tola a ponto de encolher os ombros, uma daquelas frases que só um parvo ou um louco pode pronunciar.

No entanto, Valenglay permaneceu impassível. Ele sabia que, em tais circunstâncias, esse homem não brincava.

E ele sabia tão bem que, por instinto, acostumado às grandes questões políticas nas quais o segredo é tão importante, olhou para o comandante-geral como se a presença do senhor Desmalions o incomodasse.

– Insisto fortemente – disse dom Luís –, para que o senhor comandante-geral possa ouvir minha comunicação. Melhor do que ninguém, ele apreciará o seu valor, e, em algumas partes, atestará sua precisão. Além disso, tenho certeza de que o senhor Desmalions não se ofenderia de modo algum com a indiscrição.

Valenglay não pôde deixar de rir.

– Talvez o senhor também tenha feito um favor a ele?

– Precisamente, senhor presidente.

– Estou curioso para saber – disse o senhor Desmalions.

– Se assim deseja... Bem, na noite do nosso conciliábulo no cais de Passy, há quatro anos, prometi-lhe, senhor Desmalions, quando o senhor era apenas um funcionário público subalterno, que o senhor seria nomeado comandante-geral. Mantive minha palavra. Sua nomeação foi solicitada por três ministros sobre os quais eu tinha grande influência: devo designá-los?

– Inútil! – exclamou o senhor Valenglay rindo ainda mais alto. – Inútil! Eu acredito no senhor. Acredito na sua onipotência. Quanto ao senhor, Desmalions, não faça essa cara. Não há vergonha em ser obrigado por tal homem. Fale, Lupin.

Sua curiosidade não tinha limites. Se a proposta de dom Luís podia ter consequências práticas, ele se importava pouco. No fundo, ele não acreditava nisso. O que ele queria era saber até onde esse diabo de indivíduo tinha levado sua audácia e em que prodigiosa e nova aventura se baseavam as pretensões que ele expressava tão serenamente e francamente.

– O senhor me permite? – perguntou dom Luís.

Levantando-se e avançando em direção à chaminé, ele pegou um pequeno mapa de parede que representava o noroeste da África. Em seguida, abrindo esse mapa sobre a mesa com a ajuda de objetos pesados colocados nos quatro cantos, ele retomou:

– Há uma coisa, senhor presidente, que intrigou o comandante-geral, e sobre a qual eu sabia que ele tinha realizado uma investigação: é sobre meu uso do tempo – ou melhor, do tempo de Arsène Lupin – durante os últimos três anos, e em particular, enquanto ele estava na Legião Estrangeira.

– Essas investigações foram feitas sob minhas ordens – interrompeu Valenglay.

– E elas tiveram êxito?

– Nenhum.

– De modo que, no fim das contas, os senhores ignoram minha conduta durante a guerra?

– Eu ignoro.

– Eu lhes direi, senhor comandante. Especialmente porque é absolutamente justo que a França saiba o que um dos seus filhos mais devotos fez por ela... de outra forma, eu poderia ser acusado um dia ou outro de ter me escondido, o que seria muito injusto. O senhor talvez se lembre, senhor presidente, que me juntei à Legião Estrangeira na sequência de catástrofes íntimas verdadeiramente terríveis, e após uma vã tentativa de suicídio. Eu queria morrer e pensava que uma bala marroquina me daria o repouso que desejava. O acaso não permitiu. Parece que o meu destino ainda não tinha chegado ao fim. Então aconteceu o que deveria acontecer. Pouco a pouco, sem o meu conhecimento, a morte se escondeu e eu recuperei o gosto pela vida. Alguns feitos armados bastante gloriosos me devolveram toda a autoconfiança e todo o meu apetite por ação. Novos sonhos me invadiram. Um novo ideal me conquistou. Dia após dia, eu precisei de mais espaço, mais independência, horizontes mais amplos, sensações mais inesperadas e mais pessoais. A Legião, tão grande como a minha ternura por essa heroica e cordial família que me acolheu, já não era suficiente para as minhas necessidades de ação. E eu já estava caminhando para um objetivo grandioso, que ainda não discernia muito bem, mas que me atraía misteriosamente, quando soube, em novembro de 1914, que a Europa estava em guerra. Eu tinha, então, amigos poderosos na corte espanhola. Como resultado das negociações entre Madrid e Paris, fui convocado em Madrid e depois enviado numa missão secreta para Paris. Era esse o meu objetivo. Eu queria ver *in loco* como trabalhar da melhor forma pelos interesses franceses.

"Eu tive sucesso em três ou quatro casos importantes, como o dos trezentos milhões em ouro, e assim participei da entrada da Itália na guerra. Mas tudo isso, admito, me parecia secundário. Eu tinha outras coisas a fazer, e agora eu sabia o que era. Eu tinha discernido o ponto fraco pelo qual a França poderia ser colocada em situação de inferioridade. O objetivo que procurava se revelava diante de mim. Missão cumprida, voltei ao Marrocos. Um mês depois da minha chegada, enviado para o Sul, atirei-me em uma emboscada de berberes e, voluntariamente, embora tivesse sido fácil para mim lutar, deixei-me apanhar.

"Essa é toda minha história, senhor presidente. Prisioneiro, eu estava livre. Uma outra vida, a vida que eu tinha desejado, apresentou-se diante de mim.

"A aventura, no entanto, quase acabou mal. Minhas quatro dezenas de berberes, um grupo desligado de uma grande tribo nômade que assaltava e extorquia os países localizados nas cadeias médias do Atlas, primeiro se juntaram a algumas barracas onde as mulheres de seus líderes estavam acampadas, sob a vigilância de cerca de dez homens. Fecharam as malas e partiram. Depois de oito dias de caminhada, bastante penosos para mim, pois eu seguia as pessoas a cavalo com os braços amarrados atrás, paramos em um planalto estreito dominado por escarpas rochosas e onde eu notei, entre as pedras, muitos ossos humanos e os destroços de espadas e armas francesas.

"Lá eles fincaram um poste na terra e me amarraram nele. Pelo olhar dos meus sequestradores e por algumas palavras ouvidas, compreendi que minha morte estava decidida. Iriam me cortar as orelhas, o nariz, a língua e depois, sem dúvida, a cabeça.

"No entanto, começaram por preparar a sua refeição. Foram até o poço vizinho. Eles comeram e só se preocuparam comigo ao descrever, rindo, as bondades que me reservavam.

"Outra noite passou. A tortura foi adiada para a manhã seguinte, momento mais propício para eles.

"De fato, ao amanhecer, eles me cercaram com gritos e rugidos misturados com o clamor agudo das mulheres. Quando minha sombra encobriu uma linha que eles tinham desenhado no dia anterior na areia, eles se calaram e um deles, encarregado das operações cirúrgicas em mim, deu um passo à frente e ordenou que eu colocasse a língua para fora. Eu obedeci. Ele então a segurou com a ponta de seu albernoz e com a outra mão ele puxou seu punhal para fora da bainha.

"Jamais esquecerei a ferocidade e, ao mesmo tempo, a alegria ingênua do seu olhar, o olhar de uma criança maléfica que se diverte ao partir as asas e as patas de um pássaro. E jamais esquecerei também o estupor desse homem quando ele percebeu que seu punhal consistia apenas de um castão e de um pedaço de lâmina inofensiva e de dimensões ridículas... comprida o suficiente apenas para se manter dentro da bainha.

"Sua raiva se manifestou por uma crise de impropérios e imediatamente ele se atirou sobre um camarada e arrancou seu punhal. Estupor idêntico. Esse segundo punhal também estava quebrado quase rente ao punho.

"Houve então um alvoroço geral e todos brandiram suas facas. Um uivo de fúria se elevou. Havia quarenta e cinco homens e as quarenta e cinco facas estavam quebradas.

"O chefe saltou sobre mim, como se me acusasse de responsável por um fenômeno tão incompreensível.

"Era um velho grande, seco, um pouco corcunda, caolho, algo horrível de se ver. Ele apontou uma arma enorme à queima-roupa, e pareceu-me tão vilão que desatei a rir.

"Ele puxou o gatilho. O tiro falhou.

"Atirou uma segunda vez. O segundo tiro falhou.

"Todos de uma vez, gesticulando, empurrando uns aos outros, muito barulhentos, eles pularam em torno do poste ao qual eu estava preso e apontaram para mim suas armas variadas: espingardas, pistolas, carabinas, velhos bacamartes espanhóis. Os cães começaram a latir. Mas as espingardas, pistolas, carabinas e bacamartes espanhóis não dispararam.

"Que milagre! Vocês precisavam ver a cara deles! Juro que nunca ri tanto, o que os desconcertava ainda mais. Alguns correram para as tendas para se reabastecer de pólvora. Os outros recarregaram suas armas rapidamente. Novo fracasso! Eu era invulnerável. E eu ria! Eu ria!

"Isso não podia se estender. Havia vinte outras formas de me exterminar disponíveis. Eles tinham as mãos para me estrangular, a coronha das armas para me abater, pedras para me apedrejar. E eram mais de quarenta!

"O velho chefe agarrou uma pedra enorme e se aproximou com a figura assustadora de ódio. Ele se endireitou, se levantou com a ajuda de dois dos seus homens, ergueu o enorme bloco acima da minha cabeça e o deixou cair... na minha frente, sobre o poste. Uma espetáculo impressionante para o infeliz velho. Em um segundo, eu soltei minhas amarras e pulei para trás, e eu estava de pé, a três passos dele, com os punhos estendidos, e segurando nesses punhos cerrados os dois revólveres que me tinham sido confiscados no dia da minha captura!

"O que se sucedeu durou apenas alguns segundos. O chefe, por sua vez, começou a rir como eu tinha rido, com um riso sarcástico. Para ele, na confusão do seu cérebro, esses dois revólveres com que eu o ameaçava não deveriam e não poderiam ter mais efeito do que as armas inúteis que tinham me poupado. Ele pegou a grande pedra e levantou a mão, pronto para jogá-la na minha cara. E os seus dois comparsas fizeram o mesmo. E todos os demais o teriam imitado também...

– Baixem suas patas ou eu disparo! – gritei.

"O chefe atirou sua pedra.

"Baixei a cabeça. Ao mesmo tempo, três tiros foram disparados. O chefe e seus dois comparsas caíram fulminados.

– O primeiro desses, senhores? – perguntei, olhando para o resto do bando.

"Restavam ainda quarenta e dois marroquinos. Eu ainda tinha onze balas. Como eles não se moviam, eu passei um dos meus revólveres sob o braço e tirei do meu bolso duas pequenas caixas de cartuchos, ou seja, mais cinquenta balas.

"E do meu cinto tirei três lindas facas afiadas e pontiagudas.

"Metade da tropa sinalizou submissão e se alinhou atrás de mim.

"A segunda metade capitulou imediatamente.

"A batalha tinha acabado. Não durou nem quatro minutos."

ARSÈNE I, IMPERADOR

Dom Luís ficou em silêncio. Um sorriso divertido torceu-lhe os lábios. A evocação desses quatro minutos pareceu diverti-lo infinitamente.

Valenglay e o comandante-geral, dois homens cuja coragem e o sangue-frio não eram surpreendentes, escutavam-no e agora o observavam em um confuso silêncio. Era possível que um ser humano levasse seu heroísmo a tais limites tão inverossímeis?

Dom Luís avançou, no entanto, para o outro lado da chaminé e, apontando para outro mapa de parede que representava a rota da França:

– O senhor disse, senhor presidente, que o carro do bandido tinha saído de Versalhes e seguia na direção de Nantes?

– Sim, e todas as precauções foram tomadas para que ele seja preso, ou no caminho, ou em Nantes, ou em Saint-Nazaire, ou onde quer que ele queira desembarcar.

Tentando encontrar a resposta, dom Luís Perenna seguiu a rota através da França, fazendo paradas e marcando as etapas. E nada foi mais impressionante do que essa mímica. Um homem como aquele, tranquilo em tal agitação com as coisas que eram mais importantes para o seu coração, parecia, por sua calma, o mestre dos acontecimentos e do tempo. Era possível dizer que o assassino estava fugindo pela ponta de um fio irrompível, cuja extremidade oposta estava na mão de dom Luís, e que dom Luís poderia interromper sua fuga com um simples gesto de sua mão. Inclinado sobre o mapa, o Mestre dominava não só uma folha de papel, mas a estrada onde um automóvel deslizava sob seus olhos, submetido à sua vontade despótica.

Ele se voltou para a mesa e retomou:

– A batalha tinha terminado. E era impossível que ela recomeçasse. Mais do que um vencedor contra quem uma vingança é sempre possível, seja pela força ou pela astúcia, meus quarenta e dois bons homens tinham diante deles um ser que os domesticara por meios sobrenaturais. Não havia outra explicação que pudesse ser aplicada aos fatos inexplicáveis que eles haviam testemunhado. Eu era um feiticeiro, algo como um marabu, uma emanação do Profeta.

Valenglay disse rindo:

– A interpretação deles não era assim tão irracional. Porque, de fato, há um passe de mágica que me parece, também, surgir do maravilhoso.

– Senhor presidente, o senhor leu o estranho conto de Balzac, *Uma paixão no deserto*?

– Sim.

– Ora! A solução do enigma está lá.

– Hein? Não captei. O senhor estava sob as garras de uma tigresa? Não havia tigresa para domar neste caso.

– Não, mas havia mulheres.

– O quê! O que o senhor está dizendo?

– Meu Deus – disse dom Luís alegremente –, eu não tive a intenção de assustá-lo, senhor presidente. Mas repito que havia mulheres no grupo que me carregaram por oito dias. Mulheres. E as mulheres são um pouco como a tigresa de Balzac, seres que não é impossível domar... seduzir... abrandar a ponto de fazer delas aliadas.

– Sim, sim – murmurou o presidente loucamente intrigado –, mas para isso é preciso tempo…

– Tive oito dias.

– E é preciso total liberdade de ação.

– Não, não, senhor presidente… Os olhos são suficientes em um primeiro momento. Os olhos provocam a simpatia, o interesse, o apego, a curiosidade, o desejo de se conhecer para além do olhar. Depois disso, basta um acaso…

– E o acaso se apresentou?

– Sim, uma noite, eu estava amarrado, ou pelo menos pensaram que estava amarrado… Perto de mim, eu sabia que a favorita do chefe estava sozinha em sua tenda. Eu fui até lá. Deixei-a uma hora depois.

– E a tigresa foi domada?

– Sim, como aquela do Balzac, submissa, cegamente submissa.

– Mas elas eram cinco…

– Eu sei, senhor presidente, e essa foi a parte difícil. Eu temia as rivalidades. Mas tudo correu bem, a favorita não era ciumenta… ao contrário… Além disso, como eu disse, a submissão dela era absoluta. Em suma, eu tinha cinco aliadas, invisíveis, dispostas a tudo e de quem ninguém suspeitava. Mesmo antes da última paragem, meu plano estava em vias de ser implementado. Durante a noite, minhas cinco emissárias recolheram todas as armas, enterraram os punhais na terra e os quebraram. As balas foram retiradas das pistolas. Elas molharam a pólvora. A cortina podia ser levantada.

Valenglay curvou-se:

– Meus parabéns! O senhor é um homem de recursos. Sem mencionar que no processo não falta charme. Porque suponho que as suas cinco senhoras eram bonitas, certo?

Dom Luís tinha uma expressão zombeteira. Ele fechou os olhos com um ar de satisfação e deixou escapar esta simples palavra:

– Horrorosas.

O epíteto causou uma explosão de alegria. Mas imediatamente, como se estivesse ansioso para terminar, dom Luís retomou:

– De qualquer forma, elas me salvaram, as malandras, e a ajuda delas nunca mais me abandonou. Meus quarenta e dois berberes, privados de armas, tremendo de medo em meio à solitude onde tudo é uma emboscada e onde a morte os espreita a cada minuto, estavam reunidos ao meu redor como se eu fosse seu verdadeiro protetor. Quando nos juntamos à tribo principal a que eles pertenciam, eu era realmente o líder deles. E não precisei nem de três meses de perigos enfrentados juntos, de emboscadas despistadas por meus conselhos, de pilhagens e incursões realizadas sob a minha direção para que eu me tornasse também o chefe de toda a tribo. Eu falava a língua deles, praticava a religião deles, vestia roupas iguais às deles, adaptava-me à moral deles... ai de mim! Eu não tinha cinco mulheres? A partir daí, meu sonho se tornou possível. Enviei um dos meus defensores mais fiéis à França com sessenta cartas que ele deveria entregar a sessenta destinatários cujos nomes e endereços ele aprendeu de cor. Esses sessenta destinatários eram sessenta camaradas que Arsène Lupin tinha demitido antes de se atirar do alto das falésias de Capri. Todos tinham se afastado dos negócios com uma quantia líquida de cem mil francos e um fundo de comércio ou uma fazenda a explorar. Eu tinha conferido a alguns uma tabacaria, a outros um cargo de vigilante de jardins públicos, a outros uma sinecura em um ministério. Em suma, eram burgueses honestos. A todos, funcionários, fazendeiros, vereadores, merceeiros, notáveis, sacristães de igreja, a todos eu escrevi a mesma carta, fiz a mesma oferta, e dei, caso aceitassem, as mesmas instruções.

"Senhor presidente, eu pensava que, dos sessenta, dez ou quinze, no máximo, se juntariam a mim; mas vieram sessenta, senhor presidente! Sessenta, nem um a menos. Exatamente sessenta apareceram no encontro que eu marquei. No dia determinado, na hora marcada, meu antigo cruzador de guerra, o *Quo-non-descendam?* comprado por eles, estava ancorado na foz do rio Drá, na costa Atlântica, entre o cabo do Não e o Cabo Juby. Duas chalupas serviram de transporte para desembarcar os meus amigos e o material de guerra que tinham trazido, munições, provisões de acampamento, metralhadoras, barcos a motor, comida, conservas, mercadorias, vidrilhos e também arcas com ouro! Pois os meus sessenta fiéis queriam usar sua parte dos lucros antigos e investir na nova aventura os seis milhões que outrora receberam do seu chefe.

"Preciso dizer mais, senhor presidente? Devo contar-lhe o que um líder como Arsène Lupin, assistido por sessenta homens dessa espécie, apoiado por um exército de dez mil marroquinos fanáticos, bem armados e bem disciplinados, poderia tentar? Ele tentou, e foi extraordinário. Não creio que haja uma epopeia semelhante à que vivemos durante esses quinze meses, primeiro no topo do Atlas, depois nas planícies infernais do Saara. Uma epopeia de heroísmos, privações, torturas, alegrias sobre-humanas, um epopeia de fome e sede, de derrota irrecuperável e de vitória deslumbrante.

"Os meus sessenta fiéis se entregaram de coração. Ah, as boas pessoas! O senhor os conhece, senhor presidente. O senhor lutou contra eles, senhor comandante. Ah, os desgraçados! Os meus ficaram marejados com algumas lembranças. Havia Charolais e seus filhos, que uma vez ilustrou o caso da tiara da princesa de Lamballe. Havia Marco, que devia sua fama ao caso Kesselbach, e Auguste, que se tornou chefe dos seus oficiais de justiça, senhor presidente do Conselho. Havia Grognard e Ballu, que a perseguição da Rolha de Cristal cobriu de glória. Havia os irmãos Beuzeville, a quem chamei os dois Ajax. Havia Filipe de Antrac, mais nobre que um Bourbon, e Pierre le Grand, e Jean le Borgne, e Tristan le Roux, e Joseph le Jeune.

– E havia Arsène Lupin – interrompeu Valenglay, que estava fascinado por essa enumeração homérica.

– E havia Arsène Lupin – repetiu dom Luís com um tom de voz convincente.

Ele balançou a cabeça, sorriu ligeiramente e continuou muito baixo:

– Não vou falar dele, senhor presidente. Não vou falar sobre ele porque o senhor não botaria fé nas minhas narrativas. O que foi dito sobre a passagem dele pela Legião Estrangeira não passa de uma brincadeira de criança perto do que aconteceria mais tarde. Na Legião, Lupin era apenas um soldado. No sul do Marrocos, ele foi um general.

"Somente lá Arsène Lupin mostrou seu valor. E, digo sem orgulho, que foi um imprevisto, inclusive para mim. Como feitos, o Aquiles da lenda não fez mais. Como resultados, Annibal e César não receberam mais. Ao senhor, basta saber que em quinze meses Arsène Lupin conquistou um reino duas vezes maior que a França. Sobre os berberes do Marrocos, sobre os indomáveis tuaregues, sobre os árabes do extremo sul da Argélia, sobre os negros que transbordam do Senegal, sobre os mouros que habitam as costas do Atlântico, sobre o fogo do sol, sobre o inferno, ele conquistou metade do Saara e o que se pode chamar de antiga Mauritânia. Reino de areia e pântano? Em parte, mas, mesmo assim, um reino, com oásis, nascentes, rios, florestas, riquezas incalculáveis; um reino com dez milhões de homens e duzentos mil guerreiros.

"É este reino que ofereço à França, senhor presidente do Conselho."

Valenglay não escondeu seu estupor. Comovido, perturbado pelo que descobria, inclinado sobre o extraordinário interlocutor, as mãos crispadas no mapa da África, ele sussurrou:

– Explique-se... especifique...

Dom Luís retomou:

– Senhor presidente, não vou lhe recordar os acontecimentos dos últimos anos. O senhor os conhece melhor do que eu. O senhor sabe dos perigos que a França correu durante a guerra, como resultado das revoltas marroquinas. O senhor sabe que a guerra santa foi pregada por lá e que uma faísca teria sido suficiente para o fogo chegar a toda a costa da África, a toda a Argélia, a toda a enorme multidão muçulmana, protegida pela França, protegida pela Inglaterra. Esse perigo que os estadistas dos Aliados temiam com tanta angústia, e que o inimigo se esforçou por trazer à tona com tanta astúcia e perseverança, esse perigo, eu, Arsène Lupin, conjurei. Enquanto combatiam na França, enquanto combatiam no norte de Marrocos, eu estava no Sul, eu atraía contra mim as tribos rebeldes, eu as dominava, reduzia-as à impotência, recrutava-as e as empurrava para outras regiões e para outras conquistas. Em suma, eu fiz com que eles trabalhassem para essa França que eles queriam combater. E, assim, a partir do belo e distante sonho que tinha crescido gradualmente na minha mente, construí a realidade de hoje. A França salvava o mundo: eu salvava a França.

"Ela resgatava, pela força do heroísmo, suas antigas províncias perdidas: eu juntava o Marrocos com o Senegal de uma só vez. A maior França africana existe agora. Graças a mim, ela é um bloco sólido e compacto. Milhões de quilômetros quadrados, e de Tunes ao Congo, exceto por alguns enclaves insignificantes, uma costa ininterrupta de vários milhares de quilômetros. Eis a minha obra, senhor presidente; o restante, as outras aventuras, a aventura do Triângulo de Ouro ou a da Ilha dos Trinta Caixões, uma bobagem! O meu trabalho de guerra é esse. Perdi o meu tempo durante esses cinco anos, senhor presidente?

– É uma utopia, uma quimera – protestou Valenglay.

– Uma verdade.

– Ora, vamos! São necessários vinte anos de esforço para obter êxito.

– O senhor só precisa de cinco minutos – exclamou dom Luís com um impulso irresistível. – Não é a conquista de um império que eu lhe ofereço, é um império conquistado, pacificado, administrado, em pleno trabalho e em plena vida. Não é o futuro, é o presente, o presente de Arsène Lupin. Eu também, repito, senhor presidente, tive um sonho maravilhoso. Tendo labutado durante toda a minha existência, rolado por todos os precipícios e saltado de todos os picos, mais rico que Creso, uma vez que todas as riquezas do mundo me pertenciam, e mais pobre do que Jó, pois eu havia distribuído todos os meus tesouros, farto de tudo, cansado de ser infeliz, ainda mais cansado de ser feliz, esgotado dos prazeres, das paixões e das emoções, eu desejava uma coisa incrível para a nossa época: reinar! E, fenômeno ainda mais incrível, tendo essa coisa acontecido, Arsène Lupin morto, tendo ressuscitado sob a espécie de um sultão das *Mil e uma noites*, Arsène Lupin reinando, governando, legislando, pontificando, eu queria, em alguns anos, de um instante a outro, rasgar a cortina das tribos rebeldes contra as quais os senhores se extenuavam no norte do Marrocos e atrás das quais, pacificamente e silenciosamente, eu construí o meu reino... E então, cara a cara, tão poderoso quanto ela, vizinho que lida de igual para igual, eu gritei para a França: "Sou eu, Arsène Lupin! O velho vigarista, o cavalheiro ladrão, aqui está ele! O sultão de Adrar, o sultão de Iguidi, o sultão de El-Juf, o sultão de Tuareg, o sultão de Aouabuta, o sultão de Braknas e Frerzon, sou eu, sultão dos sultões, neto de Muhammad, o filho de Alá, eu, eu, eu, Arsène Lupin!" E eu teria, no tratado de paz, no ato de doação em que eu entregava um reino à França, eu teria, abaixo da rubrica dos meus grandes dignitários, caids, pachas e marabus, assinado com minha assinatura legítima, aquela a que tenho pleno direito, que eu conquistei com a ponta da minha espada e com minha todo-poderosa vontade: Arsène I, imperador da Mauritânia!

Dom Luís pronunciou todas essas palavras com uma voz enérgica, mas sem ênfase, com a emoção e o orgulho simples de um homem que fez muito e que sabe o valor do que fez. Só se podia responder-lhe com um encolher de ombros, como se responde a um louco, ou pelo silêncio que reflete e aprova.

O presidente do Conselho e o comandante-geral se calaram, mas o olhar deles expressava seu pensamento secreto. Eles tinham a profunda sensação de estar na presença de um exemplar absolutamente excepcional da humanidade, criado para ações desmedidas e moldado por si mesmo para um destino sobrenatural.

Dom Luís retomou:

– O desfecho foi muito bonito, não foi, senhor presidente do Conselho? E o fim coroou dignamente a obra. Eu teria ficado feliz se tivesse sido assim. Arsène Lupin em um trono com o cetro na mão. Não faltava elegância nisso. Arsène I, imperador da Mauritânia e benfeitor da França. Que apoteose! Mas os deuses não o quiseram. Sem dúvida enciumados, eles me rebaixam ao nível dos meus primos do velho mundo e fizeram de mim essa coisa absurda, um rei exilado. Que seja feita a vontade deles! Paz ao falecido imperador da Mauritânia. Ele viveu o que vivem as rosas. Arsène I está morto, viva a França! Senhor presidente do Conselho, gostaria de renovar a minha oferta. Florence Levasseur está em perigo. Só eu posso salvá-la do monstro que a sequestrou. Para isso, preciso de vinte e quatro horas. Contra essas vinte e quatro horas de liberdade, eu lhe entrego o império da Mauritânia. O senhor aceita, senhor presidente do Conselho?

– Mas é claro que sim – disse Valenglay, rindo –, eu aceito. Não é verdade, meu caro Desmalions? Tudo isso pode não ser muito católico. Mas enfim! Paris vale uma boa missa e o reino da Mauritânia é um belo fragmento. Vamos tentar a aventura.

O rosto de dom Luís expressou uma alegria tão franca que era possível pensar que ele tinha acabado de ganhar o mais deslumbrante dos triunfos e não o sacrifício de uma coroa e o lançamento, no abismo, do sonho mais fantástico que um homem já tinha concebido e realizado.

Ele perguntou:

– Que garantia o senhor quer, senhor presidente?

– Nenhuma.

– Posso lhe mostrar os tratados, os documentos que provam…

– Não é necessário. Falamos sobre isso amanhã. Hoje, vá em frente. O senhor está livre.

A palavra essencial, a palavra implausível, foi dita.

Dom Luís deu alguns passos em direção à porta.

– Só mais uma coisa, senhor presidente – disse ele, parando. – Entre os meus antigos companheiros há um a quem eu tinha oferecido um cargo compatível com seus gostos e méritos. Este, pensando que um dia ou outro poderia, em virtude de sua função, ser útil para mim, não foi para a África. Trata-se de Mazeroux, o brigadeiro da Sûreté.

– O brigadeiro Mazeroux, que o senhor Cacérès denunciou, com provas, como cúmplice de Arsène Lupin, está na prisão.

– O brigadeiro Mazeroux é um modelo de honra profissional, senhor presidente. Eu devia sua ajuda somente à minha qualidade de auxiliar da polícia, aceita e de certa forma apoiada pelo senhor comandante. Ele me contrariou em tudo o que tentei fazer de ilegal. E teria sido o primeiro a pôr as mãos no meu pescoço se tivesse recebido tal ordem. Peço que ele seja solto.

– Oh! Oh!

– Senhor presidente, o seu parecer favorável será um ato de justiça e suplico que o conceda. O brigadeiro Mazeroux deixará a França. Ele será encarregado pelo governo de uma missão secreta no sul do Marrocos, sob o título de inspetor colonial.

– Concedido – disse Valenglay, rindo ainda mais.

E acrescentou:

– Meu caro comandante, quando saímos das vias legais, já não sabemos para onde vamos. Mas quem quer o fim quer os meios, e o fim é acabar com esta história abominável de Mornington.

– Esta noite tudo estará resolvido – disse dom Luís.

– Assim espero. Nossos homens estão a caminho.

– Eles estão a caminho, mas em cada cidade, em cada vilarejo, junto de cada camponês que encontrarem, eles terão que controlar as pistas, descobrir se o carro não bifurcou, e eles só estão perdendo tempo. Eu vou direto ao bandido.

– Por que milagre?

– É mais um segredo meu, senhor presidente. Só lhe pedirei que dê ao comandante-geral plenos poderes para se livrar de todas as pequenas dificuldades e de todas as pequenas instruções que possam impedir a execução do meu plano.

– Que seja. O senhor precisa de mais alguma coisa além disso?

– Deste mapa da França.

– Pode levar.

– E de duas armas de fogo.

– O comandante-geral terá a cortesia de pedir aos inspetores dois revólveres e entregá-los ao senhor. Isso é tudo? Dinheiro?

– Obrigado, senhor presidente. Sempre tenho, em caso de emergência, os indispensáveis cinquenta mil francos.

O comandante-geral interrompeu:

– Então é necessário que o senhor seja acompanhado até o Dépôt. Suponho que sua carteira esteja entre os itens que lhe foram confiscados.

Dom Luís sorriu.

– Senhor comandante, os objetos que podem confiscar de mim nunca têm a menor importância. A minha carteira de fato está no Dépôt. Mas o dinheiro…

Ele levantou sua perna esquerda, pegou seu pé entre as mãos e imprimiu um pequeno movimento de rotação no salto de seu sapato. Um ligeiro ruído de desbloqueio foi ouvido e uma espécie de gaveta, escondida na espessura do solado duplo, emergiu da parte da frente do sapato. Estavam lá dois maços de notas, bem como objetos diferentes de pequenas dimensões, uma verruma, uma mola de relógio, alguns comprimidos.

– Para escapar – disse ele –, para viver e para morrer. Senhor presidente, despeço-me.

No vestíbulo, o senhor Desmalions ordenou aos inspetores que deixassem a passagem livre para o prisioneiro.

Dom Luís perguntou:

– Senhor comandante, o subchefe Weber lhe deu alguma informação sobre o automóvel do bandido?

– Ele telefonou de Versalhes. É um carro amarelo-alaranjado da companhia Comètes. O motorista está sentado à esquerda. Ele usa um chapéu de tecido cinza com uma viseira de couro preta.

– Muito obrigado, senhor comandante.

Eles saíram da casa.

Então essa coisa inconcebível tinha acabado de acontecer: dom Luís estava livre. Em apenas uma hora de conversa, ele tinha recuperado o poder de agir e de lutar na batalha suprema.

Do lado de fora, o automóvel da Prefeitura estava esperando. Dom Luís e o senhor Desmalions ocuparam os seus lugares.

– Para Issy-les-Moulineaux, depressa! – ordenou dom Luís. – À máxima velocidade!

Eles incendiaram Passy, atravessaram o Sena e em dez minutos chegaram ao aeródromo de Issy-les-Moulineaux.

Nenhum dispositivo tinha partido, porque a corrente de vento estava bastante forte.

Dom Luís correu para os hangares. Na parte de cima das portas estavam inscritos nomes.

– Davanne! – ele murmurou. – Aí está meu caso.

Justamente a porta desse hangar estava aberta. Um homem baixo e obeso, com rosto comprido e vermelho, fumava um cigarro enquanto mecânicos trabalhavam em um monoplano. O tal homem era o próprio Davanne, o famoso aviador.

Dom Luís o chamou de lado e, conhecendo o indivíduo por tudo o que os jornais diziam sobre ele, iniciou a conversa de forma a surpreendê-lo desde o início.

– Senhor – disse ele, desdobrando o mapa da França –, eu quero alcançar alguém que sequestrou a mulher que eu amo de carro, e que está dirigindo na direção de Nantes. O rapto ocorreu à meia-noite. São nove da manhã. Suponhamos que o automóvel, que é um simples táxi de aluguel e cujo motorista não tem nenhuma razão para se arruinar, faça em média, incluindo as paradas, trinta quilômetros por hora... depois de doze horas, ou seja, ao meio-dia, o nosso indivíduo atingirá os trezentos e sessenta quilômetros, ou seja, um ponto situado entre Angers e Nantes... nesse local exato...

– Ponts-de-Drive – afirmou Davanne, que escutava calmamente.

– Muito bem. Suponhamos, por outro lado, que um aeroplano parta de Issy-les-Moulineaux às nove horas da manhã e que voe a uma velocidade de cento e vinte quilômetros por hora, sem parar... depois de três horas, ou seja, ao meio-dia, ele chegará precisamente a Ponts-de-Drive, no momento em que o automóvel estiver passando por lá, não é?

– Absolutamente de acordo com o senhor.

– Nesse caso, se temos a mesma opinião, tudo vai bem. O seu dispositivo pode levar um passageiro?

– Se for necessário.

– Vamos partir.

– Impossível. Não tenho permissão.

– O senhor tem sim. O comandante-geral, que está aqui, e que está em concordância com o presidente do Conselho, assume a decisão de deixá-lo partir. Então, vamos partir. Quais são as suas condições?

– Depende. Quem é o senhor?

– Arsène Lupin!

– Caramba! – exclamou Davanne um tanto perplexo.

– Arsène Lupin. O senhor deve saber, através dos jornais, da maioria dos últimos acontecimentos. Pois bem, Florence Levasseur foi raptada ontem à noite. Quero salvá-la. Quanto o senhor quer?

– Nada.

– É muito.

– Talvez, mas a aventura me agrada. Isso fará propaganda a meu respeito.

– Que seja. Mas o seu silêncio é necessário até amanhã. E eu o compro. Aqui estão vinte mil francos.

Dez minutos depois, dom Luís tinha vestido um uniforme especial, um capacete e óculos de aviador, e o aeroplano subia a oitocentos metros para evitar as correntes, evoluía sobre o Sena e voava direto para o oeste da França.

Versalhes, Maintenon, Chartres...

Dom Luís nunca tinha entrado em um aeroplano. A França tinha conquistado o ar enquanto ele lutava com a Legião e nas areias do Saara. No entanto, por mais sensível que ele fosse a todas as novas impressões – e que impressão maior do que aquela poderia comovê-lo! – ele não experimentou o prazer divino do homem que pela primeira vez se liberta da terra. O que monopolizava seu pensamento, irritava seus nervos e causava em seu ser uma excitação imensa era a visão, ainda impossível, mas inevitável, do automóvel perseguido.

Em todo o tremendo formigamento de coisas dominadas, no tumulto inesperado das asas e do motor, na imensidão do céu, no infinito do horizonte, seus olhos só buscavam isso e seus ouvidos não supunham outro som senão o zumbido do carro invisível. Sensações brutais e poderosas do caçador que força sua caça a correr! Ele era a ave de rapina da qual a pequena besta não pode escapar.

Nogent-le-Rotrou... La Ferté-Bernard... Le Mans...

Os dois companheiros não trocaram uma única palavra. À sua frente, Perenna via as costas largas e o pescoço robusto de Davanne. Mas, inclinando um pouco a cabeça, ele via embaixo o espaço sem limites, e nenhuma outra visão lhe interessava a não ser a linha branca da estrada que corria de cidade em cidade e de vilarejo em vilarejo, às vezes reta, como se esticada, e em outros momentos amolecida, flexível, quebrada por curvas de rio ou pelo obstáculo de uma igreja.

Nessa linha estavam, num lugar cada vez mais perto, Florence e o seu sequestrador!

Ele não tinha dúvidas! O carro cor-de-laranja continuava em seu esforço corajoso e paciente. Os quilômetros se somavam aos quilômetros, as planícies aos vales, os campos às florestas, e seria Angers, seria Ponts-de-Drive, e no fim daquela linha branca, um fim inacessível, Nantes, Saint-Nazaire, a partida do barco, a vitória do bandido...

Ele ria com essa ideia. Como se fosse permitido vislumbrar uma vitória diferente da sua, a vitória do falcão sobre sua presa, do que voa sobre o que anda! Nem por um segundo ele pensou que o inimigo tinha sido capaz de escapar por outra estrada. Há certezas que equivalem a fatos. E essa era tão forte que lhe parecia que os seus oponentes eram forçados a obedecê-la. O automóvel seguia a estrada para Nantes. Ele faria uma média de trinta quilômetros por hora. E como ele próprio estava indo à velocidade de cento e vinte quilômetros, o encontro aconteceria no ponto indicado, em Ponts-de-Drive, e na hora indicada, ao meio-dia.

Um amontoado de casas, a massa de um castelo, torres, flechas. Era Angers.

Dom Luís perguntou as horas a Davanne. Eram dez para o meio-dia.

Angers já era apenas uma visão longínqua. Novamente, o campo listrado com plantações multicoloridas. No meio de tudo isso, uma estrada.

E nessa estrada, um carro amarelo.

O carro amarelo! O carro do bandido! O carro que levava Florence Levasseur!

A alegria de dom Luís não se misturou a nenhuma surpresa. Ele sabia tão bem que isso iria acontecer!

Davanne se virou e gritou:

– Nós os encontramos, não é?

– Sim. Pra cima deles.

O avião desceu para o vazio e se aproximou do carro.

Quase imediatamente, ele o alcançou.

Então Davanne diminuiu a velocidade e ficou duzentos metros acima e um pouco atrás.

De lá eles puderam distinguir todos os detalhes. O condutor estava sentado à esquerda do banco. Ele usava um chapéu de tecido cinza com uma viseira de couro preta. Era de fato um carro da Companhia Comètes. Era exatamente o carro a ser perseguido. E Florence estava lá com o sequestrador.

"Finalmente", pensou dom Luís, "eu os encontrei!"

Voaram por bastante tempo, mantendo a mesma distância.

Davanne esperava um sinal que dom Luís não se apressou a dar, de tanto que ele aproveitava a situação, com uma violência feita de orgulho, ódio e crueldade, e com a sensação de seu poder. Ele era de fato a águia que paira e cujas garras pulsam antes de estreitar a carne ofegante. Fugindo da jaula onde tinha sido preso, libertado dos laços que o estrangulavam, batendo asas, ele veio lá de baixo e agora dominava sua presa indefesa!

Ele se levantou de seu assento e deu as instruções necessárias a Davanne.

– E, sobretudo – disse ele –, não se aproxime muito deles. Uma bala poderia nos tirar de combate.

Passou mais um minuto.

De repente eles viram que a estrada, a um quilômetro de distância, se dividida em três e, assim, formava um cruzamento muito amplo que se estendia por dois triângulos de grama no cruzamento dos três caminhos.

– Devo? – disse Davanne se virando.

O campo estava deserto nas proximidades

– Vá em frente – ordenou dom Luís.

Era possível dizer que o aeroplano de repente relaxava, como se puxado por uma força irresistível, e que essa força o enviava como um projétil na direção do objetivo pretendido. Ele passou cem metros acima do carro, e então, de repente, governando, escolhendo o lugar onde ele ia atingir o alvo, calmo, silencioso como um pássaro noturno, evitando as árvores e os postes, ele foi repousar sobre a grama do cruzamento.

Dom Luís saltou e correu para a frente do automóvel. Ele vinha a toda velocidade.

Ele fincou os pés na estrada e apontou seus dois revólveres enquanto proferia:

– Alto ou eu disparo!

Assustado, o condutor pisou nos freios. O carro parou.

Dom Luís saltou para uma das portinholas.

– Desgraçado! – ele gritou, soltando sem razão nenhuma um disparo que estourou o vidro.

Não havia mais ninguém dentro do automóvel.

"A ARMADILHA ESTÁ PRONTA. TOME CUIDADO, LUPIN"

O impulso que levava dom Luís à batalha e à vitória foi tão ardente que quase não sofreu, por assim dizer, uma parada. A decepção, a raiva, a humilhação, a angústia, tudo isso se fundiu em uma grande necessidade de agir, de saber e de não interromper a busca. Quanto ao resto, era apenas um incidente sem importância que se desvendaria da maneira mais simples do mundo.

O motorista, paralisado de medo, olhava com um olhar desconcertado para os camponeses que vieram de fazendas distantes, atraídos pelo barulho do aeroplano.

Dom Luís o agarrou pelo pescoço e colou o cano do revólver em sua têmpora.

– Conte tudo o que você sabe... ou você morre.

E como o infeliz gaguejava súplicas:

– Não é preciso gemer... Não é preciso esperar ajuda... As pessoas chegarão tarde demais. Então, só há uma maneira de você se salvar: falar.

Ontem à noite, em Versalhes, um cavalheiro vindo de Paris deixou o carro e alugou o seu, não foi?

– Sim.

– Esse cavalheiro estava acompanhado por uma senhora?

– Sim.

– E ele o contratou para levá-los a Nantes?

– Sim.

– Mas, no caminho, ele mudou de ideia e desembarcou?

– Sim.

– Em que cidade?

– Antes de chegarmos a Lans. Uma pequena estrada à direita, onde há, duzentos metros mais à frente, uma espécie de hangar, algo como um barracão. Ambos desceram lá.

– E você continuou?

– Ele me pagou para isso.

– Quanto?

– Dois mil francos. E eu deveria encontrar em Nantes um outro viajante que eu o levaria de volta para Paris, por três mil francos.

– Você acredita na existência desse viajante?

– Não. Acho que ele queria despistar as pessoas atraindo-as para mim até Nantes enquanto ele mudava de direção. Mas como eu fui pago…

– E quando você os deixou, não teve a curiosidade de ver o que estava acontecendo?

– Não.

– Tome cuidado. Um pequeno movimento do meu dedo indicador e seu cérebro vai pelos ares. Fale.

– Bem, sim. Voltei a pé, por trás de um talude de árvores. O homem tinha aberto o barracão e ligou uma pequena limusine. A senhora não queria subir e eles discutiram muito alto. Ele a ameaçava e implorava também. Mas não consegui ouvir. Ela parecia muito cansada. Ele lhe deu água, que pegou com um copo da torneira de uma fonte, do outro lado do barracão. Então ela se decidiu. Ele fechou a porta do lado dela e ocupou seu lugar no banco.

– Um copo d'água! – exclamou dom Luís. – Tem certeza de que ele não despejou nada naquele copo?

O motorista pareceu surpreso com a pergunta, e então respondeu:

– De fato, acho que ele tirou alguma coisa do bolso.

– Sem que a senhora percebesse?

– Sim, ela não conseguia vê-lo.

Dom Luís dominou seu pavor. Afinal de contas, não era possível que o bandido tivesse envenenado Florence dessa forma, nesse lugar, e sem que nada tivesse motivado tal precipitação. Não, era mais fácil supor o uso de um narcótico, de algum tipo de droga destinada a atordoar Florence e torná-la incapaz de discernir por que novas estradas e por que cidades ela seria conduzida.

– E depois – ele disse –, ela decidiu subir?

– Sim, e ele fechou a portinhola e se instalou no seu banco. E eu fui embora.

– Antes de saber a direção que eles tomaram?

– Sim, antes.

– Durante a viagem, você não ficou com a impressão de que eles pensavam que estavam sendo seguidos?

– De fato. A todo momento ele se debruçava para fora do carro.

– A senhora não gritava?

– Não.

– Você seria capaz de reconhecê-lo?

– Não, certamente não. Em Versalhes, era de noite. E, esta manhã, eu estava muito longe. E depois, é engraçado, da primeira vez ele me pareceu muito grande, e esta manhã, pelo contrário, muito pequeno, como se tivesse se partido ao meio. Não entendo patavina de tudo isso.

Dom Luís refletiu. Parecia-lhe que tinha feito todas as perguntas necessárias. Além disso, uma carroça estava chegando perto do cruzamento, a trote de cavalo. Outras duas vinham atrás. E os grupos de camponeses estavam próximos. Era preciso encerrar por ali.

Ele disse ao motorista:

– Vejo na sua cara que você vai falar contra mim. Não faça isso, camarada. Seria uma grande besteira. Tome uma nota de mil. Só que, se abrir o bico, eu acho você. A bom entendedor...

Ele se voltou na direção de Davanne, cujo avião estava começando a obstruir a circulação, e disse:

– Podemos ir?

– À sua disposição. Aonde vamos?

Indiferente às idas e vindas das pessoas que vinham de todos os lados, dom Luís desdobrou seu mapa da França e o estendeu diante dos olhos. Ele teve alguns segundos de ansiedade com a complicação das estradas emaranhadas e imaginando a infinidade de esconderijos para onde o bandido poderia levar Florence. Mas ele se retesou. Não queria hesitar. Ele nem queria pensar. Ele queria saber, e de uma vez, sem pistas, sem meditações vãs, apenas pela graça dessa maravilhosa intuição que o guiou nas horas mais importantes da vida.

E seu amor-próprio também exigia que ele respondesse sem demora a Davanne e que o desaparecimento daqueles que ele estava procurando não parecesse envergonhá-lo.

Com seus olhos colados ao mapa, ele colocou um dedo em Paris, outro dedo em Le Mans, e, mesmo antes de se perguntar claramente por que o bandido havia escolhido essa direção Paris-Le Mans-Angers, ele já sabia... Um nome de cidade lhe veio à mente e fez brotar a verdade como a chama de um relâmpago. Alençon! E imediatamente, iluminado por lembranças, ele mergulhou nas profundezas das trevas.

Ele retomou:

– Aonde vamos? Atrás de nós e à esquerda.

– Sem direção certa?

– Alençon.

– Entendido – disse Davanne. – Preciso de uma mãozinha. Há um campo de onde não será muito difícil decolar.

Dom Luís e algumas pessoas o ajudaram e os preparativos foram feitos rapidamente. Davanne verificou o motor. Tudo funcionava perfeitamente.

Neste momento, um poderoso torpedo, cuja sirene resmungava como uma besta rabugenta, surgiu da estrada para Angers e parou bruscamente.

Três homens desceram dele e correram na direção do condutor do automóvel amarelo. Dom Luís os reconheceu.

Era o subchefe Weber e os homens que o levaram ao Dépôt durante a noite, e que o comandante-geral tinha lançado no encalço do bandido.

Eles receberam do motorista do automóvel amarelo uma breve explicação que pareceu desconcertá-los e, enquanto gesticulavam e o pressionavam com novas perguntas, eles olhavam para seus relógios e consultavam os mapas das estradas.

Dom Luís se aproximou. Com a cabeça encapuzada e o rosto mascarado pelos óculos, ele estava irreconhecível. E, mudando sua voz:

– Os pássaros bateram asas e voaram, subchefe Weber.

Este o observou com um ar assustado. Dom Luís tripudiou:

– Sim, voaram. O tipo da Île Saint-Louis é um astuto a quem não falta morada, hein? O terceiro carro do cavalheiro. Depois do carro amarelo que foi notificado ontem à noite em Versalhes, ele pegou outro para Le Mans… destino desconhecido.

O subchefe arregalou os olhos. Quem era aquele personagem que citava fatos que só foram relatados ao telefone para a Chefatura da polícia, e às duas da manhã? Ele articulou:

– Quem é o senhor, afinal?

– Como! O senhor não me reconhece? É isso que acontece quando encontramos as pessoas… Fazemos todos os esforços para sermos claros e depois lhe perguntam quem você é. Vamos, Weber, admita que está de má vontade. Você por acaso precisa me contemplar em plena luz do dia? Vamos.

Ele retirou a máscara.

– Arsène Lupin! – o policial gaguejou.

– A seu dispor, meu jovem, a pé, a cavalo e pelos ares. Vou voltar. Adeus.

E o espanto de Weber foi tal quando ele viu diante dele, livre, a quatrocentos quilômetros de Paris, esse Arsène Lupin que ele havia conduzido ao Dépôt doze horas antes, que dom Luís, ao se juntar a Davanne, disse a si mesmo:

"Que desenvoltura! Em quatro sentenças bem aplicadas, seguidas de um gancho de estômago, eu o nocauteei. Não nos apressemos. Pelo menos trinta segundos passarão antes que ele possa gritar: 'mamãe'."

Davanne estava pronto. Dom Luís subiu no avião. Os camponeses empurravam as rodas. O aparelho decolou.

–Nor-nordeste – ordenou dom Luís. – Cento e cinquenta quilômetros por hora. Dez mil francos.

– O vento está contrário – disse Davanne.

– Cinco mil francos pelo vento – disse dom Luís.

Ele não admitia nenhum obstáculo, tamanha era sua pressa de chegar a Formigny. Ele agora entendia todo o caso, e, considerando até sua origem, estava surpreso com o fato de que a aproximação entre os dois enforcados no celeiro e a série de crimes despertados pela herança de Mornington nunca tivesse ocorrido em sua mente. Além disso, como é que ele não tinha aprendido com o provável assassinato do senhor Langernault, um velho amigo do engenheiro Fauville, todas as lições que esse assassinato oferecia? O cerne da sinistra trama estava ali. Quem, então, tinha sido capaz de interceptar, em nome do engenheiro Fauville, as cartas de acusação que o engenheiro Fauville supostamente escrevia ao seu velho amigo Langernault? Quem, senão alguém de um vilarejo ou que pelo menos tenha morado nele?

E então tudo se explicava. Era o bandido que, outrora, debutando no crime, tinha matado o senhor Langernault e depois o casal Dedessuslamare. O mesmo procedimento depois: nada de assassinato direto, mas assassinato anônimo.

Como o americano Mornington, como o engenheiro Fauville, como Marie-Anne, como Gaston Sauverand, o senhor Langernault tinha sido liquidado sorrateiramente, e o casal Dedessuslamare forçado ao suicídio e levado para o celeiro.

E foi então que o tigre veio para Paris onde, mais tarde, ele encontraria o engenheiro Fauville e Cosmo Mornington e combinaria o trágico caso da herança.

E era para lá que ele regressava!

Sobre o regresso, nenhuma dúvida. Em primeiro lugar, o fato de ter administrado um narcótico em Florence era uma prova incontestável. Não era então necessário entorpecer Florence para que ela não reconhecesse as paisagens de Alençon e Formigny, e também o velho castelo que ela havia explorado com Gaston Sauverand! Por outro lado, a direção Le Mans-Angers-Nantes, destinada a colocar a polícia sob uma falsa pista, força qualquer um que vai para Alençon de carro a fazer um desvio de uma hora ou duas, no máximo, se ele bifurca em Le Mans. E, finalmente, esse galpão localizado perto de uma grande cidade, essa limusine sempre a postos, abastecida com combustível, tudo isso não demonstrava que o bandido, quando queria ir para o seu covil, tomava a precaução de parar em Le Mans para depois seguir em sua limusine até a propriedade abandonada do senhor Langernault? Então, naquele dia, às dez da manhã, ele chegou ao seu covil. *E chegou com Florence Levasseur, adormecida e inanimada.*

E surgiu a questão assombrosa e terrível: O que ele queria fazer com Florence Levasseur?

– Mais rápido! Mais rápido! – gritava dom Luís.

Desde que ele tomara conhecimento do esconderijo do bandido, os projetos desse homem lhe apareciam com uma clareza assustadora. Sentindo-se perseguido, perdido, objeto de ódio e terror por Florence agora que os olhos da jovem se tinham aberto à realidade, que plano poderia ele propor, senão, como sempre, o de um assassinato?

– Mais rápido! – gritava dom Luís. – Não estamos avançando. Mais depressa, então!

Florence assassinada! Talvez o plano ainda não tenha sido executado. Não, ainda não. Leva-se tempo para matar. Isso é precedido de palavras, de um acordo que é oferecido, de ameaças, de orações, de toda uma encenação inominável. Mas a coisa estava sendo preparada. Florence ia morrer!

Florence ia morrer nas mãos do bandido que a amava.

Porque ele a amava, dom Luís tinha a intuição desse amor monstruoso, e como então acreditar que tal amor terminaria de outra forma que não fosse a tortura e o sangue?

Sablé... Sillé-le-Guillaume...

A terra desaparecia abaixo deles. Cidades e casas deslizavam como sombras.

E chegaram em Alençon.

Era pouco mais de uma e meia quando aterrissaram num prado entre a cidade e Formigny. Dom Luís se informou. Vários carros tinham passado na estrada para Formigny, entre outros uma pequena limusine, guiada por um cavalheiro, que tinha entrado em uma rua perpendicular.

Esse caminho perpendicular levava à floresta atrás do Vieux-Château do senhor Langernault.

A convicção de dom Luís era tamanha que, depois de se despedir de Davanne, ele o ajudou a retomar seu voo. Já não precisava dele. Ele não precisava de ninguém. O duelo final começava.

E, enquanto corria, guiado pela marca dos pneus na poeira, ele seguiu pela estradinha perpendicular. Para sua grande surpresa, esse caminho não se aproximava dos muros de trás da Grange-aux-Pendus, do topo dos quais ele tinha saltado algumas semanas antes. Depois de atravessar o bosque, dom Luís desembocou em um vasto terreno não cultivado, onde o caminho fazia uma curva para retornar à propriedade e terminar em frente a uma velha porta com duplo batente, reforçada com placas e barras de ferro.

A limusine tinha passado por ali.

"E eu tenho que passar também", pensou dom Luís, "a qualquer custo, e imediatamente, sem perder meu tempo descobrindo uma brecha ou uma árvore adequada."

O muro tinha, nesta parte, quatro metros de altura. Dom Luís passou. Como? Com que esforço prodigioso?

Ele mesmo não saberia dizer depois de ter realizado sua façanha. Fato é que, agarrado a asperezas invisíveis, plantando nos buracos das pedras uma faca que Davanne lhe emprestou, ele passou.

E, quando estava do outro lado, ele encontrou os vestígios dos pneus que seguiam para a esquerda, para uma área do parque que ele ignorava, mais acidentada, repleta de montículos e de construções em ruínas sobre as quais se estendiam espessas camadas de hera.

E, por mais abandonado que estivesse o resto do parque, essa região parecia muito mais bárbara, embora, no meio das urtigas e das sarças, entre a exuberante vegetação de grandes flores selvagens, abundassem valerianas, verbascos, cicutas, dedaleiras, angélicas e, em trechos e brotando de forma aleatória, sebes de loureiros e muralhas de buxos.

E, de repente, na curva de uma antiga alameda arborizada, dom Luís Perenna viu a limusine que tinha sido deixada, ou melhor, escondida lá, em uma cavidade. A portinhola estava aberta. A bagunça do interior, o tapete pendurado no estribo, uma das janelas quebradas, um dos assentos deslocado, tudo atestava que havia acontecido uma luta entre Florence e o bandido. Este provavelmente tinha se aproveitado do fato de que a jovem estava dormindo para amarrá-la, e na chegada, quando ele tentou tirá-la da limusine, Florence tinha se agarrado aos objetos.

Dom Luís logo confirmou a precisão de sua hipótese. Seguindo por um caminho muito estreito, coberto de grama, que começava na encosta dos montículos, ele viu que a grama tinha sido pisoteada sem interrupção.

"Ah! O miserável!", ele pensou. "O miserável não carrega sua vítima, ele a arrasta."

Se tivesse ouvido apenas o seu instinto, teria saltado em auxílio de Florence. Mas o profundo senso do que fazer e o que evitar o impediu de cometer tal imprudência. Ao menor aviso, ao menor barulho, o tigre teria degolado sua presa. Para evitar coisa tão horrível, dom Luís teria que surpreendê-lo e deixá-lo fora de ação já no primeiro golpe.

Então ele se controlou e, lentamente, com as precauções necessárias, subiu.

A trilha surgiu entre pilhas de pedras e construções desmoronadas, e entre densos arbustos dominados por faias e carvalhos. Essa era obviamente a localização do velho castelo feudal que tinha dado nome à propriedade, e era lá, perto do topo, que o bandido tinha escolhido um de seus esconderijos. A pista continuava, de fato, pela relva baixa, e dom Luís até notou algo brilhando no chão, em cima de um tufo. Era um anel, um anel muito pequeno, muito simples, formado por um arco de ouro e duas pequenas pérolas, que ele tinha muitas vezes notado no dedo de Florence. E o que lhe chamou a atenção foi que uma graminha passava, repassava e passava uma terceira vez por dentro do anel, como uma fita que tinha sido voluntariamente enrolada nele.

"O sinal é claro", pensou Perenna. "Muito provavelmente o bandido parou aqui para descansar e Florence, amarrada, mas ainda com os dedos livres, conseguiu deixar esta prova de sua passagem."

Então a jovem ainda tinha esperança. Ela aguardava por socorro. E dom Luís pensou com emoção que talvez fosse a ele que ela dirigia esse apelo supremo.

A cinquenta passos de distância – e esse detalhe testemunhava a estranha fadiga que o bandido sentia –, outra paragem e, segunda pista, uma flor, uma salva do prado, que a pobre mão tinha colhido e cujas pétalas tinha arrancado. Em seguida, as marcas dos cinco dedos afundados na terra, depois uma cruz feita com a ajuda de uma pedra. E assim se podia seguir, minuto a minuto, todas as etapas do terrível calvário.

A última estação se aproximava. O aclive ficava mais íngreme. As pedras desmoronadas se impunham como obstáculos mais frequentes. À direita, duas arcadas góticas, remanescentes de uma capela, perfilavam-se sobre o céu azul. À esquerda, um lado do muro tinha o pano de uma chaminé.

Vinte passos ainda. Dom Luís parou. Ele pensou ter ouvido um barulho.

Escutou. Não estava enganado. O barulho recomeçou, e era um som de riso, mas de um riso assustador! Um riso estridente, mau como o riso de um demônio, e muito agudo! Um riso de mulher, um riso louco...

Silêncio outra vez. Em seguida, outro ruído, o som de um instrumento batendo no chão. E o silêncio outra vez...

E isso acontecia a uma distância que dom Luís poderia deduzir em cem metros.

A trilha terminava em três degraus esculpidos na terra. Acima estava um planalto muito vasto, também forrado de escombros e ruínas, e onde havia, em frente e no centro, uma cortina de enormes loureiros plantados em um semicírculo para o qual se dirigiam as marcas de grama pisada.

Bastante espantado, porque a cortina se apresentava com contornos impenetráveis, dom Luís deu um passo à frente e pôde ver que antigamente havia ali um corte, e que os ramos tinham acabado por se unir.

Era fácil afastá-los. Era assim que o bandido tinha passado, e aparentemente ele estava lá, no final de sua corrida, a uma distância muito pequena e ocupado com alguma tarefa sinistra.

De fato, um riso rasgou o ar, tão perto que dom Luís sentiu um arrepio de medo e parecia-lhe que o bandido estava zombando de sua intervenção com antecedência. Ele se lembrou da carta e das palavras escritas com tinta vermelha:

Ainda está em tempo, Lupin. Retire-se da batalha. Caso contrário, você também encontrará a morte. Quando acreditar que atingiu seu objetivo, quando sua mão se levantar sobre mim e você gritar palavras de vitória, então o abismo irá se abrir sob seus pés. O local da sua morte já foi escolhido. A armadilha está pronta. Tome cuidado, Lupin.

Toda a carta desfilou por seu cérebro, ameaçadora, temível. E ele sentiu o arrepio do medo.

Mas o medo poderia conter tal homem? Com as duas mãos, ele tinha agarrado os ramos e, lentamente, todo seu corpo abria passagem.

Ele parou. Uma última muralha de folhas o escondia. Ele afastou algumas da altura dos olhos.

E ele viu.

Em primeiro lugar, o que ele viu foi Florence, sozinha neste momento, estendida, amarrada trinta metros diante dele, e, como ele imediatamente percebeu, por certos movimentos de sua cabeça, que ela ainda estava viva, sentiu uma imensa alegria. Ele tinha chegado a tempo. Florence não estava morta. Florence não morreria. Esse era um fato definitivo contra o qual nada poderia prevalecer. Florence não morreria.

Então ele examinou todas as coisas.

À direita e à esquerda dele, a cortina de loureiros se curvava e abraçava uma espécie de arena onde, entre teixos outrora podados em forma de cone, jaziam capitéis, colunas, troços de arcos e abóbadas visivelmente colocados lá para enfeitar a espécie de jardim com linhas regulares que haviam organizado sobre as ruínas da antiga masmorra. No meio de uma pequena rotatória que podia ser acessada por dois caminhos estreitos, um deles apresentava os mesmos traços de pegadas na grama e continuava o que dom Luís tinha tomado; o outro cortava em ângulos retos e juntava as duas extremidades da cortina de arbustos.

Em frente, um caos de pedras desmoronadas e rochas naturais, cimentadas com argila, conectadas pelas raízes de árvores tortuosas, tudo isso formando no fundo do quadro uma pequena gruta sem profundidade, cheia de rachaduras através das quais o dia penetrava e cujo solo, que dom Luís vislumbrava facilmente, estava coberto com três ou quatro ladrilhos.

Debaixo dessa gruta estava Florence Levasseur, estendida, amarrada.

Ela parecia realmente uma vítima dedicada ao sacrifício e preparada para uma cerimônia misteriosa que aconteceria no altar da gruta, no anfiteatro desse velho jardim que fechava o recinto dos grandes loureiros e dominava um monte de ruínas centenárias.

Apesar da distância, dom Luís pôde discernir, em todos os detalhes, sua figura pálida. Embora convulsiva pela angústia, ela ainda mantinha a serenidade, uma expressão de expectativa, até mesmo de esperança, como se ainda não tivesse renunciado à vida e acreditasse, até o último instante, na possibilidade de um milagre.

No entanto, apesar de não estar amordaçada, ela não gritava por ajuda. Será que pensava que seria inútil e que os gritos, que o bandido abafaria rapidamente, de nada serviriam para que alguém chegasse até ela, percorrendo o caminho que ela havia semeado com marcas de sua passagem? Estranhamente, parecia a dom Luís que os olhos da jovem estavam teimosamente fixados no exato ponto onde ele se escondia. Talvez ela tivesse adivinhado a presença dele. Talvez tivesse previsto sua intervenção.

De repente dom Luís pegou um de seus revólveres e levantou um pouco o braço, prestes a mirar no inimigo. Não muito longe do altar onde estava a vítima, o sacrificador, o carrasco, tinha acabado de surgir.

Ele surgiu entre duas rochas, cuja abertura estava coberta por um arbusto espinhento, e que sem dúvida oferecia apenas uma passagem muito baixa, pois ele ainda caminhava como se estivesse curvado, a cabeça inclinada e os dois braços, muito longos, chegando ao chão.

Ele se aproximou da gruta e lançou seu riso abominável.

– Você ainda está aqui – disse ele. – O salvador não veio? Um pouco tarde, Messias… Ele precisa se apressar!

O timbre de sua voz era tão agudo que dom Luís ouviu todas as palavras. E a figura era tão estranha, tão pouco humana, que ele sentiu um verdadeiro desconforto. Ele apertou bem a arma. Ao menor gesto equívoco, ele dispararia.

– Que ele venha depressa! – repetiu o bandido, rindo. – Caso contrário, dentro de cinco minutos, tudo estará terminado. Vê que sou um homem metódico, não vê, minha Florence adorada?

Ele apanhou alguma coisa no chão. Era um bastão em forma de muleta. Ele o encaixou sob o braço esquerdo, apoiou-se sobre ele e, curvado ao meio, começou a andar novamente como alguém que não tem forças para se manter de pé. Então, de repente, e sem razão aparente para explicar essa mudança de atitude, ele se levantou e usou a muleta como uma bengala. Em seguida, deu a volta por fora da gruta, fazendo um exame atento cujo significado dom Luís ignorava.

Portanto, ele era alto, e dom Luís compreendeu rapidamente por que o motorista do automóvel amarelo, tendo-o visto sob dois aspectos tão diferentes, não conseguia dizer com certeza se ele era muito alto ou muito baixo.

Mas suas pernas, frágeis e flexíveis, vacilavam, como se ele não fosse capaz de fazer um esforço prolongado. Ele caiu.

Era então um aleijado, sofrendo de alguma doença de locomoção, um raquítico excessivamente magro. Além disso, dom Luís podia ver seu rosto pálido, suas bochechas ossudas, o oco de suas têmporas, sua pele da cor do pergaminho – um rosto de tísico no qual o sangue não circulava.

Quando terminou seu exame, o homem se aproximou de Florence e disse:

– Mesmo que você esteja comportada, ainda que não tenha gritado, é melhor eu tomar as precauções necessárias e evitar qualquer surpresa colocando uma mordaça confortável em você, não é mesmo?

Ele se inclinou sobre a garota e tapou a parte de baixo do seu rosto com um lenço largo; então, inclinando-se um pouco mais, começou a falar com ela muito baixo, quase ao pé do ouvido. Mas gargalhadas confusas quebravam esse sussurro e era terrível ouvir isso.

Dom Luís, sentindo a iminência do perigo, temendo algum gesto do miserável, um assassinato repentino, o choque repentino de uma picada de agulha envenenada, tinha apontado seu revólver e, confiante em sua mira, esperava.

O que acontecia ali? Que palavras eram ditas? Que negociação infame o bandido propunha a Florence Levasseur? A que preço indecoroso ela poderia se libertar?

Violentamente, o aleijado recuou gritando com um tom de raiva:

– Mas você não percebe que está perdida? Agora que não tenho mais nada a temer, agora que você foi burra o suficiente para me acompanhar e ficar do meu lado, o que você espera? Vejamos, o que, me acalmar, talvez? Porque a paixão me queima, você deve imaginar... Ah! Ah! Como você se engana, minha menina! Eu me preocupo com a sua morte como com a de uma maçã... Depois de morta, você não significará mais nada para mim. E então? Talvez você imagine que, como tenho uma deficiência, não terei forças para lhe matar? Matá-la, mas não se trata disso, Florence!

Por acaso eu já matei alguém? Nunca na vida! Sou covarde demais para matar, eu teria medo, eu tremeria... Não, não, não tocarei em você, Florence, e mesmo assim... Veja, vou dizer do que se trata... Você vai entender... Ah! É que a coisa está combinada como eu sei fazer... E, sobretudo, não tenha medo, Florence. Este é apenas um primeiro aviso...

Ele havia se distanciado e, com a ajuda de suas mãos, agarrado aos ramos de uma árvore, subiu, à direita, os primeiros degraus da gruta. Ali ele se ajoelhou. Havia uma pequena picareta perto dele. Ele a levantou e bateu três vezes em um amontoado de pedras. Houve um desmoronamento.

Dom Luís saltou para fora do esconderijo com um grito de medo. De repente ele compreendeu. A gruta, o caos dos escombros, as massas de granito, tudo isso se encontrava em tal posição que o equilíbrio poderia ser rompido de repente, e Florence corria o risco de ser esmagada sob os escombros. Então não era o bandido que tinha de ser abatido, mas Florence que precisava ser salva imediatamente.

Em dois ou três segundos, ele chegou na metade do percurso. Mas ali, naquele clarão de mente que é ainda mais rápido do que a corrida mais louca, ele teve a visão de que os vestígios de grama pisada não atravessaram a pequena rotatória central e que o bandido tinha contornado essa rotatória. Por quê? São essas questões que o instinto desconfiado levanta, mas que a razão não tem tempo para responder.

Dom Luís continuou. Ele não tinha posto os pés no lugar onde o desastre ocorreu.

Tudo foi incrivelmente brutal, como se ele tivesse tentado pisar no vazio e se precipitado nele. O chão se arruinava sob seus pés. Os ramos das ervas se separaram e ele caiu.

Caiu em um buraco que não era nada mais do que a abertura de um poço que não tinha mais de um metro e meio de largura e cuja borda tinha sido raspada no próprio nível do chão. Mas aconteceu o seguinte: como ele corria em um ritmo muito acelerado, seu próprio impulso o projetou contra a parede oposta, de modo que seus antebraços se apoiaram na borda externa e suas mãos se agarraram às raízes das plantas.

Talvez ele pudesse, tamanho era o seu vigor, ter se mantido com a força dos pulsos. Mas, imediatamente, respondendo ao ataque, o bandido apressou-se a vir ao encontro do agressor e, agora, a dez passos de dom Luís, ele o ameaçava com seu revólver.

– Não se mexa – gritou ele –, ou eu acabo com você.

Dom Luís se encontrava então reduzido à impotência, sob pena de suportar o fogo do inimigo.

Os olhares deles se encontraram por alguns segundos. Os olhos do aleijado ardiam em febre. Eram olhos de um doente.

Enquanto rastejava, atento aos menores movimentos de dom Luís, ele veio se agachar ao lado do poço. O braço estendido apontava a arma e o seu riso infernal voltava a jorrar:

"Lupin! Lupin! Lupin! Finalmente! A ruína de Lupin! Ah, mas você deve ser muito idiota! Todavia, eu avisei. Avisei com tinta de sangue. Lembre-se… *"O local da sua morte já foi escolhido. A armadilha está pronta. Tome cuidado, Lupin."* E aqui está você! Então não está na prisão? Você se safou de mais essa? Seu malandro… Ainda bem que eu previ esse risco e tomei minhas precauções, hein? O que achou do estratagema? Pensei comigo: "Toda a polícia vai ficar no meu encalço. Mas só há um que está à altura de me apanhar, só um, Lupin. Então, mostremos a ele o caminho, vamos guiá-lo como se usasse uma coleira por um pequeno caminho desenhado pelo corpo da vítima…" "E então, pontos de referência habilmente semeados aqui e ali... Aqui, o anel da donzela enrolado em uma graminha, mais à frente, uma flor retalhada, um pouco mais longe, a marca de cinco dedos afundados na terra, em seguida, o sinal da cruz... Nenhuma chance de se enganar, hein? Enquanto você achava que eu era estúpido o suficiente para dar a Florence a oportunidade de brincar de o *Pequeno Polegar*, isso o levava diretamente para a boca do poço, para os ramos de ervas que eu usei para revesti-la, no mês passado, antecipando esta oportunidade. Lembre-se... *a armadilha está pronta*... E uma armadilha à minha maneira, Lupin, da melhor safra. Ah! É que o meu prazer é me livrar das pessoas com a ajuda e boa vontade delas. Colaboramos como bons camaradas. Já percebeu a situação, não é? Não ajo sozinho. São eles que fazem tudo, que se enforcam ou não se importam com picadas mal-dadas... a menos que eles prefiram a boca de um poço, como você, Arsène Lupin! Ah! Meu pobre velhote, em que miséria de situação você se meteu? Não, mas que cara é essa! Florence, veja a cara do seu amado!"

Ele se interrompeu, abalado por um ataque de riso que sacudia seu braço estendido, dava à sua figura a expressão mais bárbara e fazia suas pernas dançarem sob seu tronco como as pernas de um fantoche desarticulado. Na frente dele, o adversário estava enfraquecendo. O esforço se tornava cada vez mais desesperado e cada vez mais inútil. Os dedos, agarrados primeiro às raízes das ervas, se contraíam em vão nas pedras da parede. E os ombros afundavam pouco a pouco.

– Aqui estamos nós – balbuciou o bandido com contorções de alegria. – Deus! Como é bom rir! Especialmente quando nunca rimos... Mas não, eu sou sinistro, sou um homem de funerais! Não é verdade, minha Florence, que você nunca me viu rir? Mas também, é que desta vez é muito engraçado... Lupin em seu buraco e Florence em sua gruta. Um se agitando sobre o abismo e o outro resmungando sob sua montanha. Que espetáculo! Vamos, Lupin, não se canse desse jeito... Por que tanto fingimento? Tem medo da eternidade? Um homem honesto como você! O Dom Quixote dos tempos modernos! Vamos, permita-se descer... Não há sequer água no poço onde você poderia chafurdar... Não, é o deslizamento rumo ao desconhecido... Não ouvimos nem a queda dos seixos que atiramos para dentro dele, e há pouco atirei um papel em chamas, mas ele se perdeu na escuridão. *Brr!* Me deu até um frio na espinha. Vamos, coragem. É apenas um momento a passar, e você já viveu muitos outros! Bravo! Está quase lá. Você está tomando partido. Ah, Lupin, Lupin!

"Como! Não vai me dizer adeus? Nem um sorriso, nem um agradecimento? Adeus, Lupin, adeus..."

Ele se calou. Estava esperando o terrível resultado que ele havia preparado com imensa genialidade, e todas as fases se desenrolaram de acordo com sua inflexível vontade.

Aliás, não demorou muito. Os ombros tinham se afundado. O queixo, e então a boca convulsionada por um sorriso de agonia, e depois os olhos, embriagados de terror, depois a testa, os cabelos, e toda a cabeça, enfim, a cabeça toda tinha desaparecido.

O aleijado olhava com um olhar de perdição, como se em êxtase, imóvel, com uma expressão de volúpia selvagem e sem dizer uma palavra que pudesse perturbar o silêncio e suspender o seu ódio.

À beira do abismo, tudo o que restava eram as mãos, as mãos tenazes, obstinadas, ferozes, inveteradas, as pobres mãos impotentes que ainda eram as únicas a viver e que, pouco a pouco, batiam em retirada com a morte, cediam, recuavam e desistiam.

E as mãos escorregaram. Por um momento, os dedos se prenderam como garras. Parecia mesmo, tão sobrenatural era seu esforço, que eles não desesperavam em trazer à luz e ressuscitar o cadáver já enterrado nas sombras. E depois, por sua vez, eles cansaram. E depois, depois, de repente, não se viu mais nada, não se ouviu mais nada...

O enfermo sobressaltou, como se relaxado, e, uivando de alegria:

– *Puf!* Finalmente! Lupin nas profundezas do inferno... É uma história terminada... *Pif! Paf! Puf!*

Voltando-se para Florence, ele dançou sua dança macabra novamente. Ele se endireitou e se agachou de repente, brincando com suas pernas como se fossem os farrapos grotescos de um espantalho. E ele cantava e assobiava e vomitava insultos e blasfemava de forma abominável.

Em seguida ele voltou para o buraco escancarado, e, de longe, como se com medo de se aproximar novamente, cuspiu dentro dele três vezes.

Isso não foi suficiente para o seu ódio. Havia detritos de estátuas no chão. Ele agarrou uma cabeça, rolou-a sobre a relva e a atirou no vazio. E a alguma distância havia massas de ferro, velhas bolas de canhão cor de ferrugem. Ele também as rolou até a borda e as empurrou. Cinco, dez, quinze bolas tombaram, seguindo-se uma à outra, e bateram uma na outra e nas paredes com um barulho sinistro que o eco multiplicava, como os barulhos furiosos do trovão que se distancia.

– Toma, pega essa, Lupin! Ah, você já me incomodou o suficiente, seu canalha! Você enche meu caminho de obstáculos por causa dessa herança desgraçada! Toma, pega mais essa... e essa... Se você estiver com fome, aqui está algo para beliscar... Quer mais? Tome, coma, meu velho.

Ele vacilou, tomado por uma espécie de vertigem, e teve de se agachar. Estava ficando sem forças. No entanto, erguido por uma convulsão suprema, ele ainda teve energia suficiente para se ajoelhar diante do abismo e, inclinado para a escuridão, disse com a voz ofegante:

– Ora! Veja só, o cadáver não foi bater imediatamente na porta do inferno... A pequena vai se juntar a você em vinte minutos... Isso mesmo, às quatro horas... Você sabe que eu sou o homem da precisão... e do minuto exato... Às quatro horas ela chegará ao encontro... Ah! Eu já estava esquecendo... A herança, sabe... os duzentos milhões de Mornington. Pois bem! Vou embolsá-los. Mas sim... Você bem imagina que tomei todas as minhas precauções, certo? Florence explicará isso a você mais tarde... Foi tudo muito bem concebido... você vai ver... você vai ver...

Ele não conseguia mais falar. As últimas sílabas mais pareciam soluços. O suor escorria do cabelo e da testa, e ele desfalecia, gemendo, como um moribundo torturado pelos tormentos da agonia.

Ficou assim uns minutos, com a cabeça apoiada nas mãos e tremendo. Ele parecia sofrer até as profundezas de seu interior, em cada um de seus músculos retorcidos pela doença, em cada um de seus nervos desequilibrados. Então, sob a influência de um pensamento que parecia fazê-lo agir inconscientemente, uma de suas mãos deslizou em sacudidelas ao longo do corpo e, tateando, com crepitações de dor, ele conseguiu puxar do bolso e levar à boca um frasco de que ele avidamente bebeu dois ou três goles.

Quase de imediato ele se reanimou, como se tivesse absorvido calor e força. Seus olhos se tranquilizaram e sua boca esboçou um sorriso assustador. Ele disse, voltando-se para Florence:

– Não se alegre, pequena, ainda não é desta vez, e certamente terei tempo para cuidar de você. E depois disso, fim das chateações, dos truques e das batalhas que me estafam. A tranquilidade absoluta! A vida fácil! Mas que diabo, com duzentos milhões podemos nos mimar, não podemos, menina? Vamos, vamos, é muito melhor.

O SEGREDO DE FLORENCE

Chegou o momento em que a segunda parte do drama ia acontecer. Depois do suplício de dom Luís Perenna, era a vez do suplício de Florence. Carrasco monstruoso, o enfermo passava de um para o outro, sem mais misericórdia do que se tivesse abatido uma fera no matadouro.

Ainda exaurido, ele se arrastou até a jovem e, depois de pegar, em um estojo de metal polido, um cigarro que logo acendeu, ele disse a ela com um requinte de crueldade:

– Quando este cigarro for completamente consumido, Florence, será a sua vez. Não tire os olhos dele. Estes são os últimos minutos da sua vida que vão partir como cinzas. Não tire os olhos dele e reflita. Florence, você tem que entender isto: A pilha de pedras e rochas que estão sobre a sua cabeça sempre foi considerada por todos os proprietários deste local, e em particular pelo velho Langernault, como fadada a colapsar cedo ou tarde... E eu, eu mesmo, durante anos, com incansável paciência e sob a hipótese de uma ocasião propícia, me diverti a desfazê-la ainda mais, a miná-la com o auxílio das águas da chuva, enfim, a trabalhar de tal forma que, hoje, com toda franqueza, eu mesmo não entendo como tudo isso pode ainda se manter em equilíbrio. Ou melhor, eu entendo sim. O golpe de picareta que dei há pouco foi só um aviso. Mas basta que eu dê outro, no lugar certo, e que eu acerte um pequeno tijolo que está preso entre dois blocos para que a edificação desmorone como um castelo de cartas. Um pequeno tijolo, Florence, você ouviu, um tijolinho de nada, que por acaso escorregar entre os dois blocos que o sustentaram até agora. O tijolo salta, os dois blocos caem, e vrá, é a catástrofe.

Ele tomou fôlego e continuou:

– Depois? Depois disso, eis o que acontece, Florence. Ou o colapso acontecerá de tal forma que nem sequer poderão ver o seu cadáver – se alguma vez tiverem a ideia de vir buscá-la aqui –, ou de tal forma que seu cadáver será apenas parcialmente visível – caso em que eu me apressaria a cortar e fazer desaparecer os laços que o prendem. E então, o que as investigações irão supor? Que Florence Levasseur, perseguida pela justiça, escondeu-se numa gruta que desabou sobre ela. E ponto-final. Alguns *de profundis* pela imprudência, e não se fala mais nela. Quanto a mim… Quanto a mim, meu trabalho estando concluído, minha bem-amada morta, faço as malas, apago cuidadosamente todos os vestígios da minha passagem por aqui, ajeito toda a grama pisoteada, recupero meu automóvel, finjo de morto por um tempo, e depois, pimba, reviravolta, reivindico os duzentos milhões.

Ele soltou um riso de escárnio, deu duas ou três tragadas em seu cigarro e acrescentou pacificamente:

– Reivindico os duzentos milhões e os obtenho. Essa é a parte mais chique. Reivindico porque tenho direito a eles e já expliquei há pouco, antes da intrusão de senhor Lupin, como, desde o primeiro segundo da sua morte, tenho o direito mais legal e irrefutável a eles. E eu fico com eles porque é humanamente impossível levantar qualquer tipo de prova contra mim. Nem um fardo que me atinja. Suspeitas, sim, presunções morais, pistas, indícios, o que quiser, mas nenhuma prova material. Ninguém me conhece. Um me viu grande, o outro, pequeno. Meu nome é ignorado. Todos os meus crimes são anônimos. Todos os meus crimes são suicídios ou podem ser explicados como suicídios. Estou dizendo, a justiça é impotente. Lupin morto, Florence Levasseur morta, ninguém no mundo pode testemunhar contra mim. No caso de ser preso, terei de ser libertado com a absolvição definitiva. Serei definhado, execrado, odiado, difamado, amaldiçoado como os maiores malfeitores. Mas terei os duzentos milhões, e com isso, minha pequena, a amizade de muitas pessoas honestas! Repito, você e Lupin mortos, está acabado. Não há mais nada, mais nada além de alguns papéis e de alguns pequenos objetos que eu tive a fraqueza de guardar até agora nesta carteira, e que seriam suficientes para que cortassem minha garganta se eu não tivesse o plano de queimá-los um por um e de jogar as cinzas no fundo do poço. Então, Florence, como você pode ver, todas as precauções foram tomadas. Você não precisa esperar nem por compaixão de um lado – pois a sua morte representa para mim duzentos milhões –, nem por ajuda do outro lado, pois ninguém sabe que eu a trouxe aqui e Arsène Lupin já não existe mais. Nestas condições, escolha, Florence. O desfecho do drama está em suas mãos: ou a sua morte, que é certa, inevitável, ou... ou a aceitação do meu amor. Responda sim ou não. Um aceno da sua cabeça decidirá o seu destino. Se é não, você morre. Se é sim, eu solto você, nós vamos embora, e mais tarde, quando sua inocência for reconhecida – e eu trato disso! – você se torna minha esposa. É sim, Florence?

Ele a interrogava com verdadeira ansiedade e uma fúria contida fazia sua voz tremer. Seus joelhos se arrastavam sobre os ladrilhos. Ele suplicava e ameaçava, ansioso para ser atendido e quase desejoso por uma recusa de tanto que sua natureza o impulsionava para o crime.

– É um sim, Florence? Um aceno de cabeça, por mais discreto que seja, e eu vou acreditar em você cegamente, pois você é alguém que nunca mente e sua promessa é sagrada. É sim, Florence? Ah! Florence, responda...

É loucura hesitar! A sua vida depende de um sobressalto da minha ira... Responda! Veja, o meu cigarro está apagado... Vou jogá-lo fora, Florence... Um aceno com a cabeça... É sim? É não?

Ele se inclinou sobre ela e a sacudiu pelos ombros como se quisesse compeli-la ao sinal que lhe exigia, mas, de repente, tomado por uma espécie de frenesi, ele se levantou gritando:

– Ela chora! Ela chora! Ela se atreve a chorar! Mas, infeliz, acha que não sei por que está chorando? Eu conheço seu segredo, minha pequena, e sei que suas lágrimas não vêm do seu medo de morrer. Você? Ora, mas você não tem medo de nada! Não, é outra coisa. Quer que eu diga qual é o seu segredo? Mas não, não posso... não posso... as palavras me queimam os lábios. Oh, mulher maldita! Ah, terá sido por sua vontade, Florence, é você quem quer morrer já que chora! É você mesma quem quer morrer...

Enquanto falava, ele se apressou em agir e preparar a terrível coisa. A carteira de couro marrom que continha os papéis, e que ele tinha mostrado a Florence, estava no chão, ele a embolsou. Então, ainda tremendo, ele tirou o casaco, jogou-o em um arbusto próximo e, em seguida, pegou a picareta e subiu nas pedras mais baixas. E ele esperneava de raiva. E ele vociferava:

– Foi você quem quis morrer, Florence. Nada pode impedir você de morrer agora... Nem consigo ver mais o sinal da sua cabeça... Tarde demais! Você quis assim... Azar seu... Ah! Você chora! Você ousa chorar! Que loucura!

Ele estava quase em cima da gruta, à direita. Seu ódio o ergueu. Medonho, hediondo, atroz, os olhos vermelhos de sangue, ele introduziu o ferro da picareta entre os dois blocos onde o tijolo estava preso. Depois, ficando de lado, bem protegido, deu um primeiro golpe no tijolo, depois mais um. No terceiro, o tijolo saltou.

O que aconteceu foi tão abrupto que a pirâmide de escombros e pedras entrou em colapso com tamanha violência no vazio da gruta e na frente dela que o próprio aleijado, apesar de suas precauções, foi arrastado pela avalanche e lançado na grama. Uma queda sem gravidade e da qual ele imediatamente se levantou balbuciando:

– Florence! Florence!

A catástrofe, que ele tinha tão meticulosamente preparado e tão ferozmente provocado, parecia de repente perturbá-lo com seus resultados. Com um olhar assustado, ele procurava pela jovem. Ele se abaixou, rastejou em torno do caos envolto por uma poeira espessa. Olhou nos interstícios e não viu nada.

Florence estava enterrada sob os escombros, invisível como ele havia previsto, morta.

– Morta! – ele disse, olhando fixamente e parecendo atordoado. – Morta! Morta! Florence está morta!

Novamente ele caiu em uma prostração absoluta, que gradualmente dobrou suas pernas, o fez se ajoelhar e o paralisou. Seus dois golpes, tão próximos um do outro, e culminando em cataclismos que ele havia imediatamente testemunhado, pareciam tê-lo drenado de tudo o que lhe restava de energia. Sem ódio, já que Arsène Lupin já não estava mais vivo, sem amor, já que Florence não existia mais, ele tinha o aspecto de um homem que perdeu a própria razão de viver.

Duas vezes seus lábios articularam o nome de Florence. Ele lamentava por sua amada? Ao chegar ao final dessa série assustadora de crimes, ele evocava as etapas percorridas, todas marcadas por um cadáver? Será que algo como o despertar de uma consciência palpitava no fundo daquele homem bruto? Ou era na verdade uma espécie de torpor físico que insensibiliza a fera saciada, farta de carne, embriagada de sangue e de torpor que é quase uma volúpia?

No entanto, ele repetiu o nome de Florence mais uma vez e lágrimas rolaram por suas bochechas.

Ele permaneceu assim por muito tempo, imóvel e sombrio, e quando, depois de tomar mais alguns goles de sua droga, voltou ao trabalho, isso aconteceu mecanicamente, sem a alegria que o fazia saltitar sobre suas pernas frágeis e o levava ao crime como se vai a uma festa.

Ele começou por retornar ao arbusto do qual Lupin o tinha visto emergir. Atrás desse arbusto havia, entre duas árvores, um abrigo sob o qual estavam instrumentos e armas, pás, ancinhos, espingardas, rolos de cordas e de arame.

Em algumas viagens, ele levou os objetos para perto do poço para atirá-los lá dentro ao ir embora. Em seguida ele examinou cada parcela do montículo que havia escalado, para ter certeza de que não havia deixado nenhum vestígio de sua passagem. O mesmo exame foi feito nos lugares do gramado por onde ele havia passado, exceto no caminho para o poço, que reservou para explorar por último. As gramíneas foram endireitadas e a terra pisoteada foi cuidadosamente achatada.

Ele parecia preocupado e, enquanto pensava em outra coisa, agia pelo hábito de um malfeitor que sabe o que deve fazer.

Um pequeno incidente pareceu despertá-lo. Uma andorinha ferida caiu perto dele. Com um gesto, ele a agarrou e a esmagou com as mãos, amassando-a como se faz com uma folha de papel enrolado. E seus olhos brilhavam de uma felicidade cruel ao contemplar o sangue que jorrava do pobre animal, corando suas mãos.

Mas quando atirou o pequeno cadáver disforme em uma moita, ele viu entre os espinhos um cabelo loiro e toda sua angústia voltou ao se lembrar de Florence.

Ele se ajoelhou diante da gruta em ruínas. Em seguida, quebrando dois pedaços de madeira, ele os colocou na forma de uma cruz sob uma das pedras.

Como estava curvado, do bolso de seu colete escorregou um pequeno espelho, que bateu em uma pedra e se quebrou.

Esse sinal de infortúnio o atingiu intensamente. Ele lançou um olhar suspeito ao seu redor e, tremendo de preocupação, como se estivesse se sentindo ameaçado por poderes invisíveis, murmurou:

– Estou com medo... Vamos embora, vamos embora...

Seu relógio marcava quatro e meia.

Ele pegou seu casaco no arbusto onde o tinha colocado, vestiu as mangas e começou a procurar no bolso externo, à direita. Foi ali que ele guardou a carteira de couro marrom que continha os documentos.

– Estranho, muito estranho... – disse ele, com ar surpreso. – No entanto, eu tinha certeza...

Ele procurou no bolso externo esquerdo, depois no lateral, no de cima, e então, com uma agitação febril, em todos os bolsos internos.

A carteira não estava lá. E, surpreendentemente, todos os outros objetos de cuja presença nos bolsos de seu casaco ele não tinha dúvidas também não estavam lá, nem sua cigarreira, nem sua caixa de fósforos, nem seu caderno de notas.

Ele estava confuso. Seu rosto se desfigurou. Ele balbuciou palavras incompreensíveis, enquanto a mais formidável das ideias se apoderava de sua mente a ponto de imediatamente aparecer para ele como uma verdade absoluta: havia alguém no recinto do velho castelo.

Havia alguém no recinto do velho castelo! E esse alguém estava, naquele momento, escondido nos arredores das ruínas, ou talvez nas próprias ruínas! E esse alguém o tinha visto! E esse alguém tinha testemunhado a morte de Arsène Lupin e a morte de Florence Levasseur! E esse alguém, aproveitando-se da sua desatenção, e sabendo, por suas palavras, da existência dos papéis, revistou o casaco e esvaziou os bolsos!

Sua figura expressou a perturbação do homem acostumado aos feitos das trevas e que de repente descobre que outros olhos o surpreenderam em suas atividades abomináveis, e que esses mesmos olhos, agora, espiam seus gestos e veem aquele que nunca foi visto. De onde vinha esse olhar que o perturbava como o grande dia perturba a ave noturna? Seria aquele o olhar de um intruso escondido por acaso, ou de um inimigo obstinado por condená-lo? Ele era cúmplice de Arsène Lupin, um amigo de Florence, um membro da polícia? E esse adversário estava satisfeito com o saque ou se preparava para atacá-lo?

O aleijado não ousava se mexer. Ele estava lá, exposto às agressões, em campo aberto, sem nada para protegê-lo de golpes que poderiam atingi-lo antes mesmo que soubesse onde estava o adversário.

No entanto, o perigo iminente acabou por lhe injetar algum vigor. Ainda imóvel, ele primeiro inspecionou o ambiente com tamanha atenção que parecia que nenhum detalhe poderia lhe escapar. Quer estivesse entre as pedras do caos ou atrás dos arbustos, ou abrigado pela grande cortina de loureiros, ele teria distinguido claramente a tal silhueta.

Não vendo ninguém, ele avançou. Sua muleta o sustentava. Ele caminhava sem que seus passos e sem que essa muleta, que provavelmente tinha uma borracha de apoio na ponta, fizessem o menor barulho. A mão direita estendida segurava um revólver. O dedo indicador pesava no gatilho. Ao menor movimento suspeito, por menor que fosse mesmo, a ordem espontânea de seu instinto faria a bala derrotar o inimigo.

Ele seguiu para a esquerda. Havia desse lado, entre a extremidade do loureiro e as primeiras rochas esmagadas, um pequeno caminho de tijolos que devia ter sido feito por um muro desabado. O aleijado seguiu por esse caminho pelo qual o inimigo tinha conseguido passar, sem deixar rasto, até chegar no arbusto em que estava o casaco.

Os últimos ramos do loureiro o atrapalhavam e ele os afastou. Massas de arbustos se entrelaçavam. Para evitá-los, ele desviou pela base do montículo. Depois deu mais alguns passos, contornando uma rocha enorme.

E então, de repente, ele recuou e quase perdeu o equilíbrio, deixando sua muleta cair e o revólver escorregar de suas mãos.

O que ele tinha acabado de ver, o que observava, era de fato a visão mais aterradora que podia considerar. Diante dele, a dez passos de distância, não era um homem que estava em pé, com as mãos nos bolsos, as pernas cruzadas, e um dos ombros levemente apoiado contra a parede da rocha.

Não era e não podia ser um homem, pois esse homem, como o aleijado sabia, estava morto, de uma morte da qual ninguém pode regressar. Era então um fantasma, e isso, essa aparição vinda do além-túmulo, trouxe ao aleijado o medo em seus últimos limites.

Ele tremia, novamente febril e vacilante. Seus olhos arregalados contemplavam o fenômeno inconcebível. Todo o seu ser, repleto de crenças e medos satânicos, curvava-se sob o fardo de uma visão à qual cada segundo acrescentava mais horror. Incapaz de fugir, incapaz de se defender, ele se prostrou de joelhos e não conseguia tirar os olhos desse homem morto que, apenas uma hora antes, ele tinha enterrado nas profundezas de um poço, debaixo de uma mortalha de pedras e de granito.

O fantasma de Arsène Lupin!

Em um homem se pode mirar, pode-se atirar nele e matá-lo. Mas um fantasma! Um ser que não existe e, todavia, ainda tem todas as forças sobrenaturais! Para que lutar contra as maquinações infernais do que já não existe? De que serve recuperar a arma caída e apontá-la para o espectro impalpável de Arsène Lupin?

E ele viu uma coisa incompreensível: o fantasma tirou as mãos dos bolsos. Uma delas segurava uma cigarreira e o aleijado reconheceu o mesmo estojo de metal polido que ele tinha procurado em vão! Como duvidar então de que o ser que revistou o casaco foi precisamente aquele que abriu o estojo, escolheu um cigarro e riscou um fósforo, também pegou de uma caixa pertencente ao aleijado!

Milagre! Uma verdadeira chama nascia do fósforo! Prodígio espantoso! Espirais de fumaça saíam do cigarro, uma verdadeira fumaça cujo odor particular, que o aleijado conhecia tão bem, logo chegou até ele.

Ele escondeu a cabeça nas mãos. Não queria ver mais. Fantasma ou alucinação, emanação do outro mundo ou imagem nascida de seu remorso e projetada por ele, ele não queria mais que seus olhos fossem torturados.

Mas ele percebeu o som, cada vez mais distinto, de passos que se aproximavam! Sentiu uma presença estranha que crescia à sua volta! Um braço se estendeu! Uma mão segurou com um forte aperto sua pele e ele ouviu palavras serem pronunciadas por uma voz que era, sem qualquer possibilidade de se confundir, a voz humana e viva de Arsène Lupin!

– Vejamos, caro senhor, em que situação nos metemos? É claro que compreendo o que meu regresso repentino tem de insólito e até de inconveniente, mas, enfim, não é preciso se afligir tanto assim. Já se viu coisas muito mais extraordinárias, como a parada do sol por Josué... ou cataclismos muito mais sensacionais, como o terremoto de Lisboa em 1755. O sábio deve dar aos acontecimentos sua medida apropriada e julgá-los não por sua ação sobre seu próprio destino, mas por seu impacto sobre a fortuna do mundo. Ora, admita, sua pequena desventura é completamente individual e não afeta em nada o equilíbrio planetário. Marco Aurélio disse, página 84 da edição Hachette...

O aleijado teve a coragem de levantar a cabeça e a realidade agora aparecia com tal precisão que ele não podia mais fugir desse fato indiscutível: Arsène Lupin não estava morto! Arsène Lupin, que ele tinha atirado para as entranhas da terra e a quem tinha esmagado tão seguramente como se esmagasse um inseto com o ferro de um martelo, Arsène Lupin não estava morto!

Como entender um mistério tão surpreendente? O enfermo nem sequer pensou em se perguntar. Somente isto importava: Arsène Lupin não estava morto. Os olhos de Arsène Lupin olhavam e sua boca articulava, como os olhos e como a boca de um homem vivo. Arsène Lupin não estava morto. Ele respirava. Ele sorria. Ele falava. Ele vivia!

E tanto era vida que o bandido tinha diante de si que, de repente, movido por uma ordem da sua natureza e por seu ódio implacável pela vida, ele se agachou por completo, pegou o revólver, empunhou-o e disparou.

Ele atirou, mas tarde demais. Dom Luís tinha desviado a arma com um chute. Com outro chute, ele a tirou das mãos do aleijado.

O bandido chiou de raiva e imediatamente, bastante ligeiro, na verdade, começou a revistar seus bolsos.

– É isso que deseja, senhor? – perguntou dom Luís, mostrando uma espécie de seringa carregada com um líquido amarelado. – Desculpe, mas eu tive medo que, como resultado de um movimento falso, o senhor picasse a si próprio. Seria isso que o senhor faria, não seria? Uma picada mortal. E eu não me perdoaria.

O aleijado estava desarmado. Ele hesitou por um momento, surpreso porque o adversário não o atacou mais violentamente, e procurou aproveitar dessa demora. Seus olhos, pequenos e inquietos, vagueavam à sua volta em busca de um projétil. Mas uma ideia pareceu assaltá-lo e, pouco a pouco, dar-lhe confiança, e, em um novo e verdadeiramente inesperado acesso de alegria, ele soltou sua risada mais estridente.

– E Florence! – ele exclamou. – Não esqueçamos de Florence. Porque é por aí que eu controlo você. Se eu errei, você com a minha arma, se você roubou meu veneno, tenho outra forma de atingi-lo, e direto no coração! Não é verdade que você não pode viver sem Florence? A morte de Florence é a sua sentença, não é? Com a morte de Florence, você mesmo coloca a corda no próprio pescoço, não é mesmo? Não é mesmo?

Dom Luís respondeu:

– De fato, se Florence morresse, eu não conseguiria viver sem ela.

– Ela está morta – gritou o bandido redobrando a alegria e saltitando sobre os joelhos. – Morta! O que significa morta! O que mais posso dizer além de morta! Um morto ainda mantém a aparência de um homem vivo. Mas isso é muito melhor! Não há nem cadáver, Lupin, um magma de carne e osso! Toda a pilha dos blocos de pedra desabou sobre ela! Você consegue ver daqui, não é! Que espetáculo! Vamos, rápido, é a sua vez de se mudar. Quer um pedaço de corda? Há! Há! Há! É de matar de rir. Mas eu disse a você, Lupin, nos encontramos na porta do inferno. Depressa, a bem-amada está à sua espera. Você hesita? E a velha educação francesa! Desde quando se deixa uma mulher esperar? Rápido, Lupin! Florence está morta!

Ele dizia isso com verdadeiro prazer, como se essa única palavra lhe parecesse deliciosa.

Dom Luís não tinha sequer levantado uma sobrancelha. Ele simplesmente pronunciou, acenando com a cabeça:

– Que pena!

O aleijado parecia petrificado. Todas as suas contorções de alegria, todas as suas mímicas de triunfo foram interrompidas. Ele balbuciou:

– Hein? O quê? O que você está dizendo?

– Eu disse – declarou dom Luís, que não se afastou de sua calma e cortesia e continuou a não tratar o enfermo com intimidade –, eu digo, caro senhor, que o senhor cometeu uma má ação. Nunca conheci uma natureza mais nobre e estimada do que a da senhorita Levasseur. Sua beleza incomparável, sua graça, a harmonia de seu corpo, sua juventude, tudo isso merecia outro tratamento. Na verdade, seria lamentável que tal obra-prima deixasse de existir.

O aleijado permaneceu com cara de estúpido. A serenidade de dom Luís o desconcertava. Ele articulou com um tom de voz inexpressivo:

– Repito que ela não existe mais. Então você não viu a gruta? Florence não existe mais!

– Eu não quero acreditar nisso – disse dom Luís calmamente. – Se assim fosse, o aspecto das coisas já não seria o mesmo. Haveria nuvens no céu. Não ouviríamos mais os pássaros cantarem e a natureza teria um ar de luto. Ora, os pássaros cantam, o céu está azul, todas as coisas estão em seu lugar, o homem honesto está vivo e o bandido rasteja aos seus pés. Como é que Florence não estaria viva?

Um longo silêncio seguiu essas palavras. Os dois inimigos, a três passos um do outro, olhavam-se nos olhos; dom Luís sempre tranquilo, o aleijado nas garras da mais louca angústia. O monstro compreendia. Por mais obscura que fosse a verdade, ela surgia diante dele com todo o brilhantismo de uma certeza cega. Florence Levasseur também estava viva! Humanamente, materialmente, isso não se encaixava nas coisas possíveis. Mas a ressurreição de dom Luís também não cabia dentro das coisas possíveis, e ainda assim dom Luís estava vivo e seu rosto não tinha sequer o traço de um arranhão e suas roupas nem sequer pareciam rasgadas ou sujas.

O monstro se sentiu perdido. O homem que o tinha entre suas mãos implacáveis era um daqueles cujo poder não tem limites. Ele era daqueles que escapam dos braços da morte e que arrancam vitoriosamente da morte os seres cuja custódia eles assumiram.

O monstro recuava, pouco a pouco, arrastando os joelhos pelo caminho de tijolos.

Ele recuava. Ele passava diante do caos que cobria a antiga localização da gruta e não virou seus olhos para esse lado, como se tivesse plena convicção de que Florence tinha emergido sã e salva do pavoroso sepulcro.

Ele recuava. Dom Luís havia tirado os olhos dele e, ocupado em desfazer um rolo de corda que tinha encontrado, parecia já não se importar mais com aquele homem.

Ele recuava.

E de repente, observando o inimigo, ele girou em seu próprio eixo, fez um esforço para se manter em pé sobre suas frágeis pernas e começou a correr na direção do poço.

Vinte passos o separavam do local. Ele chegou na metade, a três quartos de distância. O orifício já se abria diante dele. Ele estendeu os braços, com o gesto de um homem que quer espetar uma cabeça, e saltou.

Seu impulso foi interrompido. Ele rolou no chão e foi puxado brutalmente para trás, com os braços apertados tão violentamente em torno do busto que ele não conseguia mais se mover.

Foi dom Luís que, sem perdê-lo de vista, jogou sua corda preparada como um laço, e, no exato momento em que o homem se precipitava para o abismo, enrolou a corda em torno de seu corpo como um elo bastante sólido.

O aleijado se debateu durante alguns segundos, mas o nó apertado lhe feria a pele. Ele não se mexeu mais. Era o fim.

Então dom Luís Perenna, que o segurava pela outra extremidade da corda, foi até ele e terminou de amarrá-lo com o restante da corda. A operação foi minuciosa. Dom Luís repetiu o gesto várias vezes, também usando os rolos de cordas que o bandido tinha trazido para perto do poço e amordaçando-o com um lenço. Enquanto se dedicava à tarefa, explicou num tom de falsa cortesia:

– O senhor vê, as pessoas sempre se perdem por excesso de confiança. Elas não imaginam que seus adversários possam ter recursos que elas não têm. Então, quando me fez cair em sua armadilha, como pôde supor, caro senhor, que um homem como eu, que um homem como Arsène Lupin, agarrado à borda de um poço, com os antebraços no parapeito e os pés contra a parede interna, se deixaria sucumbir tão ingenuamente? Vejamos, o senhor estava a quinze ou vinte metros de distância e eu não teria tido forças para saltar ou coragem de enfrentar as balas do seu revólver quando, justamente, tratava-se de salvar Florence Levasseur e a mim mesmo! Mas, meu pobre senhor, o menor esforço teria sido suficiente, tenha certeza disso. Se eu não tentei esse esforço é porque eu tinha algo melhor a fazer, infinitamente melhor. E vou lhe dizer por que, caso esteja interessado em saber. Sim? Saiba então, senhor, que à primeira vista, meus joelhos e pés, arqueados contra as paredes exteriores, tinham demolido, eu percebi mais tarde, uma fina camada de gesso que fechava, neste lugar, uma antiga escavação feita no poço. Feliz coincidência, não é? É de natureza a mudar a situação. Imediatamente, elaborei meu plano. Enquanto fazia minha pequena encenação do cavalheiro que cairá num abismo, enquanto compunha a cara mais assustada, os olhos mais arregalados e o sorriso mais hediondo, ampliei essa escavação de modo a rejeitar os ladrilhos de gesso à minha frente para que a queda deles não fizesse barulho.

"Quando chegou a hora, logo no exato segundo em que meu rosto sofrido desapareceu diante dos seus olhos, eu simplesmente, e graças a um ousado giro, saltei para o meu esconderijo. Eu estava salvo.

"Eu estava salvo já que, precisamente, esse esconderijo estava cavado do lado onde o senhor caminhava e, completamente escuro, ele não projetava nem uma luz no poço. Desde então, só fiz esperar. Ouvi pacificamente os seus discursos e as suas ameaças. Deixei passar os seus projéteis. E, supondo que o senhor tinha voltado para perto de Florence, eu estava prestes a deixar o meu refúgio, a regressar à claridade do dia e a atacá-lo pelas costas quando..."

Dom Luís virou o aleijado como se faz com um pacote embrulhado e retomou:

– O senhor já visitou, nas margens do Sena, na Normandia, o velho castelo feudal de Tancarville? Não? Pois bem, saiba que existe lá, fora das ruínas da masmorra, um poço antigo que oferece, como muitos outros poços da época, a peculiaridade de ter dois orifícios, um no topo, que se abre para o céu, o outro um pouco mais abaixo, escavado lateralmente na parede e que se abre para uma das salas da masmorra. Em Tancarville, esse segundo orifício está agora fechado por uma grade. Este aqui foi emparedado por uma camada de pedras e de gesso. E foi precisamente a memória de Tancarville que me fez permanecer, dado que não havia pressa, pois o senhor teve a gentileza de me avisar que Florence não se juntaria a mim no outro mundo antes das quatro horas.

"Então examinei o meu refúgio e, como tinha intuído, descobri que era o porão de uma construção agora demolida e sobre as ruínas das quais o jardim tinha sido criado. Palavra de honra, eu avancei tateando, seguindo a direção que, na parte de cima, teria me levado até a gruta. Meus pressentimentos não me enganaram. Um pouco de claridade era filtrada no topo de uma escada cujo degrau de baixo eu tinha alcançado. Subi. Do alto, reconheci o som da sua voz."

Ininterruptamente, dom Luís virou o aleijado, imprimindo no movimento certa rudez. Então continuou:

– Eu gostaria de repetir, caro senhor, que o resultado teria sido exatamente o mesmo se eu o tivesse atacado diretamente, e desde o início, por terra. Mas, com essa possibilidade de reserva, admito que o acaso me foi bastante útil. Muitas vezes contrariado por ele durante a nossa luta, desta vez eu não tenho do que reclamar e percebi de tal forma a maré de sorte que não duvidei nem por um segundo que, depois de me oferecer a entrada para o caminho subterrâneo, ele também me levaria à saída. De fato, só tive de remover lentamente o frágil obstáculo de alguns tijolos acumulados que mascaravam o orifício para penetrar livremente no meio dos escombros da masmorra. Guiado pelo som da sua voz, deslizei entre as pedras e assim cheguei ao fundo da caverna onde Florence estava. É engraçado, não é, caro senhor? E o senhor percebe tudo o que havia de cômico em ouvi-lo proferir os seus pequenos discursos:

"Responda sim ou não, Florence. Um aceno da sua cabeça decidirá o seu destino. Se é sim, eu solto você. Se é não, você morre. Responda, Florence. Um aceno da sua cabeça... É sim? É não?". E o final foi especialmente delicioso, quando o senhor subiu no topo da caverna e gritou lá de cima: "Foi você quem quis morrer, Florence! Você quis. Azar seu!". Pense, como foi engraçado! Naquele momento, não restava ninguém na gruta! Ninguém! De uma só vez, atraí Florence até mim e a coloquei em segurança. E tudo o que o senhor pode ter esmagado com seu desmoronamento foi talvez uma ou duas aranhas e algumas moscas que devaneavam sobre os ladrilhos. E pronto, a brincadeira tinha acontecido e a cena teatral tinha chegado ao fim. Primeiro ato: Arsène Lupin a salvo. Segundo ato: Florence Levasseur a salvo. Terceiro e último ato: Senhor monstro aniquilado. E como!

Dom Luís se levantou e contemplou sua obra com um olhar de extrema satisfação:

– Você está parecendo uma linguiça – exclamou ele, tomado pela sua natureza zombeteira e por seu hábito de tratar informalmente seus inimigos... – uma verdadeira linguiça! Bem, o senhor não é muito encorpado. Talvez uma salsicha de Lyon para uma família pobre! Mas enfim! Presumo que não ponha nenhuma sedução nisso, certo? Além disso, você não está tão pior assim como de costume, e de qualquer forma, está absolutamente apropriado para a ginástica que proponho. Você vai ver... é uma ideia muito original que eu tive. Não se impaciente.

Ele pegou uma das armas que o bandido tinha trazido e amarrou no meio dela a ponta de uma corda que tinha entre doze ou quinze metros de comprimento, e fixou a outra extremidade às cordas que amarravam o aleijado na altura das costas.

Depois, agarrou o prisioneiro firmemente pela cintura e o manteve suspenso sobre o poço.

– Feche os olhos se sentir tontura. E, acima de tudo, não tenha medo. Sou muito cuidadoso. Você está pronto?

Ele deixou o aleijado deslizar para o buraco escancarado e depois agarrou a corda que tinha acabado de amarrar. Então, pouco a pouco, polegada a polegada, cuidadosamente para que não batesse, a embalagem foi abaixada com certa dificuldade. Quando ele chegou a uns doze metros de profundidade, a arma colocada transversalmente no poço o parou e ele permaneceu lá, suspenso na escuridão e no centro da estreita circunferência.

Dom Luís queimou vários punhados de papel que desabaram rodopiando e produziram clarões sinistros nas paredes.

Depois, incapaz de resistir à tentação de um apóstrofo final, inclinou-se como o bandido tinha feito e escarneceu:

– O lugar foi escolhido para que você não pegue uma constipação. O que você quer? Estou cuidando de você. Prometi a Florence não matar você, e ao governo francês, entregá-lo tão vivo quanto possível. Só que, como não sabia o que fazer com você até amanhã de manhã, resolvi deixá-lo tomar um ar. É uma ótima ideia, não é? Mas que não vai agradá-lo do jeito que você gostaria. Claro, reflita. A arma repousa em ambas as extremidades apenas em um espaço de dois ou três centímetros de comprimento. Por isso, por menos que você esperneie, por menos que se mexa, se você apenas respirar fundo, o cano da arma ou a coronha se quebram e ocorre o mergulho imediato e fatal. Quanto a mim, não tenho culpa de nada! Se você morrer, é um bom suicídio. Tudo o que precisa fazer é não se mexer, meu amigo.

"E a vantagem do meu pequeno mecanismo é que ele lhe dá um gosto das poucas noites que precederão a hora suprema em que sua cabeça será cortada. Você já está diante da sua consciência, frente a frente com o que lhe serve de alma, sem nada que perturbe seu silencioso colóquio. Eu sou gentil, hein, caro amigo? Bem, vou deixá-lo. E lembre-se: nem um gesto, nem um suspiro, nem um piscar de olhos, nem uma batida do coração. Sobretudo, não ria! Se você der risada, está perdido. Medite, é o melhor que pode fazer. Medite e espere. Adeus, senhor."

E dom Luís, satisfeito com o seu discurso, sussurrou:

– Ah, isso foi muito bom. Não vou chegar ao ponto de dizer, como Eugène Sue, que se deve arrancar os olhos dos grandes criminosos. Mas, mesmo assim, um bom castigo físico, temperado com angústia, é justo, higiênico e moral.

Dom Luís foi embora e, retomando o caminho dos tijolos, contornando o caos das ruínas, seguiu por um caminho que descia paralelamente ao muro do recinto até um bosque de pinheiros onde ele tinha abrigado Florence.

Ela esperava, ainda bastante ferida pelo terrível suplício que enfrentou, mas já valente, controlada e sem se preocupar, aparentemente, com o resultado do combate travado entre dom Luís e o aleijado.

– Acabou – ele se limitou a dizer. – Amanhã eu o entregarei à justiça.

Um arrepio a abalou, mas ela ficou em silêncio enquanto dom Luís Perenna a observava, também em silêncio.

Era a primeira vez que eles estavam juntos e sozinhos desde que tantos dramas os haviam separado e depois projetado um contra o outro como inimigos implacáveis, e dom Luís experimentava uma emoção tão grande que só conseguia dizer frases insignificantes e sem relação com os pensamentos que o perturbavam:

– Seguindo por este muro e virando à esquerda, vamos encontrar o automóvel... A senhorita não está muito cansada para caminhar até lá? Uma vez no carro, vamos para Alençon... Há um hotel muito tranquilo perto da praça principal... a senhorita poderá esperar lá até que os acontecimentos tomem um rumo favorável... e isso não vai demorar muito, já que o culpado foi encontrado.

– Vamos – disse ela.

Ele não se atreveu a lhe oferecer ajuda. Além disso, ela avançava sem grandes dificuldades e seu busto harmonioso se curvava sobre suas ancas mantendo o mesmo ritmo. Dom Luís redescobria toda sua admiração e todo seu fervoroso amor por ela. No entanto, ela nunca lhe pareceu tão distante como naquele momento em que, por milagres de energia, ele tinha acabado de salvar a sua vida. Ela não o tinha agradecido, nem mesmo demonstrado um daqueles olhares ligeiramente enternecidos que recompensam qualquer esforço, e permanecia, como no primeiro dia, como a criatura misteriosa cuja alma secreta ele nunca tinha compreendido e sobre quem a tempestade de acontecimentos tão pavorosos não tinha lançado a menor claridade. O que é que ela pensava? O que queria? Para onde ia? Problemas obscuros que ele já não esperava resolver. A partir de então, cada um deles só se lembraria do outro com raiva e ressentimento.

"Bem, não," ele disse a si mesmo enquanto ela ocupava o seu lugar na limusine, "bem, não, a separação não vai acontecer desta forma. As palavras que devem ser ditas entre nós serão ditas, e, quer ela goste ou não, vou rasgar os véus sob os quais ela se esconde."

O trajeto foi rápido. No hotel de Alençon, dom Luís preencheu a ficha de Florence sob um nome qualquer. Então, deixando-a sozinha, uma hora depois ele veio bater à sua porta.

Mais uma vez, ele não teve coragem de abordar o assunto imediatamente como tinha decidido. Havia, aliás, outros pontos que ele queria esclarecer de imediato.

– Florence – disse ele –, antes de entregar esse homem, eu gostaria de saber o que ele era para a senhorita.

– Um amigo, um amigo infeliz por quem eu sentia pena – disse ela. – Hoje tenho dificuldade em entender a minha pena por um monstro como aquele. Mas há alguns anos, quando o conheci, foi pela sua fraqueza, por sua miséria física, por todos os sintomas de morte iminente que já o marcavam, foi por isso que me apeguei a ele. Ele chegou a me prestar alguns serviços e, apesar de ter passado a vida escondido, o que de certa forma me perturbava, ele pouco a pouco, e sem que eu percebesse, me dominou. Eu tinha fé na sua devoção absoluta e quando o caso Mornington veio à tona, foi ele quem, agora percebo, me guiou e, mais tarde, guiou também Gaston Sauverand. Foi ele quem me obrigou a mentir e a fingir, persuadindo-me de que estava agindo para salvar Marie-Anne. Foi ele quem nos inspirou tanta desconfiança contra o senhor, e que nos habituou tão bem a nos mantermos calados a respeito dele e de todas as suas ações, que Gaston Sauverand, durante a conversa com o senhor, sequer ousou falar dele. Como pude ser tão cega, não sei. Mas foi o que aconteceu. Nada me elucidou. Nada me fez suspeitar nem por um momento deste ser inofensivo e doente que passou metade da sua vida em casas de saúde e clínicas, que foi submetido a todas as cirurgias possíveis e que, ainda que me falasse algumas vezes do seu amor, não tinha a esperança de...

Florence não concluiu. Seus olhos tinham acabado de encontrar os de dom Luís, e ela tinha a profunda impressão de que ele não escutava o que ela estava dizendo. Ele a olhava e nada mais. As frases ditas caíam no vazio.

Para dom Luís, as explicações relativas ao drama em si não significavam nada enquanto a luz não esclarecesse o único ponto que lhe interessava sobre os pensamentos obscuros de Florence em relação a ele, pensamentos de aversão, pensamentos de desprezo. Para além disso, qualquer palavra era vã e enfadonha.

Ele se aproximou da jovem e disse em voz baixa:

– Florence, Florence, a senhorita sabe dos meus sentimentos, não sabe?

Ela corou, confusa, como se essa pergunta tivesse sido a mais imprevista de todas as perguntas. No entanto, seus olhos não baixaram e ela respondeu sem rodeios:

– Sim, eu sei.

– Mas talvez – ele retomou com mais vigor – a senhorita ignore toda a profundidade deles? Talvez não saiba que minha vida não tem outro propósito além da senhorita?

– Eu também sei disso – disse ela.

– Então, se sabe – ele disse –, eu devo concluir que essa é precisamente a causa de sua hostilidade contra mim. Desde o início, fui seu amigo e só quis defendê-la. E ainda assim, desde o início, senti que era objeto de uma aversão ao mesmo tempo instintiva e racional de sua parte. Nunca vi nos seus olhos nada além de frieza, desconforto, desprezo e até repulsa. Em momentos de perigo, quando se tratava da sua vida ou da sua liberdade, a senhorita arriscava todas as imprudências em vez de aceitar meu auxílio. Eu era o inimigo, aquele de quem desconfiamos e em quem pensamos apenas com um certo medo. Isso não é ódio? E não é somente o ódio que pode explicar tal atitude?

Florence não respondeu de imediato. Parecia que ela adiava o momento de proferir as palavras que lhe vinham aos lábios. Seu rosto, enfraquecido pela fadiga e pelo sofrimento, tinha mais doçura do que o habitual.

– Não – disse ela –, não é apenas o ódio que explica tal atitude.

Dom Luís estava atordoado. Ele não compreendia muito bem o significado dessa resposta, mas a entonação que Florence tinha imprimido nela o perturbava profundamente e agora os olhos de Florence já não tinham sua habitual expressão de desdém e estavam plenos de graça e sorriso. E era a primeira vez que ela sorria diante dele.

– Fale, fale, eu lhe imploro – ele balbuciou.

– Eu quero dizer – ela retomou –, que há outro sentimento que explica a frieza, a desconfiança, o medo, a hostilidade. Nem sempre é daqueles que odiamos que fugimos com mais medo, e, se fugimos, muitas vezes é porque temos medo de nós mesmos e estamos envergonhados, e nos revoltamos, e queremos resistir, e queremos esquecer, e não podemos...

Ela ficou em silêncio, e como ele estendia as mãos para ela, em desespero, e implorava por palavras e mais palavras, ela fez um sinal com a cabeça que significava que ela não precisava falar mais nada para que ele pudesse penetrar totalmente no fundo de sua alma e descobrir o segredo do amor que ela dissimulava.

Dom Luís vacilou. Ele estava embriagado de felicidade e quase dolorido por essa felicidade inesperada. Depois dos momentos horríveis que tinham acabado de acontecer no cenário impressionante do velho castelo, parecia-lhe loucura admitir que uma felicidade tão extravagante pudesse subitamente florescer no cenário banal daquele quarto de hotel. Ele desejaria ter espaço à sua volta, florestas, montanhas, a luz do luar, o esplendor de um sol poente, toda a beleza e poesia do mundo. No início, ele alcançou o pico mais alto da felicidade. A própria vida de Florence era evocada diante dele desde o momento de seu encontro até o trágico minuto em que o aleijado, inclinado sobre ela e vendo seus olhos cheios de lágrimas, gritava: "Ela chora! Ela se atreve a chorar! Que loucura! Mas eu conheço o seu segredo, Florence! E você chora! Florence, Florence, foi você quem quis morrer!"

Segredo do amor, arrebatamento da paixão que, desde o primeiro dia, a havia lançado tremendo em direção a dom Luís e que, desconcertando-a, enchia-a de medo, parecendo uma traição a Marie-Anne e Sauverand, pouco a pouco a distanciando e aproximando daquele que ela amava e admirava por seu heroísmo e sua lealdade, dilacerando-a de remorsos e transtornando-a como se tivesse cometido um crime, no final a entregou, impotente e indefesa, à influência diabólica do bandido que a cobiçava.

Dom Luís não sabia o que fazer, não sabia com que palavras expressar sua exaltação. Seus lábios tremiam, seus olhos marejavam. Obedecendo à sua natureza, ele teria agarrado a jovem e a teria beijado como faz uma criança, de boca e coração cheios. Mas um sentimento de muito respeito o paralisava. E, vencido pela emoção, caiu aos pés da jovem, gaguejando palavras de amor e adoração.

A REDOMA DE LUPINOS

Na manhã seguinte, pouco antes das nove horas, Valenglay conversava em sua casa com o comandante-geral e perguntava:

– Então o senhor concorda comigo, meu caro comandante? Acredita que ele virá?

– Não tenho dúvidas, senhor presidente. E ele virá de acordo com a regra de exatidão que domina toda essa aventura. Ele virá, por zombaria, no último minuto antes das nove.

– O senhor acha? Acha mesmo?

– Senhor presidente, há vários meses eu persigo esse homem. No ponto em que as coisas chegaram, entre a morte e a vida de Florence Levasseur, se ele não destruir o bandido que está perseguindo, e se ele não o trouxer de volta, com pés e mãos amarrados, é porque Florence Levasseur está morta e porque ele, Arsène Lupin, também está morto.

– Ora, Lupin é imortal! – disse Valenglay, rindo. – Mas o senhor tem razão. Além disso, concordo plenamente com o senhor. Ninguém ficaria mais espantado do que eu se na hora exata o nosso excelente amigo não estiver aqui. O senhor disse que telefonaram ontem de Angers?

– Sim, senhor presidente. Os nossos homens tinham acabado de ver dom Luís Perenna. Ele os antecedeu a bordo de um aeroplano. Desde então, telefonaram-me uma segunda vez de Le Mans, onde tinham acabado de fazer uma busca num barracão abandonado.

– Essa busca já tinha sido feita por Lupin, pode ter certeza, e logo saberemos dos resultados. Veja, são nove horas.

No mesmo instante, ouviram o ronco de um automóvel. O veículo parou em frente à casa e, imediatamente, ouviram a campainha.

As ordens já tinham sido dadas. O visitante entrou. A porta se abriu e dom Luís Perenna apareceu.

Por certo, para Valenglay e para o comandante-geral, não havia nada fora do previsto, já que o oposto, como disseram, os surpreenderia. Mas a atitude dele traiu, apesar de tudo, essa espécie de espanto que se experimenta diante de coisas que excedem a medida humana.

– E então? – exclamou vivamente o presidente do Conselho.

– Está feito, senhor presidente.

– O senhor pôs as mãos no bandido?

– Sim.

– Santo Deus! – murmurou Valenglay –, o senhor é um homem e tanto.

E ele retomou:

– E o bandido? Um colosso, é claro, um bruto malvado e indomável?

– Um aleijado, senhor presidente, um degenerado... responsável, decerto, mas em quem os médicos poderão constatar todas as degradações, doença da medula espinhal, tuberculose etc.

– E esse é o homem que Florence Levasseur amava?

– Oh, senhor presidente – exclamou dom Luís vigorosamente –, Florence nunca amou esse miserável! Ela sentia por ele a pena que se tem por alguém que está destinado a uma morte iminente, e foi por pena que ela o deixou imaginar que, mais tarde, em um futuro indeterminado, ela se casaria com ele. Piedade feminina, senhor presidente, e bastante justificável, pois jamais, jamais mesmo, Florence teve o menor pressentimento do papel que esse indivíduo interpretava. Imaginando-o honesto e devoto, apreciando sua inteligência aguda e poderosa, ela lhe pedia conselhos e se deixava guiar por ele na luta pela salvação de Marie-Anne Fauville.

– O senhor tem certeza disso?

– Sim, senhor presidente, tenho certeza disso e de muitas outras coisas, já que tenho as provas nas mãos.

E imediatamente, sem mais preâmbulos, ele acrescentou:

– Senhor presidente, agora que o homem foi capturado, será fácil à justiça descobrir sobre sua vida nos menores detalhes. Mas, desde já, essa vida monstruosa pode ser resumida assim, levando em conta apenas a parte criminosa e deixando de lado três assassinatos que não se ligam por qualquer fio à história da herança de Mornington.

"Vindo de Alençon, criado sob os cuidados do senhor Langernault, Jean Vernocq conheceu o casal Dedessuslamare, tomou o dinheiro deles e, antes que eles tivessem tempo para apresentar uma queixa contra esse desconhecido, levou-os a um celeiro no vilarejo de Formigny, onde, desesperados, inconscientes, idiotizados por drogas, eles se enforcaram.

"Esse celeiro estava localizado em uma propriedade chamada Vieux-Château, pertencente ao senhor Langernault, o protetor de Jean Vernocq. O senhor Langernault estava doente nessa época. Depois de se recuperar, enquanto estava limpando sua espingarda, ele recebeu em seu abdômen uma descarga completa de chumbo grande. A espingarda tinha sido carregada sem o conhecimento dele. Por quem? Por Jean Vernocq, que também, na noite anterior, tinha esvaziado o cofre do seu protetor.

"Em Paris, onde veio desfrutar da pequena fortuna assim acumulada, Jean Vernocq teve a oportunidade de comprar, de um de seus amigos patifes, documentos que atestavam o nascimento e os direitos de Florence Levasseur à herança da família Roussel e de Victor Sauverand, papéis que esse amigo tinha outrora roubado da antiga babá que tinha trazido Florence da América. Fazendo buscas, Jean Vernocq acabou encontrando, primeiro uma fotografia de Florence, depois a própria Florence. Ele fez-lhe favores, fingindo se dedicar a ela e a lhe consagrar sua existência. Naquele momento, ele ainda não sabia que benefício iria obter dos documentos roubados da menina e de suas relações com ela, mas de repente tudo mudou. Tendo descoberto, graças a indiscrição de um escrivão, a existência, na gaveta da senhora Lepertuis, de um testamento que ele devia estar curioso para conhecer, obteve, a partir desse escrivão (que, desde então, desapareceu), em troca de uma nota de mil francos, as informações que o documento continha. Tratava-se justamente do testamento de Cosmo Mornington. E Cosmo Mornington legava sua imensa fortuna aos herdeiros das irmãs Roussel e de Victor Sauverand.

"Jean Vernocq tinha encontrado seu negócio. Duzentos milhões! Para se aproveitar disso, para conquistar a fortuna, o luxo, o poder e os meios para comprar os grandes médicos do universo da saúde e da força física, bastava, primeiro, se livrar de todas as pessoas que se intrometiam entre a herança e Florence e, em seguida, quando todos os obstáculos fossem destruídos, casar-se com Florence.

"E Jean Vernocq partiu para a ação. Ele tinha finalmente encontrado nos documentos do senhor Langernault, um velho amigo de Hippolyte Fauville, detalhes sobre a família Roussel e sobre o desacordo do lar dos Fauville. Ao todo, apenas cinco pessoas o incomodavam; na linha de frente, naturalmente, Cosmo Mornington, então, por ordem de direitos, o engenheiro Fauville, seu filho Edmond, sua esposa Marie-Anne e seu primo Gaston Sauverand.

"Com Cosmo Mornington foi fácil. Tendo se apresentado como médico ao americano, ele colocou veneno em uma das ampolas que este último usava em suas injeções.

"Mas com Hippolyte Fauville, a quem ele havia sido recomendado pelo senhor Langernault e em cujo espírito ele rapidamente ganhou uma grande influência, Jean Vernocq teve mais dificuldade. Sabendo, por um lado, do ódio do engenheiro contra sua esposa, e sabendo, por outro lado, que ele sofria de uma doença fatal, foi ele que, em Londres, saindo de uma consulta especializada, incutiu na alma assustada de Fauville esse inacreditável projeto suicida cuja execução maquiavélica os senhores puderam acompanhar de perto. Dessa forma, e com um único esforço, anonimamente, como já foi dito, sem se envolver na aventura, sem que Fauville sequer tivesse consciência da ação exercida sobre ele, Jean Vernocq suprimia Fauville e seu filho e se livrava de Marie-Anne e de Sauverand, lançando sobre eles, diabolicamente, toda a responsabilidade desse assassinato de que ninguém no mundo poderia acusar Jean Vernocq.

"E o plano funcionou.

"Naquele momento, havia um único estorvo: a intervenção do inspetor Vérot. Mas o inspetor Vérot morreu.

"No futuro, apenas um perigo, a minha intervenção, a de dom Luís Perenna, cuja conduta Vernocq tinha de prever, uma vez que Cosmo Mornington me designou como legatário universal. Vernocq queria evitar esse perigo, primeiro oferecendo-me como habitação o palácio da praça do Palais-Bourbon e como secretária Florence Levasseur, depois, tentando me matar quatro vezes por intermédio de Gaston Sauverand.

"Assim ele mantinha em suas mãos todos os fios do drama. Proprietário do meu domicílio, impondo-se a Florence e mais tarde a Sauverand, pela força da sua vontade e pela astúcia do seu caráter, ele se aproximava de seu objetivo. Como meus esforços levaram à comprovação da inocência de Marie-Anne Fauville e Gaston Sauverand, ele não hesitou. Marie-Anne Fauville morreu. Gaston Sauverand morreu.

"Então, tudo ia bem para ele. Eu estava sendo perseguido. Florence também. Ninguém suspeitava dele. E chegou o prazo fixado para a liberação da herança, que foi anteontem.

"Naquele momento, Jean Vernocq estava no centro da ação. Doente, tinha sido internado na clínica na avenida Ternes e de lá, graças à sua influência sobre Florence Levasseur, e por cartas enviadas de Versalhes à Madre Superiora, ele conduzia o caso. Por ordem da superiora, e sem saber o significado da iniciativa que ela estava tomando, Florence foi à reunião da Chefatura e levou os documentos que diziam respeito a si mesma. Enquanto isso, Jean Vernocq deixava a casa de saúde e se refugiava perto da Île Saint-Louis, onde esperava pelo fim de uma empreitada que, na pior das hipóteses, poderia voltar-se contra Florence, mas que, de forma alguma, aparentemente, poderia comprometê-lo.

"O restante da história o senhor já conhece, senhor presidente – concluiu dom Luís. – Florence, perturbada pela súbita visão do seu papel inconsciente no caso, e especialmente pelo papel terrível desempenhado por Jean Vernocq, fugiu da clínica onde o comandante-geral a tinha levado a meu pedido. Ela tinha uma única ideia: ver Jean Vernocq novamente, exigir dele uma explicação, ouvir dele a resposta que justificasse tudo aquilo. Nessa mesma noite, sob o pretexto de mostrar a Florence as provas da sua inocência, ele a levou de carro. É isso, senhor presidente."

Valenglay havia escutado com crescente interesse essa história sombria do gênio mais maléfico que se poderia imaginar. E talvez tivesse ouvido sem muito desconforto, de tanto que ela iluminava, em contrapartida, o espírito claro, fácil, feliz e tão espontâneo daquele que tinha lutado em prol da boa causa.

– E o senhor os encontrou? – ele perguntou.

– Ontem, às três horas, senhor presidente. Já não era sem tempo. Eu poderia até dizer que era tarde demais, já que Jean Vernocq começou por me mandar para o fundo de um poço e por esmagar Florence sob um bloco de pedra.

– Oh! Oh! Então o senhor morreu?

– Mais uma vez, senhor presidente.

– Mas e Florence Levasseur, por que esse bandido a queria morta? Essa morte destruiria seu indispensável projeto de casamento.

– São precisos dois para se casar, senhor presidente. Mas Florence se recusava.

– E então?

– Anteriormente, Jean Vernocq havia escrito uma carta na qual deixava tudo o que lhe pertencia a Florence Levasseur. Florence, sempre comovida de pena dele, e sem saber a importância de seu ato, tinha escrito a mesma carta. Essa carta constitui um verdadeiro e incontestável testamento em favor de Jean Vernocq. Herdeira legal e definitiva de Cosmo Mornington pelo simples fato de sua presença na reunião anteontem, e pela apresentação dos documentos que provam seu parentesco com a família Roussel, Florence, morta, passava seus direitos a seu herdeiro legal e definitivo. Jean Vernocq herdaria tudo, sem a menor possibilidade de contestação. E como, por falta de provas contra ele, teríamos que libertá-lo logo após sua prisão, ele teria vivido tranquilamente com quatorze assassinatos em sua consciência (eu fiz a conta), mas com duzentos milhões em seu bolso. Para um monstro da sua espécie, isto compensava aquilo.

– Mas o senhor tem todas essas provas? – interrogou vivamente Valenglay.

– Aqui estão elas – disse Perenna, apontando para a carteira de couro marrom que ele tinha tirado do casaco do aleijado. – Aqui estão cartas e documentos que o bandido manteve por uma aberração comum a todos os grandes malfeitores. Aqui, ao acaso, está a correspondência dele com o senhor Fauville. Aqui está o original do prospecto pelo qual me disseram que o palácio da praça do Palais-Bourbon estava à venda. Aqui está uma nota sobre as viagens que Jean Vernocq fez a Alençon para interceptar as cartas de Fauville ao senhor Langernault. Aqui, outra nota que prova que o inspetor Vérot tinha surpreendido uma conversa entre Fauville e seu cúmplice, que ele tinha roubado a fotografia de Florence e que Vernocq tinha enviado Fauville para persegui-lo. Aqui está uma terceira nota que é uma cópia das duas notas encontradas no volume oito de Shakespeare, e que mostra que Jean Vernocq, a quem estes volumes das obras de Shakespeare pertenciam, conhecia todas as maquinações de Fauville. Aqui está uma quarta nota, muito curiosa e de notável psicologia, onde ele mostra o processo de seu controle sobre Florence. Aqui está a correspondência dele com o peruano Cacérès e as cartas de denúncia que ele deveria enviar para os jornais contra mim e contra o brigadeiro Mazeroux. Aqui… Será que ainda é necessário dizer mais alguma coisa, senhor presidente? O senhor tem nas mãos o mais completo dossiê. A justiça irá constatar que todas as acusações que eu fiz, anteontem, perante o comandante-geral, eram rigorosamente precisas.

Valenglay exclamou:

– E ele! Onde ele está, esse miserável?

– Lá embaixo, em um automóvel, ou melhor, no automóvel dele.

– O senhor preveniu meus agentes? – interrogou o senhor Desmalions, inquieto.

– Sim, senhor comandante. A propósito, o homem está cuidadosamente amarrado. Não há nada a temer. Ele não vai escapar.

– Ora – disse Valenglay –, o senhor cuidou de tudo, e parece-me que o caso está terminado. Um problema, no entanto, permanece obscuro, talvez o que mais arrebatou a opinião pública. Trata-se das marcas dos dentes na maçã, os dentes do tigre, como se diz, e que eram os da senhora Fauville, que, todavia, era inocente. O senhor comandante afirma que o senhor resolveu este caso.

– Sim, senhor presidente, e os documentos de Jean Vernocq provam que tenho razão. A propósito, o problema é muito simples. Eram de fato os dentes da senhora Fauville que tinham deixado as marcas na fruta, mas não foi a senhora Fauville quem mordeu a fruta.

– Oh! Oh!

– Senhor presidente, esta é, em certa medida, a frase com a qual o senhor Fauville se referiu a esse mistério em sua confissão pública.

– O senhor Fauville era um louco.

– Sim, mas um louco lúcido que raciocinava com uma lógica terrível. Há alguns anos, em Palermo, a senhora Fauville caiu de forma tão desastrosa que sua boca bateu no mármore de uma coluna e vários dos seus dentes, tanto em cima como embaixo, ficaram moles. Para reparar o mal, ou seja, para fazer a tala de ouro destinada a consolidá-los, e que a senhora Fauville usou por vários meses, o dentista fez um molde exato de sua arcada dentária, como de costume. Foi esse molde que o senhor Fauville conservou por acaso e que usou na noite da sua morte para imprimir na maçã as marcas dos dentes da sua mulher. Foi esse mesmo molde que o inspetor Vérot conseguiu esconder por um momento e com o qual, desejando manter uma prova, tinha marcado a barra de chocolate.

A explicação de dom Luís foi seguida por um silêncio. A situação era tão simples que o presidente do conselho ficou espantado. Todo o drama, toda a acusação, tudo o que tinha causado o desespero e a morte de Marie-Anne, a morte de Gaston Sauverand, tudo isso repousava sobre um infinitamente pequeno detalhe no qual ninguém dentre os milhões e milhões de seres que tinham se apaixonado pelo mistério dos dentes do tigre pensou. Os dentes do tigre! Todos tinham adotado obstinadamente um raciocínio aparentemente incontestável de que, uma vez que a marca na maçã e a marca dos dentes da senhora Fauville eram exatamente as mesmas, e como duas pessoas no mundo não podem, nem teoricamente nem praticamente, deixar a mesma marca, a senhora Fauville era a culpada. Além disso, o raciocínio parecia tão rigoroso que, a partir do dia em que a inocência da senhora Fauville tinha sido conhecida, o problema tinha ficado em suspenso, sem que surgisse na mente de ninguém essa mísera ideia de que a marca da mordida de um dente pode ser obtida por outro meio além da mordida real desse dente.

– É como o ovo de Cristóvão Colombo – disse Valenglay, rindo. – Era preciso ter essa ideia.

– O senhor tem razão, senhor presidente. Não se costuma pensar nessas coisas. Outro exemplo: permita-me recordar que, na época em que Arsène Lupin se chamava tanto senhor Lenormand como Príncipe Paul Sernine, ninguém reparou que esse nome, Paul Sernine, era apenas o anagrama de Arsène Lupin. Bem, o mesmo acontece hoje! Luís Perenna é também o anagrama de Arsène Lupin. As mesmas letras compõem ambos os nomes. Nem uma a mais, nem uma a menos. E ainda assim, apesar de ter sido a segunda vez, ninguém foi sensato o suficiente para fazer essa pequena associação. Ainda o ovo de Cristóvão Colombo! Era preciso ter essa ideia!

Valenglay ficou um pouco surpreso com a revelação. Era possível dizer que esse diabo de homem tinha jurado confundi-lo até ao último minuto e atordoá-lo com as mais inesperadas reviravoltas. E como este último pintou bem o indivíduo, uma mistura bizarra de nobreza e descaramento, de malícia e de ingenuidade, de ironia sorridente e de charme perturbador, uma espécie de herói que, ao conquistar reinos à custa de aventuras inconcebíveis, se divertiu misturando as letras de seu nome para pegar o público em flagrante delito de distração e de imprudência!

A conversa chegava ao fim. Valenglay disse a Perenna:

– Senhor, depois de realizar algumas maravilhas neste caso, o senhor de fato manteve sua palavra e entregou o bandido. Por isso, também mantenho minha palavra. O senhor está livre.

– Eu agradeço, senhor presidente. Mas e o brigadeiro Mazeroux?

– Ele será libertado esta manhã. O senhor comandante-geral providenciou para que as suas duas detenções não sejam divulgadas ao público. O senhor é dom Luís Perenna. Não há nenhuma razão para que não continue sendo dom Luís Perenna.

– E Florence Levasseur, senhor presidente?

– Ela deve se apresentar pessoalmente ao juiz de instrução. A absolvição é inevitável. Livre, protegida de qualquer acusação e até mesmo de qualquer suspeita, ela certamente será reconhecida como a herdeira legal de Cosmo Mornington e receberá os duzentos milhões.

– Ela não os quer, senhor presidente.

Como assim?

– Florence Levasseur não quer esse dinheiro. Ele tem sido a causa de crimes terríveis. Ela tem horror a ele.

– E então?

– Os duzentos milhões de Cosmo Mornington serão totalmente usados para construir estradas e escolas no sul do Marrocos e no norte do Congo.

– Nesse império mauritano que o senhor nos ofereceu? – perguntou Valenglay, rindo. – Caramba, o gesto é nobre e eu o apoio de todo coração.

Um império e um orçamento imperial... Na verdade, dom Luís pagou a seu país a totalidade... das dívidas de Arsène Lupin.

Oito dias depois, dom Luís Perenna e Mazeroux embarcaram no iate que tinha trazido dom Luís à França. Florence os acompanhou.

Antes de partir, eles souberam da morte de Jean Vernocq que, apesar das precauções adotadas, tinha conseguido se envenenar.

Chegando lá, dom Luís Perenna, sultão da Mauritânia, encontrou seus antigos companheiros e credenciou Mazeroux para eles e para seus grandes dignitários. Então, enquanto organizava a situação que deveria seguir sua abdicação e preceder a ocupação do novo império pela França, ele teve, nos confins do Marrocos, várias reuniões secretas com o general Lauty, chefe das tropas francesas, durante as quais foram conjuntamente adotadas todas as medidas cuja execução progressiva conferia à conquista do Marrocos uma facilidade que não poderia ser explicada de outra forma. A partir de então, o futuro estava garantido. Um dia, quando chegar a hora, cairá a frágil cortina de tribos rebeldes que envolve as regiões pacificadas, descobrindo um império ordenado, regularmente constituído, atravessado por estradas, escolas e tribunais, em plena exploração e em plena efervescência.

Com seu trabalho realizado, dom Luís abdicou e regressou à França.

É inútil recordar do barulho causado por seu casamento com Florence Levasseur. As polêmicas mais uma vez recomeçaram e vários jornais exigiram a prisão de Arsène Lupin. Mas o que se poderia fazer? Embora ninguém duvidasse de sua verdadeira personalidade, embora os nomes de Arsène Lupin e de dom Luís Perenna fossem compostos por letras iguais – e essa coincidência acabou sendo notada –, legalmente Arsène Lupin estava morto, e legalmente dom Luís Perenna existia, sem que se pudesse ressuscitar Arsène Lupin ou eliminar dom Luís Perenna.

Hoje ele vive no vilarejo de Saint-Maclou, entre os graciosos vales que descem em direção às margens do rio Oise. Quem não conhece a sua modesta casa, pintada de rosa, adornada com persianas verdes, rodeada por um jardim com flores deslumbrantes? Aos domingos, as pessoas vão até lá, em parte por prazer, na esperança de ver através da cerca de sabugueiro, ou para encontrar, na praça do vilarejo, aquele que foi Arsène Lupin.

Ele está lá, a figura sempre jovem, a aparência de um adolescente. E Florence também está lá com seu corpo harmonioso, com a auréola dos seus cabelos loiros e seu rosto feliz que já não tem mais rastos da sombra de uma lembrança ruim.

Às vezes alguns visitantes vêm bater na pequena cerca de madeira. São pessoas desafortunadas que imploram pela ajuda do mestre. São oprimidos, vítimas, fracos que sucumbiram, exaltados que se perderam em paixões. Com todos eles, dom Luís é piedoso. Ele dá a eles sua atenção perspicaz, a ajuda dos seus conselhos, sua experiência, sua força e até seu tempo, quando necessário.

E muitas vezes há também um emissário da Chefatura, ou algum subordinado da polícia que vem apresentar a ele algum caso embaraçoso. E novamente, dom Luís esbanja os recursos inesgotáveis da sua mente.

Além disso, além dos antigos livros de moral e filosofia que ele encontrou com tanto prazer, ele cultiva seu jardim. Suas flores o fascinam. Ele tem orgulho delas. Ninguém se esqueceu do sucesso obtido, na exposição de horticultura, com o cravo triplo malhado de vermelho e amarelo que ele apresentou sob o nome de "cravo de Arsène".

Mas seu esforço visa grandes flores que florescem no verão. Em julho e agosto, dois terços de seu jardim e todos os canteiros de flores em seu quintal estão cheios delas. Soberbas plantas ornamentais que se erguem como mastros de bandeira, elas ostentam orgulhosamente espigas cristalizadas nas cores azul, roxo, violeta, rosa, branco, e justificam o nome que deram à sua propriedade, a "Redoma de lupinos".

Todas as variedades de lupinos são encontradas lá, o lupino de Cruikshanks, o lupino variegado, o lupino fragrante, e o último que apareceu, o lupino de Lupin.

Todos eles estão ali, magníficos, cerrados uns contra os outros como soldados de um exército, cada um deles se esforçando para dominar e oferecer ao sol a espiga mais abundante e resplandecente. Eles estão todos lá, e, no limiar da alameda que leva ao seu campo multicolorido, uma bandeirola carrega este lema, tirado de um belo soneto de José-Maria de Heredia:

"E meu quintal está cheio de lupinos."

Então é uma confissão? Por que não? Ele disse, numa entrevista recente:

– Eu o conheci muito bem. Ele não era um homem mau. Não chegarei ao ponto de equipará-lo aos sete sábios da Grécia, nem mesmo de oferecê-lo como exemplo às gerações futuras. No entanto, ele deve ser julgado com uma certa indulgência. Ele foi excessivo no bem e comedido no mal. Aqueles que foram castigados assim o mereceram e, mais cedo ou mais tarde, o destino os teria punido se ele não tivesse a precaução de tomar a iniciativa. Entre um Lupin que escolhia suas vítimas na gentalha dos maus ricos e um grande financista que rouba e lança na miséria a multidão de pessoas simples, a vantagem não é toda de Lupin? E, por outro lado, que abundância de boas ações! Que provas de generosidade e abnegação! Ladrão? Admito. Vigarista? Não nego. Ele foi tudo isso. Mas ele foi muito mais do que isso. E se ele divertiu o grande público por sua habilidade e engenhosidade, foi pelas outras coisas que ele o fascinou. As pessoas riam de seus bons truques, mas se entusiasmavam com sua coragem, sua audácia, seu espírito de aventura, seu desprezo pelo perigo, seu sangue-frio, sua clarividência, seu bom humor, o esbanjamento de sua energia, todas as qualidades que brilharam em uma época em que, precisamente, as mais ativas virtudes de nossa raça eram exaltadas, a época heroica do automóvel e do aeroplano, a época que precedeu a grande guerra.

E como observaram:

– O senhor fala dele no passado. De acordo com o senhor, o ciclo de aventuras dele chegou ao fim?

– De maneira nenhuma. A aventura é a vida de Arsène Lupin. Enquanto ele viver, ela será o centro e o ponto culminante de mil e uma aventuras. Ele disse uma vez: "Eu gostaria de ver escrito em meu túmulo: *Aqui jaz Arsène Lupin, aventureiro*". Um dizer que é uma verdade. Ele foi um mestre da aventura. E, se a aventura o levou demasiadas vezes a remexer no bolso do próximo, também o levou a campos de batalha onde ela deu, àqueles que são dignos de lutar e vencer, títulos de nobreza que não estão ao alcance de todos. Foi lá que ele ganhou os seus. É lá que se deve vê-lo agir, e se empenhar, e enfrentar a morte, e desafiar o destino. E é por isso que ele tem de ser perdoado se por vezes desancou o comandante e, por vezes, roubou o relógio do juiz de instrução. Sejamos indulgentes com nossos professores de vitalidade.

E dom Luís encerrou, acenando com a cabeça:

– Além disso, vocês compreendem, ele tinha outra virtude que não deve ser desprezada, e que deve ser levada em conta nestes tempos sombrios: ele era feliz!